Stanisław Szostakowski

HISTORIA 6

Polska w latach świetności i upadku (XIV–XVIII w.)

Wydanie ósme

WSiP

Warszawa 1999
Wydawnictwa Szkolne i Pedagogiczne
Spółka Akcyjna

Okładkę i stronę tytułową projektował *Krzysztof Demianiuk*

Na okładce reprodukcja obrazu *Śmierć Kazimierza Pułaskiego w bitwie pod Savannah* pędzla Stanisława Kaczor-Batowskiego

Ilustracje w tekście zreprodukowano na podstawie dostępnych źródeł i wykorzystano zdjęcia autorskie: *Z. Gamski, E. Sęczykowska, St. Sobkiewicz, H. Romanowski, K. Michalski, Z. Wdowiński, F. Zwierzchowski, St. Syndoman, A. Zborski, L. Koper, J.S. Kukuliszwili, St. Sobkowicz, I. Straburzyński, S. Laskowski, R. Kozłowski, T. Przypkowski, L. Sempoliński, WAF, L. Myszkowski*

Redaktor *Barbara Konczerewicz*

Redaktor techniczny *Justyna Rosłonek*

Książka zakwalifikowana przez Ministra Edukacji Narodowej w dniu 14 października 1991 r. do rejestru proponowanych podręczników do nauczania historii w klasie VI szkoły podstawowej (81/91).

ISBN 83-02-05375-9

© Copyright by
Wydawnictwa Szkolne i Pedagogiczne
Warszawa 1992

Wydawnictwa Szkolne i Pedagogiczne
Spółka Akcyjna
Warszawa 1999
Wydanie ósme
Druk i oprawa: Pabianickie Zakłady Graficzne SA
Pabianice, ul. Piotra Skargi 40/42
Zam. 142/1101/99

Wydrukowano na papierze
KOSTRZYN PAPER
80 g/m²
Amber
graphic

Spis treści

Polska za Jagiellonów

1. Unia Polski z Litwą / **9**
   Państwo litewskie w XIII i XIV w. Stosunki polsko-litewskie. Unia Polski z Litwą. Jagiełło królem Polski.
2. Wielka wojna z Krzyżakami / **13**
   Początek wojny. Bitwa pod Grunwaldem (1410). Pokój toruński w 1411 r. Spór polsko-krzyżacki na soborze w Konstancji.
3. Turcy w Europie / **19**
   Podbój Słowian bałkańskich przez Turków. Unia polsko-węgierska. Bitwa pod Warną (1444). Zdobycie Konstantynopola przez Turków (1453).
4. Odzyskanie przez Polskę Pomorza Gdańskiego / **22**
   Poselstwo pruskie u Kazimierza Jagiellończyka. Wojna z Zakonem (1454). Pokój w Toruniu (1466). Wzrost znaczenia Wisły jako szlaku komunikacyjnego i drogi handlowej. Rozkwit Gdańska.

Kultura późnego Średniowiecza

1. Kultura rycerska, mieszczańska i ludowa / **29**
   Kultura rycerska. Wzór rycerza chrześcijańskiego. Kultura mieszczańska i ludowa.
2. Nauka i sztuka w Średniowieczu / **33**
   Początki oświaty i nauki w wiekach średnich. Akademia Krakowska. Jan Długosz. Dzieło Wita Stwosza.

Wielkie odkrycia geograficzne i podboje kolonialne

1. Poszukiwanie nowych szlaków handlowych / **38**
   Wyobrażenia o świecie w XV w. Udoskonalenie środków żeglugi. Poszukiwanie drogi morskiej do Indii.
2. Wielkie odkrycia geograficzne / **41**
   Odkrycie Ameryki przez Krzysztofa Kolumba (1492). Znalezienie drogi do Indii. Pierwsza podróż dookoła świata (F. Magellan). Skutki odkryć geograficznych.

Odrodzenie we Włoszech

1. Kultura włoskiego Odrodzenia / **47**
   Rozkwit gospodarczy i kulturalny miast włoskich w XV w. Humanizm i Odrodzenie.
2. Wielcy mistrzowie włoskiego Odrodzenia / **49**
   Wybitni przedstawiciele kultury i sztuki. Wynalazek druku.

Reformacja w Europie

1. Narodziny i rozwój reformacji w Niemczech / **53**
   Niemcy w początkach XVI w. Kryzys Kościoła. Wystąpienie Marcina Lutra (1517).
2. Postępy reformacji w Europie / **56**
   Powstanie nowych wyznań. Anglikanizm. Antytrynitarze. Wojny religijne we Francji.

Polska Złotego Wieku na tle europejskim

1. Pozycja polityczna Polski XVI w. Polityka zagraniczna ostatnich Jagiellonów / **60**
   Umocnienie pozycji Polski nad Bałtykiem. Hołd pruski (1525). Walka o Inflanty. Początki polskiej floty.
2. Gospodarka polska w XVI w. / **65**
   Powstanie folwarku pańszczyźnianego. Zboże polskie na rynkach europejskich. Spław wiślany i rozwój Gdańska. Ustawodawstwo ograniczające prawa chłopów. Miasta i rzemiosło.
3. Rzeczpospolita Obojga Narodów / **71**
   Przywileje szlacheckie. Powstanie i organizacja sejmu walnego. Unia Lubelska (1569). Obszar i ludność Rzeczypospolitej Obojga Narodów.

4. Pierwsze wolne elekcje / **76**
   Pierwsi królowie elekcyjni. Jan Zamoyski. Artykuły henrykowskie.
5. Renesans w Polsce / **82**
   Wpływ kultury włoskiej. Kształtowanie narodowego charakteru kultury (M. Rej, J. Kochanowski). Mikołaj Rej (1505–1560). Jan Kochanowski (1530–1584). Wkład Polski do kultury i nauki europejskiej (M. Kopernik, A.F. Modrzewski). Mikołaj Kopernik (1473–1543). Andrzej Frycz Modrzewski (1503–1572). Zabytki architektury i sztuki renesansowej w Polsce.
6. Reformacja w Polsce / **91**
   Główne nurty reformacji w Polsce: luteranizm, kalwinizm, bracia polscy. Tolerancja religijna (Konfederacja Warszawska – 1573 r.). Kościół katolicki wobec reformacji.

Rzeczpospolita w XVII w.

1. Rzeczpospolita szlachecka za pierwszych Wazów / **97**
   Nowa dynastia. Interwencja polska w Rosji. Wojny z Turcją (Cecora).
2. Powstanie Chmielnickiego / **102**
   Podłoże powstania i jego przebieg. Ugoda w Perejasławiu i wojny Rosji z Rzecząpospolitą.
3. Najazd Szwedów na Polskę / **107**
   Przyczyny konfliktu polsko-szwedzkiego. Najazd Szwedów na Polskę. Obrona Jasnej Góry. Stefan Czarniecki. Wyparcie Szwedów i udział w tym chłopów. Utrata lenna pruskiego. Skutki wojny.
4. Wojny z Turcją w drugiej połowie XVII w. / **119**
   Wznowienie konfliktu. Zwycięstwo Jana III Sobieskiego pod Wiedniem (1683).

Polska i państwa sąsiednie w pierwszej połowie XVIII w.

1. Wzrost znaczenia państw sąsiednich / **125**
   Austria. Rosja. Powstanie Królestwa Pruskiego. Polityka państw ościennych.
2. Polska pod rządami Sasów / **132**
   Osłabienie państwa. Upadek gospodarki, kultury i oświaty. Uzależnienie Rzeczypospolitej od

państw ościennych. Ksiądz Stanisław Konarski i jego działania na rzecz wychowania światłych obywateli.

Próby reformy Rzeczypospolitej. Pierwszy rozbiór Polski

1. Ostatnia elekcja w Polsce / **141**
   Elekcja Stanisława Poniatowskiego. Konfederacja barska. Pierwszy rozbiór Polski (1772).
2. Ożywienie gospodarcze w czasach stanisławowskich / **147**
   Przemiany w gospodarce szlacheckiej. Rozwój manufaktur. Wzrost znaczenia mieszczaństwa. Rozwój Warszawy.
3. Kultura polskiego Oświecenia / **151**
   Szkoła Rycerska. Komisja Edukacji Narodowej (1773). Teatr narodowy. Sztuka czasów stanisławowskich.

Powstanie Stanów Zjednoczonych Ameryki Północnej

1. Wojna o niepodległość kolonii angielskich w Ameryce Północnej / **159**
   Konflikt między Anglią i jej koloniami amerykańskimi. Deklaracja Niepodległości (1776). Wojna o niezawisłość.
2. Konstytucja Stanów Zjednoczonych / **164**
   Uchwalenie konstytucji. Udział Polaków w walce o niepodległość Ameryki. Kazimierz Pułaski. Tadeusz Kościuszko.

Rewolucja we Francji (1789–1794)

1. Początki rewolucji / **168**
   Przyczyny rewolucji. Zburzenie Bastylii (14 VII 1789). Deklaracja Praw Człowieka i Obywatela.
2. Od monarchii konstytucyjnej do wprowadzenia republiki / **177**
   Obalenie monarchii. Rządy jakobinów. Dyrektoriat.

Walka o ocalenie Rzeczypospolitej

1. Sejm Czteroletni. Konstytucja 3 maja / **184**
   Sytuacja międzynarodowa. Stronnictwa polityczne w sejmie. Reformy skarbu i wojska. Poli-

tyka zagraniczna. Prawo o miastach. Uchwalenie Konstytucji 3 maja 1791 r. i jej znaczenie.
2. Wojna w obronie Konstytucji 3 maja. Drugi rozbiór Polski / **190**
Konfederacja targowicka. Wojna polsko-rosyjska (1792). Drugi rozbiór Polski (1793).
3. Insurekcja Kościuszkowska / **194**
Wybuch powstania. Tadeusz Kościuszko naczelnikiem powstania. Bitwa pod Racławicami. Insurekcja warszawska. Uniwersał połaniecki. Obrona Warszawy.
4. Klęska powstania i upadek Rzeczypospolitej / **201**
Klęska pod Maciejowicami. Trzeci rozbiór Polski. Przyczyny upadku państwa polskiego.

Królowie Polski / **206**
   A. Dynastia Jagiellonów
   B. Królowie elekcyjni
Daty do zapamiętania
Tablica genealogiczna dynastii Jagiellonów / **207**

Polska za Jagiellonów

1. Unia Polski z Litwą

Jakich podbojów dokonali Krzyżacy po osiedleniu się na ziemiach polskich?
Przypomnij, jakie ziemie nazywamy Rusią Halicką i za panowania którego władcy przyłączono Ruś Halicką do Polski?
Skorzystaj z *Małego Słownika Historii Polski* pod red. Tadeusza Łepkowskiego.

Państwo litewskie w XIII i XIV w. W XIII w. na północny wschód od Polski powstało państwo litewskie ze stolicą w Wilnie. Zajmowało ono obszar nad Niemnem, wielką rzeką wpadającą do Morza Bałtyckiego, i dopływem Niemna – Wilią. Litwini byli spokrewnieni z sąsiadującymi z nimi plemionami bałtyckimi – Prusami. Trudnili się rolnictwem, hodowlą bydła, bartnictwem i myślistwem. Wyznawali wiarę w wielu bogów.

Książęta litewscy podejmowali wyprawy wojenne na ziemie sąsiednie, zwłaszcza na Ruś, która znajdowała się pod panowaniem tatarskim, ale ludność ruska była chrześcijańska. W krótkim czasie udało się im opanować wiele księstw ruskich, aż do Dniepru na wschodzie, Prypeci na południu i poza Dźwinę – na północy. Samej Litwie groziło jednak wielkie niebezpieczeństwo. Oto Zakon Krzyżacki, dokonawszy podboju Prus, zaczął zagrażać posiadłościom litewskim. Krzyżakom zależało przede wszystkim na zdobyciu Żmudzi, ziemi położonej na prawym brzegu dolnego Niemna. Oddzielała ona bowiem krzyżackie państwo w Prusach od państwa innego niemieckiego zakonu rycerskiego, zwanego Zakonem Kawalerów Mieczowych, mającego swą siedzibę na obszarze dzisiejszej

Rycerze krzyżaccy w imię idei chrześcijańskiej podbijali ziemie należące do innych ludów
Pod białym płaszczem, na którym widniał znak krzyża koloru czarnego, nosili zbroję. Głowę ochraniał hełm ozdobiony pióropuszem. Podstawowym narzędziem walki Krzyżaków na przełomie XIV i XV w. był długi prosty miecz.

Łotwy i Estonii. Zakon ten połączył się w pierwszej połowie XIII w. z Krzyżakami. Podobnie jak to czynili przy podboju Prus, Krzyżacy rozgłaszali, że chcą nawrócić Litwinów na wiarę chrześcijańską. W rzeczywistości jednak pragnęli podbić Litwę po to, by powiększyć i umocnić swoje państwo nad Bałtykiem. W ich wyprawach na Litwę brali udział ochotnicy z różnych krajów europejskich, głównie z Niemiec. Najazdy te niszczyły ziemie litewskie; palono wsie, a ludność zabijano lub brano do niewoli. Z kolei rywalem Litwy na wschodzie, w walce o ziemie ruskie, stało się powstałe w XIV w. Księstwo Moskiewskie.

Stosunki polsko-litewskie. W ciągu XIV w. Litwini często organizowali wyprawy łupieskie na ziemie polskie. Grabili zagospodarowane terytoria i brali jeńców do niewoli. W początkach XIV w. przejściowo udało im się opanować Podlasie, tj. terytorium po obu częściach środkowego Bugu. Jednak już król **Władysław Łokietek (1320–1333)** dążył do przymierza z Litwą. Nawiązał on przyjazne kontakty z władcą litewskim Giedyminem. **Kazimierz Wielki (1333–1370)** poślubił nawet córkę Giedymina – Aldonę, ale za jego panowania ponownie popsuły się stosunki polsko-litewskie. Doszło do wojny między Polską a Litwą o posiadanie Rusi Halickiej. Dokonywane w różnych okresach najazdy litewskie na ziemie polskie, szczególnie na Mazowsze, utrudniały ich rozwój gospodarczy.

Rusią Halicką nazywano krainę historyczną, leżącą w dorzeczu górnego Dniestru, Bugu i Styru, przez którą przebiegały w Średniowieczu ważne szlaki handlowe z zamożnymi miastami jak Lwów, Halicz, Brześć. Ruś Halicką przyłączył do Polski Kazimierz Wielki w połowie XIV w.

Jednak dla Litwy najważniejszym problemem było umocnienie panowania na zdobytych ziemiach ruskich, a także odepchnięcie zagrożenia ze strony Księstwa Moskiewskiego i Zakonu Krzyżackiego. To zadecydowało, że rządzący w drugiej połowie XIV w. wielki książę litewski Jagiełło zaczął zabiegać o przymierze z Polską.

Unią nazywamy dobrowolny związek (wspólnotę) dwóch lub kilku państw, które powiązane są ze sobą na warunkach korzystnych dla każdej ze stron.

Unia Polski z Litwą. W tym czasie w imieniu małoletniej Jadwigi, królewny węgierskiej powołanej na tron Polski, władzę w kraju sprawowali możni panowie. Rozumieli oni, że tylko zjednoczonym wysiłkiem dwóch państw można będzie pokonać Krzyżaków, którzy tyle krzywd wyrządzili i Polsce, i Litwie. Mieli również nadzieję, że przez połączenie Polski z Litwą państwo polskie usamodzielni się bardziej od Węgier i rozszerzy swoje terytorium, przesuwając dalej na wschód granice. Dlatego wielkiemu księciu litewskiemu Jagielle zaproponowali koronę polską.

W **1385 r.** między Polską i Litwą został zawarty układ w **Krewie,** na mocy którego Jagiełło miał poślubić Jadwigę i zostać królem Polski oraz przyjąć wraz z całą Litwą religię chrześcijańską. Litwa miała być połączona z Polską. W ten sposób doszło do zawarcia u n i i p o l s k o - l i t e w s k i e j. Część możnych panów litewskich była niechętna całkowitemu włączeniu Litwy do Polski. Dlatego przywrócono wkrótce pełną odrębność Litwie i ustanowiono tam osobnego wielkiego księcia, którym został Witold, stryjeczny brat Jagiełły. Ścisły związek dwóch państw został jednak utrzymany, ponieważ wielki książę litewski uznawał zwierzchnią władzę króla polskiego.

Unia wzmocniła siły Polski i Litwy, co miało wielkie znaczenie dla oczekującej oba kraje walki z Krzyżakami.

Pieczęć majestatyczna Władysława Jagiełły

Jagiełło królem Polski. W zimowy dzień **1386 r.** Jagiełło wjechał do Krakowa w otoczeniu licznych rycerzy. Oczekującej go na zamku Jadwidze wręczył bogate dary. Po przyjęciu chrztu, na którym otrzymał imię Władysław, i po ceremonii zaślubin odbyła się uroczysta koronacja. W ten sposób zapoczątkowana została na tronie polskim d y n a s t i a J a -

Dynastia Rodzina panująca w królestwie, w której władza przechodzi z ojca na syna.

Władysław Jagiełło (ok. 1351–1434), wielki książę litewski ▶ i król polski od 1386 r. W wojnie z Krzyżakami w latach 1409–1410 wykazał duży talent wojskowy. Złamał potęgę Zakonu Krzyżackiego w bitwie pod Grunwaldem i zacieśnił związek z Litwą, zawierając unię w Horodle w 1413 r. Bitwa grunwaldzka wywarła wielkie wrażenie wśród współczesnych, a oto fragment opinii o bitwie i królu Władysławie Jagielle:
Gdy poseł od waszego majestatu [...] przyniósł wieści o zwycięstwie i chwalebnym pokoju, tak wielką sercu memu sprawił radość, że jej ani piórem opisać, ani głos mój wyrazić tak jak się godzi nie jest w stanie [...] Oto ze stolca ich pychy złożeni są, a maluczcy wyniesieni [...] Gdzież są tedy owe dwa miecze nieprzyjaciół? Zaiste tymi samymi zostali obaleni, którymi przestraszyć chcieli pokornego [...] Dlatego władco najjaśniejszy, to w duchu rozważając, pozostańcie przy skromności i pokorze, bo ona wynosi [...]

11

Jadwiga (ok. 1374–1399), królowa polska od 1384 r. W roku 1386 pod naciskiem możnowładców krakowskich poślubiła księcia Litwy Jagiełłę. Pragnęła pokojowo rozwiązać spory polsko-krzyżackie

giellonów, która rządziła w Polsce i na Litwie prawie 200 lat i przyczyniła się do wielkiego rozkwitu i znaczenia politycznego Polski w Europie.

W 1387 r. Jagiełło w otoczeniu panów i biskupów udał się wraz z Jadwigą na Litwę, pragnął bowiem, by jego kraj ojczysty również przyjął chrześcijaństwo. Podobno sam król przetłumaczył modlitwę *Ojcze nasz* na język litewski, by w ten sposób pomóc Litwinom w zrozumieniu zasad nowej religii. Jak napisał późniejszy pisarz historyczny: *rozdawał prostemu ludowi odzież, koszule i nowe ubrania z sukna przywiezionego na to z Polski*. Aby skuteczniej wprowadzać nową wiarę, król Władysław Jagiełło kazał wyciąć święte dla Litwinów drzewa, ugasić czczony przez nich ogień i pozabijać uznane za święte węże. Gdy nie padły gromy z nieba, ludność dała się chętnie nakłonić do przyjęcia nowej wiary.

W Wilnie utworzono biskupstwo, a w kraju zaczęto wznosić liczne kościoły i zakładać parafie.

W kilkanaście lat po ślubie zmarła bezpotomnie królowa Jadwiga. Wszystkie swoje klejnoty przeznaczyła na odnowienie uniwersytetu w Krakowie, ponieważ po śmierci Kazimierza Wielkiego nastąpił

Akt unii polsko-litewskiej podpisany w Horodle w roku 1413
Dokument ten był rozwinięciem wcześniejszego związku zawartego w 1385 r. w Krewie. Unia horodelska wprowadziła instytucję odrębnego wielkiego księcia na Litwie, wybieranego przy udziale panów polskich. Litewskie rody bojarskie uzyskały też wiele przywilejów.

upadek założonej przez niego uczelni. Dopiero dzięki darom Jadwigi i opiece Jagiełły uniwersytet krakowski zaczął się na nowo rozwijać.

Ćwiczenia
1. Jakie niebezpieczeństwo groziło Litwie ze strony Zakonu Krzyżackiego?
2. Jakie były motywy zawarcia unii: a) ze strony Litwy, b) ze strony Polski.
3. Podaj główne postanowienia unii w Krewie.
4. Wskaż na mapie państwo litewskie, a w nim Żmudź; wskaż także posiadłości Zakonu Kawalerów Mieczowych.

Zapamiętaj datę **1385**

O królu Władysławie tak pisał historyk polski Jan Długosz:

„Wzrostu był miernego, twarzy ściągłej, chudej, u brody nieco zwężonej. Głowę miał podłużną, prawie całkiem łysą [...] Szczery, prostoduszny, nie miał w sobie żadnej obłudy. W rozdawaniu łask i danin mało oględny [...] Ozdób powierzchownych i szat wytwornych nie lubił. Chodził zwykle w kożuchu baranim, suknem pokrytym [...] Nienawidził soboli, kun, lisów i innych miękkich a kosztownych futer".

O królu Władysławie Jagielle możesz dowiedzieć się więcej z książki Marcelego Kosmana *Jagiełło królem Polski*.

2. Wielka wojna z Krzyżakami

Kiedy Polska utraciła Pomorze Gdańskie?

Początek wojny. Chrzest Litwy i unia Polski i Litwy w Krewie zaniepokoiły Krzyżaków. Tracili oni bowiem w ten sposób uzasadnienie dla swego dalszego pobytu nad Bałtykiem. Głosili przecież, że ich zadaniem jest „nawracać" Prusów, Litwinów i innych pogan, gdy tymczasem ostatni lud pogański w tej części Europy został ochrzczony i połączył się z Polską. Zakon próbował zatem skłócić Polskę z Litwą i doprowadzić do zerwania unii. Gdy to się nie udało, rozpoczął przygotowania do orężnej rozprawy z obu państwami.

Także i w Polsce myślano o wojnie z Zakonem. Dobrze pamiętano krzywdy i zdrady, jakich państwo polskie doznało od Krzyżaków w ciągu wielu lat. Pamiętano przecież o zagarnięciu przez nich Pomorza Gdańskiego. Przede wszystkim jednak Polacy i Litwini rozumieli, że Zakon będzie dążył do rozbicia połączonych unią Polski i Litwy.

Pieczęć wielkiego księcia Witolda

Początkowo Krzyżacy zamierzali uderzyć tylko na Litwę, lecz Polacy stanowczo zapowiedzieli, że udzielą Litwie pomocy. Obie strony podjęły zatem intensywne przygotowania do wojny, która rozpoczęła się w 1409 r. Oddziały krzyżackie wtargnęły na Kujawy i do ziemi dobrzyńskiej. Zapłonęły polskie wsie i miasta. Wycięto w pień stawiającą opór załogę Dobrzynia.

Jednak kontratak sił polskich na Kujawach i w ziemi dobrzyńskiej, a Litwinów na Żmudzi, oraz zbliżająca się zima, skłoniły wielkiego mistrza do zawarcia rozejmu do 24 czerwca 1410 r.

Wielki mistrz krzyżacki ściągnął ochotników z całej Europy. Jego politykę poparli królowie Czech i Węgier. Polacy wysyłali do różnych krajów pisma, w których wyjaśniali, dlaczego walczą z Zakonem Krzyżackim. Tymczasem w Polsce i na Litwie gromadziły się wojska. Król Władysław Jagiełło zarządził wielkie polowania, które miały dostarczyć dużych zapasów mięsa na potrzeby wojska.

W szeregach polskich znaleźli się nie tylko rycerze. Byli wśród nich także chłopi uzbrojeni w dzidy, siekiery, cepy i maczugi. Wojska litewskie zasiliły oddziały ruskie i pewna liczba Tatarów. Przybyły także trzy zaciężne (wynajmowane za pieniądze) pułki czeskie.

Latem 1410 r., po zakończeniu przygotowań, wojna została wznowiona.

Ze wszystkich stron kraju rycerstwo polskie podążało pod Czerwińsk, gdzie król Władysław Jagiełło wyznaczył spotkanie głównych sił polskich. Po przeprawieniu się przez Wisłę, po moście specjalnie zbudowanym dla przeprawy, wojsko polskie połączyło się z oddziałami litewskimi. Wspólne siły polsko-litewskie przekroczyły granicę państwa zakonnego. Jagiełło chciał maszerować wprost na stolicę Zakonu – Malbork, lecz drogę zastąpili mu Krzyżacy. Do spotkania obu armii doszło **15 lipca 1410 r.** pod wsią Grunwald.

Bitwa pod Grunwaldem (1410). Oba wojska ustawiły się do bitwy, Polacy i Litwini po jednej stronie rozległego pola, po drugiej Krzyżacy. Część wojsk polskich, niewidoczna dla nieprzyjaciela,

chorąży
przedchorągiewni
pozostali wojownicy

Szyk kolumnowo-klinowy używany w wojsku polskim i krzyżackim w bitwie pod Grunwaldem

stała w pobliskim lesie. Krzyżaków było około 15 tys., Polaków z Litwinami dwa razy więcej, ale ich uzbrojenie nie dorównywało krzyżackiemu. Błędem Krzyżaków było doprowadzenie do bitwy w otwartym polu, zamiast rozproszenia wojsk po kraju w warownych zamkach.

Nikt nie zaczynał walki i przez kilka godzin oba wojska stały naprzeciw siebie nieruchomo. Skwar słoneczny coraz bardziej dawał się we znaki zakutym w ciężkie zbroje Krzyżakom. Wielki mistrz **Ulrich von Jungingen** bał się jednak uderzyć na Polaków, myślał bowiem, że w lesie może być przygotowana zasadzka. Chcąc zmusić wojska królewskie do opuszczenia zajmowanych przez nie dogodnych pozycji, wysłał do Jagiełły dwóch posłów, którzy w obraźliwych słowach oświadczyli, że mistrz Ulrich wzywa króla i księcia Witolda do stoczenia bitwy. Aby jeszcze mocniej obrazić Jagiełłę i zgromadzone rycerstwo, posłowie wręczyli królowi dwa nagie miecze. Wielki mistrz Ulrich von Jungingen liczył na to, że po takim „poselstwie"

Urlich von Jungingen, wielki mistrz Zakonu Krzyżackiego

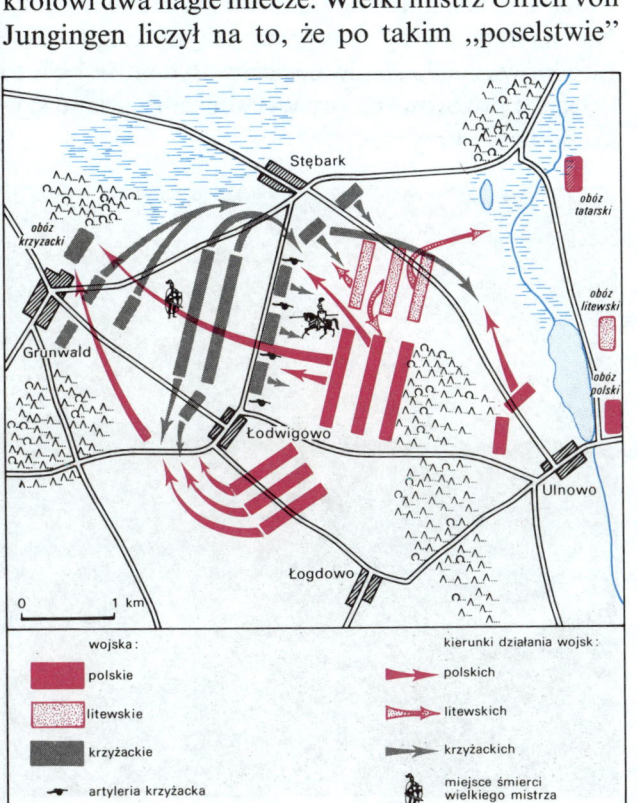

Bitwa pod Grunwaldem

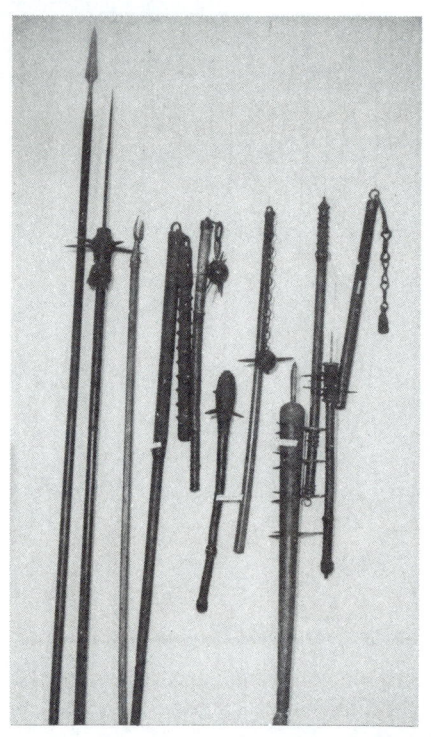

Broń ręczna z XV w. Od lewej – dzidy i spisy oraz różnego rodzaju cepy i maczugi nabijane specjalnymi gwoździami.
Poniżej hełmy używane przez wojsko polskie podczas bitwy grunwaldzkiej.

Jagiełło, uniesiony gniewem, natychmiast rozpocznie bitwę. Cel ten nie został jednak osiągnięty. Król Władysław Jagiełło ze spokojem wysłuchał przemówienia krzyżackich posłów. Przyjmując miecze stwierdził, że są one dla niego zapowiedzią zwycięstwa, ponieważ jedynie pokonani składają broń.

Dopiero po dokładnym sprawdzeniu gotowości bojowej swoich szeregów Jagiełło wydał rozkaz rozpoczęcia bitwy.

Oba wojska z głośnym okrzykiem zwarły się ze sobą. Rozległ się chrzęst żelaza i szczęk mieczów. Krzyżacy dwukrotnie dali ognia z armat, nie czyniąc tym jednak większej szkody. Ówczesne działa były bowiem jeszcze bardzo niedoskonałe.

W pierwszej godzinie trwania bitwy żadna ze stron nie uzyskała przewagi. Krzyżacy postanowili wówczas główny atak skierować na Litwinów. Byli oni gorzej uzbrojeni niż wojsko polskie. Wielu z nich zamiast zbroi miało tylko skórzane kaftany. Nie wytrzymawszy uderzenia krzyżackiego, część Litwinów rzuciła się do ucieczki. Być może była to ucieczka pozorowana, by wyrwać ze zwartego szyku oddziały krzyżackie.

Książę Witold (ok. 1352–1430) dowodzący wojskami litewskimi w bitwie pod Grunwaldem

W czasie najbardziej zaciętej walki, kiedy zwycięstwo przechylało się to na jedną, to na drugą stronę, upadła na ziemię najważniejsza chorągiew polska ze znakiem Białego Orła. Z tysięcy krzyżackich ust podniósł się okrzyk triumfu. Lecz radość wrogów była przedwczesna. Co dzielniejsi rycerze polscy natychmiast chorągiew podnieśli i z jeszcze większą zaciętością rzucili się do walki. Wtedy wielki mistrz wysłał do boju swe najlepsze oddziały, trzymane dotąd w rezerwie.

I znów rozgorzały zacięte zmagania. Krzyżakom wiodło się jednak coraz gorzej. Wreszcie sam wielki mistrz, który walczył na czele swoich ostatnich oddziałów, padł pod ciosami polskich rycerzy. Zginęło wielu dostojników Zakonu i wielu rycerzy krzyżackich. Widząc zbliżającą się klęskę, część Krzyżaków rzuciła się do ucieczki. W pogoń za nimi ruszyły oddziały polsko-litewskie.

Bitwa zakończyła się wielkim zwycięstwem Polaków i Litwinów. Pod **Grunwaldem** została zniszczona potęga Zakonu Krzyżackiego. W ręce polskie dostał się cały obóz krzyżacki, w którym znaleziono wielką ilość sznurów i łańcuchów. Krzyżacy zamierzali nimi krępować jeńców. Zdobyto także 51 chorągwi nieprzyjacielskich.

Chorągiew wielkiego mistrza Zakonu zdobyta w bitwie pod Grunwaldem

Pokój toruński w 1411 r. Po zwycięstwie grunwaldzkim wojska polskie i litewskie ruszyły pod Malbork. Zakon zdołał jednak obronić swoją stolicę. W roku **1411** został podpisany w **Toruniu** układ pokojowy. Na jego mocy Zakon zwrócił Litwie Żmudź, ale zatrzymał polskie Pomorze. Chociaż warunki tego pokoju nie przyniosły Polsce większych korzyści, miał on jednak duże znaczenie. Zakon musiał bowiem uznać swą klęskę i do dawnej świetności nie miał wrócić już nigdy. Starał się jednak nadal szkodzić państwu polskiemu, głosząc, iż zwycięstwo w tej bitwie Polacy zawdzięczają „haniebnym" sojuszom z poganami i heretykami.

Spór polsko-krzyżacki na soborze w Konstancji. W roku **1414** rozpoczął się w **Konstancji** wielki zjazd wyższego duchowieństwa katolickiego, czyli sobór powszechny. Sobór miał rozstrzygnąć wiele spraw kościelnych i wybrać papieża. Na soborze

Chorągiew rycerstwa Turyngii walczącego w szeregach Zakonu Krzyżackiego

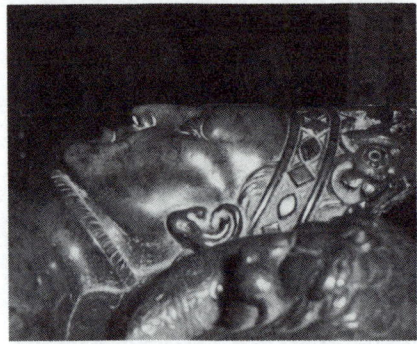

Grobowiec Władysława Jagiełły w katedrze na Wawelu oraz fragment postaci

Zapamiętaj datę **15 VII 1410 r.**

w Konstancji miał być również rozpatrywany spór polsko–krzyżacki. Polskę reprezentowała liczna delegacja, której przewodził arcybiskup gnieździeński i pierwszy prymas Polski **Mikołaj Trąba (1358–1422)**. W jej skład wchodził uczony i prawnik, rektor uniwersytetu w Krakowie **Paweł Włodkowic (ok.1370–1435)** oraz kilku innych wybitnych uczonych, znanych poza granicami kraju. Blasku dodawali jej rycerze z Zawiszą Czarnym na czele. Delegacja polska rozpoczęła przed cesarzem niemieckim Zygmuntem Luksemburskim rozprawę sądową z Krzyżakami o Pomorze, a ponadto Paweł Włodkowic ogłosił obszerny traktat w obronie praw wszystkich ludów do życia w pokoju, niezależnie od wiary przez nich wyznawanej. Głosił, iż poganie mają takie samo prawo do swojej ziemi jak chrześcijanie, i nikt, nawet papież, czy cesarz nie może im tego prawa odmawiać. W przypadku prób podboju ich ziemi, nawet pod pozorem szerzenia religii chrześcijańskiej, mają oni prawo do wojny w obronie ojczyzny. W odpowiedzi na traktat Włodkowica Krzyżacy rozpowszechnili na soborze szkalujące pismo przeciw Jagielle i Polakom, donoszące, że *wszyscy Polacy są bałwochwalcami i służą swemu bożkowi Jagielle,* heretykami i *nieczystymi psami,* których należy tępić bardziej niż pogan. Ostre wystąpienie Polaków sprawiło, że po burzliwych obradach potępiono kłamliwe pismo, a jego autor musiał je odwołać. Rozprawa sądowa ciągnęła się z Krzyżakami przez wiele lat (1414–1418) i nie przyniosła żadnych rezultatów. Sobór przyniósł jednak umocnienie międzynarodowego znaczenia Polski i osłabienie pozycji Krzyżaków w ówczesnym świecie.

Ćwiczenia
1. Dlaczego doszło do wojny z Krzyżakami?
2. Jak Polska i Zakon przygotowały się do wojny?
3. Opowiedz o przebiegu bitwy pod Grunwaldem.
4 Jakie było znaczenie zwycięstwa grunwaldzkiego?
5. Dowiedz się, jaką pieśń śpiewało rycerstwo polskie w bitwie pod Grunwaldem?
6. Wskaż na mapie Grunwald i Malbork. Określ, w jakich województwach znajdują się obecnie te miejscowości.
7. Jakie poglądy głosił Paweł Włodkowic?

Wiersz anonimowego autora napisany w kilkanaście lat po zwycięstwie grunwaldzkim.

„Król Władysław polski
Witold ksiądz [tj. książę – St.Sz.] wielki litewski
posiekli brodacze [tak nazywano Krzyżaków – St. Sz.]
iż leżeli jak kołacze
na polu grunwaldzkim.
Słyszano to w Królestwie francuskim
czeskim, węgierskim, anglijskim
i tako duńskim".

Jeśli do tej pory jeszcze nie czytałeś, przeczytaj koniecznie powieść Henryka Sienkiewicza *Krzyżacy*, a także książeczkę S. Rzeszowskiego *Przeciw rycerzom Zakonu*.

3. Turcy w Europie

Na podstawie podręcznika do klasy V przypomnij, na jakie grupy dzielili się Słowianie?
Jak nazywamy Słowian zamieszkałych na Półwyspie Bałkańskim?

Podbój Słowian bałkańskich przez Turków. Na Półwyspie Bałkańskim istniało w połowie XIV w. kilka państw słowiańskich, wśród których największe znaczenie miały Bułgaria i Serbia. Południowa część tego półwyspu, zamieszkana przez Greków, należała do potężnego niegdyś Cesarstwa Bizantyjskiego. Stolicą cesarstwa był Konstantynopol, położony nad wąską cieśniną oddzielającą Europę od Azji Mniejszej.

W drugiej połowie XIV w. wszystkim państwom bałkańskim zagrażali Turcy. Był to wojowniczy lud pochodzenia azjatyckiego. Turcy wyznawali r e l i g i ę   m u z u ł m a ń s k ą, a mową i zwyczajami różnili się bardzo od ludów europejskich. Podbili oni wiele ludów w Azji, a następnie przeprawili się do Europy na Półwysep Bałkański. Próbowali stawić im czoła Serbowie, ale ponieśli druzgocącą klęskę w bitwie na **Kosowym Polu** w **1389 r.** z wojskami Murada I. Podobny los spotkał także Bułgarów. W ten sposób Turcy opanowali prawie cały Półwysep Bałkański i zagrozili granicom państwa węgierskiego.

Religia muzułmańska zwana *islamem*, której twórcą był w VII w. Mahomet, głosiła wiarę w jednego Boga – Allaha i konieczność poddania się jego woli. Wyznawców islamu zwano muzułmanami.

Haracz to danina nakładana przez Turcję na ludy podbite. Później haraczem nazywano opłatę nakładaną przez jakiegokolwiek władcę na kraj podbity, a także uiszczany komukolwiek niesprawiedliwy i niesłuszny okup.

Janczarzy to wyborowa piechota turecka utworzona w XIV w. z młodych jeńców chrześcijańskich, zmuszonych do przyjęcia islamu.

Jan Hunyady [czyt. Huniadi, ok. 1385–1456], szlachcic siedmiogrodzki i wojewoda od 1441 r., prowadził zwycięskie walki z Turkami, którzy uchodzili w tych czasach za niezwyciężonych. W bitwie pod Warną w 1444 r. walczył u boku Władysława Warneńczyka. W roku 1456 pobił Turków pod Belgradem.

Legat to w Kościele katolickim duchowny występujący w imieniu papieża, wysyłany jako jego przedstawiciel w celu spełnienia jakiejś misji.

Kołczan to futerał na strzały do łuku, noszony u pasa.

Kopia to broń jazdy średniowiecznej, złożona z długiego drzewca i osadzonego na nim ostrza, ozdobiona proporcem.

Na podbitą ludność nakładali Turcy podatki zwane h a r a c z e m. Małych chłopców zabranych od rodziców wychowywali według zasad islamu, a także w nienawiści do własnego narodu, by wcielić ich później do piechoty, zwanej j a n c z a r a m i. Janczarowie byli znani z odwagi i okrucieństwa.

Unia polsko-węgierska. Po śmierci Władysława Jagiełły królem Polski obrano jego najstarszego syna **Władysława (1434–1444)**. Miał on zaledwie 10 lat, toteż rządy sprawowali za niego możni panowie. Gdy Władysław skończył 16 lat, także i Węgrzy ofiarowali mu swój tron. Sądzili słusznie, że jeżeli oba państwa będą pod panowaniem jednego władcy, Polska udzieli im pomocy w walce z Turkami. Młody król udał się na Węgry w otoczeniu rycerstwa polskiego. Wojska węgierskie dowodzone przez **Jana Hunyadiego** odniosły nad Turkami wiele zwycięstw, w wyniku których sułtan turecki zmuszony był zawrzeć pokój na bardzo korzystnych dla Węgier warunkach.

Bitwa pod Warną (1444). Odniesione sukcesy olśniły wielu panów węgierskich, którzy zachęcali Władysława do nowej wyprawy na Turków. Za namową legata papieskiego, licząc na pomoc Zachodu, król Władysław wyruszył w kierunku Morza Czarnego. Armia królewska złożona głównie z Węgrów, Polaków i częściowo również z Serbów i Bułgarów była mniej liczna i gorzej przygotowana do wojny, niż turecka. Drogą morską miały przybyć także posiłki z innych państw. Oczekiwana pomoc jednak nie nadeszła, a w pobliżu **Warny** wojska królewskie spotkały ogromną armię turecką. W jesienny dzień **1444 r.** wywiązała się zacięta bitwa. Z jednej i z drugiej strony zaszumiały tysiące strzał wypuszczonych z łuków, a gdy opróżniły się kołczany, wojska zwarły się w pędzie i uderzyły na siebie mieczami i kopiami. Na widok tureckich wielbłądów płoszyły się konie jazdy chrześcijańskiej. Prędko jednak wprowadzono porządek w szeregach. Król niecierpliwił się. Bitwa trwała już cały dzień, a szala zwycięstwa przechylała się to na jedną, to na drugą stronę. Wreszcie pod wieczór Władysław na czele orszaku rycerzy polskich uderzył na janczarów. Ten nierozważny krok pociągnął za sobą tragiczne skutki. Wypoczęci janczarzy, którzy nie brali dotąd udziału w bitwie, bez trudu odparli atak Polaków. W walce z janczarami zginął dwudziestoletni wówczas Władysław. Śmierć króla wywołała w obozie węgierskim zamieszanie, którego nie udało się już opanować. Bitwa zakończyła się triumfem Turków.

Zdobycie Konstantynopola przez Turków (1453).
W dziewięć lat po warneńskim zwycięstwie Turcy rozpoczęli oblężenie Konstantynopola. Przed murami miejskimi umieścili armaty, które zasypywały obrońców gradem kamiennych pocisków. Mimo to miasto broniło się zaciekle, odpierając skutecznie liczne szturmy. Wtedy najeźdźcy postanowili zaatakować Konstantynopol od strony morza. Wprawdzie wejście do portu było zamknięte olbrzymim łańcuchem, aby żaden okręt turecki nie mógł się tamtędy przedostać, lecz Turcy przeciągnęli swoje okręty lądem, na balach wysmarowanych tłuszczem. Dopiero potem, już w porcie, spuścili je na wodę. Nastąpił atak, którego obrońcy nie zdołali odeprzeć. Zdobyty Konstantynopol został przez Turków zrabowany i zniszczony. Część ludności została wymordowana lub zamieniona w niewolni-

◀ Szturmowanie twierdzy w XV w.
Duże znaczenie przy szturmowaniu twierdz i zdobywaniu miast w Średniowieczu miało wspinanie się rycerzy na mury obronne za pomocą wysokich drabin. Tarcze i hełmy broniły szturmujących przed gradem wyrzucanych kamieni czy wylewanej na nich smoły. Twierdzę próbowano zdobyć taranując bramy i wyrzucając pociski kamienne z katapulty. W podobny sposób Turcy zdobyli Konstantynopol, szturmując mury miasta.

ków. Wiele cennych zabytków uległo zniszczeniu. W obronie miasta poległ ostatni cesarz bizantyjski. Po zajęciu Konstantynopola Turcy zmienili jego nazwę na Istambuł (Stambuł), a władca turecki, czyli sułtan, przeniósł tu swoją stolicę. W ten sposób w roku **1453** przestało ostatecznie istnieć Cesarstwo Bizantyjskie.

W zdobytym Konstantynopolu mieszkało wielu uczonych. Przechowywali oni troskliwie dzieła starożytnych Greków i Rzymian. Niektórym z tych uczonych udało się opuścić oblężone miasto. Znaleźli oni schronienie we Włoszech i w innych krajach zachodniej Europy. Tam uprawiali w dalszym ciągu swoją działalność naukową, która obudziła w tych krajach zainteresowanie dla starożytnej nauki i sztuki.

Ćwiczenia
1. Które państwa na Półwyspie Bałkańskim podbili Turcy?
2. W jaki sposób Turcy odnosili się do podbitej ludności? Opowiedz o przebiegu bitwy pod Warną.
3. Jak udało się Turkom zdobyć Konstantynopol?
4. Wskaż na mapie: Półwysep Bałkański, Warnę i Konstantynopol.

Zapamiętaj datę **1444**

Walki z Turkami w XV w. szeroko opisał J. Midzio w książce pt. *Zwycięski giaur z Siedmiogrodu*. O losach słynnego polskiego rycerza, bohatera wielu pojedynków i bitew, poległego z rąk tureckich, napisała A. Lisowska-Niepokólczycka w książce *Giermek rycerza Zawiszy*.

4. Odzyskanie przez Polskę Pomorza Gdańskiego

W którym wieku Polska utraciła Pomorze Gdańskie?

Poselstwo pruskie u Kazimierza Jagiellończyka. Rządy krzyżackie na Pomorzu Gdańskim wywoływały od dawna opór miast i szlachty. Krzyżacy utrudniali handel z Polską, nakładali na ludność wysokie podatki, zagarniali majątki, a bardziej opornych skazywali nawet na śmierć. Nie mogły tego znieść świetnie rozwijające się bogate miasta, jak Toruń i Gdańsk. Buntowała się także przeciw uciskowi ludność podbitych przez Krzyżaków Prus. Zarówno Polacy, jak i Niemcy chcieli korzystać z przyznanych im swobód i przywilejów. Mieszczanie i szlachta Pomorza Gdańskiego i Prus tworzyli

◄ Malbork, miasto leżące nad Nogatem, na skraju Żuław Wiślanych. Około 1274 r. Krzyżacy rozpoczęli tu budowę zamku-twierdzy, jednej z najpotężniejszych w ówczesnej Europie. W latach 1309–1454 Malbork był siedzibą wielkiego mistrza Zakonu Krzyżackiego. W roku 1466 został przyłączony do Polski.

tajne związki przeciw Zakonowi. Jednym z nich był tzw. Z w i ą z e k   P r u s k i, który powstał w **1440 r.**

W lutym 1454 r. przybyła do Krakowa delegacja z Prus, złożona z rycerzy i mieszczan. Na czele poselstwa stał rycerz **Jan Bażyński,** który przed królem **Kazimierzem Jagiellończykiem (1447– —1492)** i zgromadzonymi dostojnikami wygłosił płomienne przemównienie: *Nie tajno, Miłościwy Królu, Tobie i Twojej Radzie, a podobno i narodom sąsiednim, ile krzywd i niegodziwości, ile zniewag i hańby dziadowie i ojcowie nasi, a na koniec my sami wycierpieliśmy od wielkiego mistrza i Zakonu [...] Ile potraciliśmy krewnych, dzieci, przyjaciół, ile nam popalono miast znakomitych, poniszczono włości [...] Przyciśnieni tak wielką niedolą, uczyniliśmy wszyscy między sobą Związek, abyśmy się od tylu cierpień zasłonić mogli [...] W ciągu dni dwudziestu orężem naszym przeszło dwadzieścia zdobyliśmy zamków, przeto udajemy się do Majestatu Twego z prośbą, abyś raczył nas przyjąć za twoich i Królestwa Twego wieczystych poddanych i wcielił na nowo do Królestwa Polskiego, od którego jesteśmy oderwani. Wzrusz się naszymi prośbami i łzami. Miej wzgląd nie tylko na nas, ale i na tych, którzy wśród nadziei i obawy oczekują naszego powrotu [...].*

Wielu możnych panów i doradców króla nie chciało wojny z Zakonem, zwłaszcza że Krzyżacy mieli zapewnione poparcie cesarza niemieckiego i papieża. Papież rzucił nawet klątwę na zbuntowanych mieszczan i rycerzy pruskich, szukających pomocy u króla polskiego. Kazimierz Jagiellończyk nie przeraził się jednak trudności.

Sala zebrań rycerzy zakonnych na zamku malborskim

Pospolitym ruszeniem nazywano ogół szlachty powoływanej pod broń w czasie wojny.

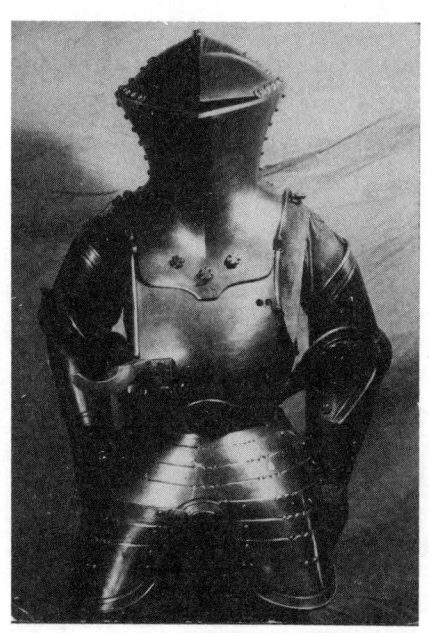

Zbroja rycerska w XV w.

Wojna z Zakonem (1454). Aby uwolnić ludność Pomorza Gdańskiego i Prus od jarzma Zakonu Krzyżackiego, a dla Polski odzyskać dostęp do Bałtyku, król Kazimierz wypowiedział wojnę Krzyżakom. Nie była to pierwsza wojna z Krzyżakami od zwycięstwa grunwaldzkiego. Niewypełnianie przez Krzyżaków postanowień pokoju toruńskiego sprawiło, że w 1414 r. wojna rozgorzała na nowo. Także w następnych latach Polacy zmuszeni byli kilkakrotnie zbrojnie występować przeciw Krzyżakom. Teraz jednak zbliżało się największe od 1410 r. starcie. Pod broń powołano szlacheckie p o s p o l i t e r u s z e n i e. Szlachta stawiła się licznie, ale większość jej była źle uzbrojona i nie przyzwyczajona do karności. Od czasów Grunwaldu pewnym zmianom uległy sposoby prowadzenia wojen. Szlachta nad trudy wojenne przedkładała bowiem spokojne życie i gospodarkę na wsi.

Pierwszą bitwę stoczono pod Chojnicami, na Pomorzu. Krzyżacy odnieśli w niej zwycięstwo, ponieważ rozporządzali karną i dobrze wyćwiczoną piechotą. Odparła ona atak walczącej bez ładu i porządku jazdy polskiej. Po tej bitwie Zakon opanował z powrotem większość miast na Pomorzu i w Prusach. Kazimierz Jagiellończyk zrozumiał, że nie będzie mógł prowadzić dalej wojny bez wojska najemnego, a szczególnie bez najemnej piechoty. Wojska najemne bowiem (albo inaczej zaciężne) składały się z ludzi różnych narodowości, których jedynym zajęciem i zawodem była wojna. Zależało im tylko na tym, by w umówionym czasie otrzymać należny im żołd, tj. pieniężną zapłatę. Było to wojsko doskonale wyćwiczone i zaprawione w trudach wojennych. Przedstawiało więc dużą wartość bojową.

Jednak wynajęcie wojsk było kosztowne, a król nie posiadał wiele pieniędzy. Dlatego obłożył szlachtę nowymi podatkami, na które jednak nie wyraziła ona zgody; dopiero po uzyskaniu wielu nowych praw szlachta wyraziła zgodę na nowe podatki.

Pokój w Toruniu (1466). Kazimierzowi Jagiellończykowi udzielili znacznej pomocy mieszkańcy Gdańska oraz innych miast polskich i pruskich. Gdańszczanie wystawili własnym kosztem wiele

Fryz Łukasza Everta z ratusza gdańskiego przedstawia pochód tryumfalny Kazimierza Jagiellończyka po zdobyciu Malborka podczas wojny trzynastoletniej z Krzyżakami

wojska, a gdy król odwiedził ich miasto, kobiety gdańskie oddawały mu nawet swoje klejnoty. Przez długi czas walki toczyły się w Prusach, gdzie poszczególne zamki przechodziły z rąk do rąk. W ostatnich latach wojny jeden z dowódców polskich, Piotr Dunin, odniósł zwycięstwo w 1462 r. w bitwie pod Świecinem koło Żarnowca. Także flota Gdańska i Elbląga w 1463 r. pokonała okręty krzyżackie, co odegrało ważną rolę w toczącej się wojnie.

Wreszcie w końcu 1466 r. Zakon skapitulował. Wielki mistrz krzyżacki stawił się u króla polskiego w Toruniu, aby zawrzeć pokój.

Polska po trzynastu latach walki **(1454–1466)**, zwanej w o j n ą t r z y n a s t o l e t n i ą, odzyskała Pomorze z Gdańskiem i Toruniem, ziemię chełmińską i michałowską oraz Malbork, Elbląg i całą Warmię. Odzyskane ziemie nazywano odtąd **Prusami Królewskimi.** Pozostałą część Prus z Królewcem, jako stolicą, zatrzymał Zakon, który uznał zwierzchnictwo króla polskiego. Odtąd każdy nowo wybrany wielki mistrz był l e n n i k i e m Polski.

Wzrost znaczenia Wisły jako szlaku komunikacyjnego i drogi handlowej. Rzeki, zwłaszcza większe, stanowiły zawsze ważne szlaki komunikacyjne i handlowe. Kupcy chętniej przewozili towary drogą wodną niż po wyboistych traktach, gdzie obładowane ciężko wozy sunęły z trudem i powoli. Już w XIV w. Wisła jako droga handlowa odgrywała ważną rolę. Korzystanie z niej było jednak utrud-

Fryz to w architekturze poziomy pas rzeźbiony lub malowany, zdobiący ściany.

Lennik to właściciel dóbr lub władca w Średniowieczu, zobowiązany do składania postawionemu od siebie wyżej księciu lub monarsze, tj. seniorowi, hołdu. Hołd miał być wyrazem szczególnej czci i uwielbienia. Lennik był także zobowiązany do składania daniny – opłat w pieniądzach i naturze, oraz do okazywania pomocy wojskowej w okresie wojny.

Hołd lenny. Rycina z XV w.
Do jakiego obrzędu z czasów Średniowiecza można porównać składanie hołdu lennego? Jakie znajdujesz podobieństwa?

Polska i Litwa w drugiej połowie XV w.

Szkuta była statkiem wiosłowożaglowym do wielokrotnego użycia, a *galar* po wykorzystaniu był sprzedawany na drewno.

nione, gdyż ujście Wisły znajdowało się w rękach Krzyżaków. Dopiero po odzyskaniu ujścia Wisły w 1466 r. stworzone zostały warunki do rozwinięcia handlu zbożem. W związku z tym w wielu miejscowościach nad jej brzegami budowano ogromne spichrze.

Wiosną, kiedy lody spłynęły do morza, na rzece zaczynał się ruch. Pod spichrze podpływały statki o różnych kształtach i nazwach. Były wśród nich płytko zanurzone prostokątne g a l a r y i duże statki z żaglem poruszane za pomocą dziesięciu wioseł, zwane s z k u t a m i. Jedna szkuta mieściła w sobie tyle ziarna, ile dziś ładujemy na kilka wagonów kolejowych. Oprócz zboża spławiano wodą płótno, skóry, wędzone i solone mięso, drewno budulcowe oraz pnie sosen i modrzewi przeznaczone na maszty dla statków.

W Gdańsku ładowano towary na większe statki i wysyłano do wielu krajów: Holandii, Anglii, Szwecji, Niemiec, Francji, a nawet do Hiszpanii. Szlachcie i kupcom polskim najbardziej jednak opłacał się handel zbożem, toteż wywożono je w ogromnych ilościach.

Kupcy gdańscy sprowadzali do Polski piękne sukna i jedwabie, wyborne wina, beczki śledzi i innych solonych i wędzonych ryb. Można było u nich kupić także cukier i, szczególnie poszukiwane przez zamożną szlachtę i bogatych mieszczan, przyprawy do potraw, jak: pieprz, cynamon, goździki czy wanilię.

Obsługujący statki f l i s a c y albo *lud wodny*, jak ich inaczej nazywano, pochodzili zwykle z nadwiślańskich wiosek i od dziecka byli obeznani z wodą. Płynęli z różnych miast i miejscowości położonych nad Wisłą do Gdańska, unikając płytkich miejsc, odpoczywając w południe i wieczór. Była to długa i wyczerpująca wyprawa trwająca nieraz kilka tygodni.

Rozkwit Gdańska. Kazimierz Jagiellończyk hojnie wynagrodził mieszczan gdańskich za ich wierność w czasie wojny trzynastoletniej. Otrzymali oni

Szkuta. Największy staropolski statek rzeczny, z jednym masztem i wysoko wzniesionym dziobem. Płynęła za pomocą żagli i wioseł. Na ściętej pionowo rufie znajdowała się tzw. budka, będąca pomieszczeniem mieszkalnym, a także magazynem żywności i narzędzi.

W skład załogi wchodziło około 20 flisaków, sternik, pomocnik sternika i kucharz.

Wnętrze domu kupieckiego w Gdańsku, w którym dokonywano ważnych transakcji handlowych
Zwróć uwagę na pięknie wykończone wnętrze, zwłaszcza sufit i górny gzyms nad schodami ozdobiony malowidłami.

◀ Spław zboża Wisłą do Gdańska na komięgach
Komięga była staropolskim statkiem rzecznym, który służył tylko do jednej podróży, po której sprzedawano go na drewno w miejscu wyładunku towaru. Komięga miała kształt nieco wydłużonego czworoboku i ładowność około 70 ton. Obsługiwało ją od 7 do 12 flisaków. Komięga spływała wodą jak trawtwa. Były też mniejsze tego typu barki zwane komiążkami albo zupełnie maleńkie (4 t) zwane komiążeczkami.

prawo bicia własnej monety, a do herbu miasta – mającego na tarczy dwa krzyże – dodano koronę królewską. Gdańszczanie sami także zarządzali portem i sprawowali sądy. Handel z Polską przynosił kupcom gdańskim wielkie korzyści.

Meble wyrobu gdańskich rzemieślników kupowano chętnie w całej Europie. Wielkim uznaniem cieszyły się również ozdoby ze złota i bursztynu, wyrabiane przez gdańskich złotników.

Ćwiczenia
1. Dlaczego ludność Prus występowała przeciw Zakonowi Krzyżackiemu?
2. W jakim celu Kazimierz Jagiellończyk rozpoczął wojnę z Zakonem?
3. Na czym polegało znaczenie pokoju toruńskiego?
4. Wskaż na mapie: a) miejscowości związane z wojną polsko--krzyżacką za Kazimierza Jagiellończyka, b) ziemie i miasta, przyłączone do Polski po pokoju toruńskim; spróbuj ustalić, do jakich województw należą one obecnie.
5. Dlaczego po odzyskaniu Pomorza Gdańskiego wzrosło znaczenie Wisły jako drogi handlowej?
6. Jakie towary wywożono z Polski, a jakie przywożono?
7. Wskaż na mapie drogę Wisłą do Gdańska i wymień, koło jakich znaczniejszych miast przepływali flisacy.
8. Co zyskał Gdańsk na przyłączeniu do Polski?

Ówczesny historyk Jan Długosz tak pisał po zakończeniu wojny trzynastoletniej:

> „[...] I ja piszący te *Kroniki* czuję niemałą pociechę z ukończenia wojny pruskiej, odzyskania krajów z dawna od Królestwa Polskiego odpadłych i przyłączenia Prus do Polski [...] Byłbym jeszcze szczęśliwszy, gdybym doczekał się odzyskania [...] i zjednoczenia z Polską Śląska, ziemi lubuskiej i słupskiej [...] Z radością zstępowałbym do grobu i słodszy miałbym w nim odpoczynek".

Malowidło symbolizujące łączność Gdańska z Polską wykonane w 1608 r. przez holenderskiego malarza Isaaka van den Blocke'a [czyt. wan den Bloka] na sklepieniu jednej z sal ratusza gdańskiego. Artysta przedstawił tu boga handlu Merkurego, błogosławiącego wymianie dóbr ziemi

Znaczenie Wisły jako drogi handlowej i opis barwnego życia „ludu wodnego" znajdziecie w książeczce M. Boruckiego *Wisłą do Gdańska,* a walkę z Krzyżakami o odzyskanie polskiego Pomorza opisuje A. Koskowski w książeczce pt. *Pod murami Malborka.*

Kultura późnego Średniowiecza

1. Kultura rycerska, mieszczańska i ludowa

Czy znasz powiedzenie „Polegaj na nim jak na Zawiszy"?
Co ono oznaczało?
Co oznacza, że o kimś mówimy, że jest rycerski?

Kultura rycerska. Dawni rycerze zamieszkiwali przeważnie w zamkach. Zamki, w których mieszkali, początkowo były budynkami drewnianymi, z czasem zamieniono je w prawdziwe fortece z kamienia i cegły. Budowane były zwykle na wzgórzu, a otaczał je gruby mur. Dostępu do muru bronił głęboki rów, który był napełniony wodą, zwany fosą. W murze było tylko jedno wejście chronione przez potężną bramę wzmocnioną żelazem. Prowa-

Zamek gotycki z XV w. nad rzeką Liwiec
Zwróć uwagę na tzw. przypory wzmacniające znacznie konstrukcję budowli.

29

dził do niej przez fosę wąski most, który można było podnosić i opuszczać za pomocą specjalnej korby, łańcuchów i belek. Za bramą znajdował się dziedziniec zamkowy. Stały na nim zwykle stajnie, budynki gospodarcze, a w środku umieszczona była głęboka studnia. Centralne miejsce zajmował jednak sam zamek z wysoką wieżą. Na wieży zawsze czuwał strażnik i dawał znać o zbliżającym się niebezpieczeństwie.

Siedziby uboższych rycerzy były mniejsze i nie gwarantowały pełnego bezpieczeństwa. Zazwyczaj całym mieszkaniem tych rycerzy była jedna obszerna izba, pod którą znajdowała się stajnia. Za sprzęty służyły proste ławy, skrzynie i stoły, a zdobiły izbę skóry upolowanych zwierząt. I odzież była skromna, i pożywienie niewyszukane.

Inaczej było jednak na zamku wielkiego pana. Mieszkał on w ozdobionych z przepychem komnatach. Przebywający tam rycerze ubrani byli w długie, sięgające do stóp barwne szaty. Podczas wystawnych uczt spożywano przeważnie mięsne potrawy podawane na srebrnych półmiskach i misach. Mięso przyrządzane było tłusto i zaprawiane obficie przyprawami. Wino pito z kosztownych pucharów.

Głównym zajęciem rycerzy była wojna i do niej przygotowywali się przez całe życie. Odbywali w tym celu w czasie pokoju, najczęściej na zamkach książęcych, t u r n i e j e, czyli udawaną walkę. Zakuci w zbroje rycerze uderzali na siebie w rozpędzie,

Turniej W Średniowieczu zawody rycerskie polegające na prowadzeniu indywidualnej lub grupowej walki według ściśle określonych przepisów.

Barwnym elementem życia w Średniowieczu były turnieje rycerskie. Dostarczały one zgromadzonym nań gościom monarchów czy wielkich panów mocnych wrażeń i rozrywki. Były jednak dla rycerzy sprawdzianem ich sprawności fizycznej i umiejętności posługiwania się bronią. Dlatego też zwycięzca takiego turnieju stawał się bohaterem i ulubieńcem dam.

Życie rycerza w Średniowieczu
Opowiedz, na podstawie ilustracji, jak wyglądało życie rycerza w Średniowieczu.
Jak myślisz, kogo przedstawiają postacie znacznie pomniejszone, a kogo postacie większe?

atakując się wzajemnie przytępioną bronią i usiłując zwalić przeciwnika z konia. Nierzadko zdarzały się przy tym nieszczęśliwe wypadki, kończące się niekiedy śmiercią. Zwycięzca okrywał się jednak chwałą i otrzymywał z rąk pani zamku, albo innej znakomitej damy, nagrodę. Była to wstążka lub chusteczka, którą rycerz wieszał u hełmu i którą się chlubił przed swoimi towarzyszami.

Wzór rycerza chrześcijańskiego. Syn rycerza wychowywał się od dziecka na dworze pana, któremu służył. Początkowo był paziem: uczył się jeździć konno, strzelać z łuku, władać mieczem. Jednocześnie nabierał ogłady w dworskich obyczajach. W trakcie posiłku stał za krzesłem rycerza, nalewał mu wino, pomagał przy rozbieraniu się i ubieraniu. Kształcił się także w śpiewie i muzyce. Gdy osiągnął 15 lat, zostawał giermkiem. Odtąd czyścił oręż rycerza, nosił za nim miecz i tarczę, uczestniczył także w wyprawach wojennych. Męstwo wykazane na polu bitwy uwieńczone bywało już wkrótce pasowaniem na rycerza, który miał być wzorem cnót chrześcijańskich. Noc poprzedzającą rycerskie

Giermek i dworzanin

Płatnerz wykonujący kolczugę

Kolczuga Zbroja pleciona z metalowych kółek.

Burmistrz to wysoki urzędnik miejski pełniący funkcję głowy miasta.

Rajcowie to członkowie rady miejskiej, początkowo wybierano ich w liczbie od 4 do 8, z czasem, zwłaszcza w większych miastach, liczba ich wzrosła od 12 do 24.

Jatkami nazywano sklepy z wyrobami mięsnymi.

Cech był stowarzyszeniem samodzielnych rzemieślników miejskich o wspólnej specjalności i miał na celu obronę interesów rzemiosła oraz podniesienie jego poziomu. Członkowie cechu pomagali sobie wzajemnie, a w razie niebezpieczeństwa wspólnie bronili miasta na wyznaczonych odcinkach. Cechy posiadały własne chorągwie w kościele, a czasem i kaplicę, brały udział we wspólnych uroczystościach religijnych.

Znak cechowy siodlarzy średniowiecznego Krakowa

pasowanie kandydaci, ubrani w pokutne szaty, spędzali na modlitwach. Rano, po spowiedzi i przystąpieniu do komunii świętej, składali przysięgę na wierność swemu panu, a także na to, że będą bronić wiary chrześcijańskiej i otoczą opieką wdowy, sieroty i wszystkich słabszych. Pasowanie odbywało się w kościele lub na zamku, a aktu tej uroczystej ceremonii dokonywał król albo pan giermka. Trzy razy uderzał giermka mieczem po ramieniu na znak, że ma znosić dzielnie razy i cierpienia w walce o spełnienie ideałów rycerskich.

Kultura mieszczańska i ludowa. Mieszczanie stanowili odrębną od rycerstwa i chłopów grupę ludności. Trudnili się głównie rzemiosłem i handlem, a zamieszkiwali w miastach. W rynku średniowiecznego miasta wznosił się ratusz, najokazalsza obok kościołów budowla. W większych miastach w ratuszu urzędował b u r m i s t r z i jego pomocnicy r a j c o w i e. W rynku znajdowały się kramy, jatki, sukiennice, gdzie sprzedawano artykuły żywnościowe, wyroby miejscowego rzemiosła i towary sprowadzane przez kupców z innych części kraju lub zza granicy. Ulice nosiły zwykle nazwy od zamieszkałych tam rzemieślników: Szewska, Piekarska, Garncarska i inne. Miasta, które rządziły się własnymi prawami, otoczone były murami obronnymi, na których czuwały straże miejskie. Rzemieślnicy łączyli się w związki zwane c e c h a m i, które dbały o zakup surowca, organizację pracy w warsztacie itp. Rzemiosła uczono się praktycznie u doświadczonego fachowca, którym był mistrz cechowy. Kupcy zdobywali wiedzę zwłaszcza w zakresie arytmetyki, geografii i zasad handlu.

Oprócz dominującej kultury rycerskiej i mieszczańskiej istniała w Średniowieczu k u l t u r a l u d o w a. Lud znał obrzędy i obyczaje pochodzące jeszcze z czasów pogańskich, które wzbogacił nowymi obyczajami chrześcijańskimi. Przez wiele stuleci przetrwały liczne obrzędy ludowe towarzyszące narodzinom, weselom i pogrzebom, a także obrzędy związane z porami roku i pracami na roli. Takim obrzędem była np. ,,sobótka", przypadająca na najkrótszą noc w roku, noc świętojańską. Puszczanie wianków miało zapewnić ludziom szczęście, a inne obrzędy – obfite plony. Bogata była także sztuka ludowa. Poza budownictwem należy tu wymienić ceramikę, tkactwo i związany z nim strój ludowy, a także kowalstwo i rymarstwo.

Ćwiczenia
1. Opowiedz o wyglądzie zamku średniowiecznego.
2. Jak przedstawiało się wychowanie rycerza?
3. Dlaczego obyczaje rycerskie można nazwać wzorem obyczajów chrześcijańskich?
4. Jak żyli mieszczanie?
5. Z czym związane były obrzędy ludowe?

Ze statutów cechów wrocławskich (1396).

Pieczęć miasta Krakowa z XIV w.

„[...] nikt nie ma rzemiosła wykonywać, ktoby nie uzyskał prawa miejskiego i nie przyniósł dokumentu na wykonywanie swego zawodu. Raz na kwartał ma każdy towarzysz cechowy dawać jeden grosz do kasy [...] Kto się zapisuje do nauki ma dać cechowi 6 groszy [...] Kto idzie na ranne zgromadzenie (zebranie członków cechu) ze sztyletem albo inną bronią, ten ma cechowi zapłacić jeden grosz. Kto złośliwie mówi na rannym zgromadzeniu, ten od takiego złośliwego słowa ma dawać jeden grosz. Jeżeli jakiś czeladnik u swego mistrza się zapożyczy, ma to według prawa odsłużyć i żaden inny mistrz nie może go u siebie trzymać ani go wesprzeć pieniędzmi pod najwyższą karą [...]"

2. Nauka i sztuka w Średniowieczu

Co pamiętasz z poprzedniej klasy o rocznikach i kronikach? Kto i kiedy założył uniwersytet w Krakowie?

Początki oświaty i nauki w wiekach średnich. Początkowo w wiekach średnich nauką i oświatą zajmowali się wyłącznie duchowni. Spisywali oni wiadomości historyczne w tzw. rocznikach i kronikach. Takimi duchownymi-historykami byli między innymi autor najstarszej naszej kroniki, **Gall Anonim** (nazwany tak, gdyż nie znamy jego nazwiska, od Galii, z której pochodził, a która dzisiaj nazywa się Francją) i żyjący na przełomie XII i XIII w. biskup krakowski **Wincenty** zwany **Kadłubkiem**.

Duchowni, jako grupa ludzi najbardziej w Średniowieczu wykształcona, zajmowali się także edukacją młodzieży. Zakonnicy prowadzili przy klasztorach szkoły dla chłopców. Przy katedrach istniały

Chór żaków krakowskiej szkoły katedralnej

W szkołach katedralnych, prowadzonych przez duchownych, kształcona była młodzież męska przeznaczona do stanu duchownego. Uczono w nich czytania, pisania, gramatyki łacińskiej, formy pisania dokumentów i odprawiania nabożeństw, a także śpiewu pieśni kościelnych. W połowie XVI w. szkoły katedralne zostały zastąpione seminariami duchownymi.

33

Dokument fundacyjny Akademii Krakowskiej wydany przez Kazimierza Wielkiego w 1364 r.

Akademia Krakowska. Collegium Maius, najstarszy gmach Uniwersytetu Jagiellońskiego z początku XV w.

szkoły katedralne. Uczono tam przede wszystkim języka łacińskiego, którym wyłącznie posługiwano się w szkołach, a także gramatyki, rachunków, muzyki i innych przedmiotów.

Z czasem na Zachodzie powstały szkoły wyższe – u n i w e r s y t e t y. Ich nazwa pochodziła od łacińskiego słowa *universitas,* co oznacza wspólnotę ludzi nauczających i uczących się. Studiowano tam prawo, medycynę i inne gałęzie wiedzy. Od czasów Kazimierza Wielkiego istniał również uniwersytet w Krakowie, zwany Akademią Krakowską.

Akademia Krakowska. Akademia Krakowska była chlubą Polski w drugiej połowie XV i w początkach XVI w. Pobierali w niej naukę nie tylko Polacy, ale i przybysze z wielu krajów europejskich, głównie z Niemiec, Czech i Węgier. Profesorami Akademii byli znakomici uczeni, jak: **Paweł Włodkowic, Wojciech z Brudzewa** i inni. Niektórzy z nich byli pochodzenia chłopskiego. Wychowankiem uniwersytetu krakowskiego był także światowej sławy uczony polski **Mikołaj Kopernik.** Profesorowie Akademii wyjeżdżali często za granicę, gdzie zapoznawali się z nowymi poglądami i zdobyczami nauki, które następnie rozpowszechniali w Polsce. Wielu uczonych włoskich i niemieckich łączyły z polskimi uczonymi uczucia serdecznej przyjaźni.

Uczniów Akademii nazywano ż a k a m i. Żacy mieszkali w b u r s a c h (tak nazywano ówczesne internaty), nosili długie szaty koloru brunatnego i kaptury na głowach.

Młodzież szlachecka wyjeżdżała również na studia zagraniczne, zwłaszcza do Włoch i Francji. Szczególnie odwiedzane były przez Polaków uniwersytety w Bolonii i w Paryżu. Młodzież powracająca stamtąd poznawała kulturę starożytną i zachodnioeuropejską, a także pogłębiała znajomość języka łacińskiego, umiejętność prowadzenia interesującej rozmowy, poprawnego zachowania się w towarzystwie, znajomość gier, tańców itp.

Jan Długosz. Za panowania Kazimierza Jagiellończyka żył pierwszy polski historyk **Jan Długosz (1415–1480).** Był on człowiekiem gruntownie wykształconym, toteż król zlecał mu ważne zadania.

Jeździł często jako poseł do obcych krajów, załatwiał różne sprawy państwowe. Po zakończeniu wojny trzynastoletniej uczestniczył w przygotowaniu pokoju z Krzyżakami. Kazimierz Jagiellończyk, doceniając umiejętności Jana Długosza, powierzył mu nawet wychowanie swoich synów.

Największą zasługą Długosza było napisanie *Dziejów Polski,* dzieła liczącego 12 ksiąg, do którego materiały zbierał przez długie lata. Wiadomości do niego poszukiwał w różnych źródłach: w starych kronikach polskich, czeskich, ruskich i krzyżackich, w opowiadaniach naocznych świadków. W ostatniej części swojego dzieła Długosz przedstawił wypadki, na które patrzył własnymi oczyma. Umierając w 1480 r. tak napisał do Akademii Krakowskiej: *Proszę i błagam doktorów, profesorów krakowskiego uniwersytetu, aby po moim zgonie kronikę dalej prowadzili, aby jeden z nich kronice pracę swą poświęcił, nad nią rozmyślał, nią się radował [...].*

Stronica dzieła Jana Długosza *Dzieje Polski*

Dzieło Wita Stwosza. W architekturze, rzeźbie i innych dziedzinach sztuki średniowiecznej rozwinął się styl zwany g o t y k i e m. Powstawały zwłaszcza piękne świątynie w tym stylu, ale również zamki, a w większych miastach ratusze.

Najwspanialsze zabytki sztuki gotyckiej w Polsce to kościół Najświętszej Marii Panny w Gdańsku, przebudowana katedra gnieźnieńska i poznańska, kościół Mariacki w Krakowie i katedra na Wawelu.

Wśród licznych rzemieślników zamieszkujących miasta polskie XV w. wielu było rzeźbiarzy, malarzy i budowniczych. Jednym z nich był pochodzący z Norymbergi sławny rzeźbiarz **Wit Stwosz (ok. 1447–1533).** Przez wiele lat mieszkał w Krakowie i tu tworzył swe najwspanialsze dzieła. Był on twórcą wyrzeźbionego w drewnie ołtarza, który został umieszczony w kościele Mariackim w Krakowie. O ł t a r z M a r i a c k i jest jednym z najpiękniejszych zabytków sztuki gotyckiej w Polsce i w Europie. Cały ołtarz zapełniony jest wielką liczbą rzeźbionych postaci. Jest ich przeszło dwieście. Wzorów do tych postaci szukał Wit Stwosz wśród mieszczan i chłopów odwiedzających krakowskie kościoły. Rzeźby są złocone i malowane różnymi kolorami. Artysta rzeźbił postacie z wielką

Styl gotycki Nazwa tego stylu architektonicznego pochodzi od szczepu germańskiego Gotów. Był to styl panujący w Europie od XII do początków XVI w. Charakteryzował się w architekturze stosowaniem ostrych łuków i sklepień krzyżowo-żebrowych, a także innych form podkreślających strzelistość budowli. Gotyk w rzeźbie odznaczał się dążeniem do wiernego odbicia rzeczywistości.

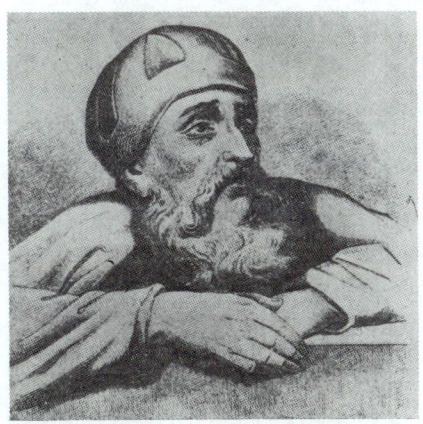

Wit Stwosz

Fragment ołtarza głównego w kościele Mariackim w Krakowie
Jest to najwybitniejsze dzieło Wita Stwosza, ukończone w 1489 r. Na ilustracji widzimy postacie apostołów ze sceny *Zaśnięcia Najświętszej Marii Panny*.
Zwróć uwagę na przejmujący wyraz twarzy wyrzeźbionych postaci, na gesty ich rąk i udrapowanie szat.

Madonna z Krużlowej
Rzeźba przedstawiająca Matkę Boską z Dzieciątkiem, odkryta pod koniec XIX w. we wsi Krużlowa, jest najpiękniejszym średniowiecznym przedstawieniem Madonny. Rzeźba została wykonana w XV w. dla jednego z kościołów w Krakowie.
Co, według Ciebie, świadczy o wielkim kunszcie artysty, który stworzył to dzieło?

dokładnością, starał się wiernie odtworzyć ówczesnego człowieka i jego otoczenie.

W czasie drugiej wojny światowej ołtarz został rozebrany i wywieziony do Niemiec. Nasi uczeni i artyści odnaleźli go po zakończeniu wojny, przywieźli do Krakowa i złożyli na nowo. Po starannym odnowieniu dzieło Wita Stwosza znów zachwyca zwiedzających Kraków turystów.

◀ Nagrobek króla Kazimierza Jagiellończyka, rzeźbiony w czerwonym marmurze, jest po drewnianym ołtarzu głównym w kościele Mariackim najwybitniejszym dziełem Wita Stwosza. Kazimierz Jagiellończyk był ostatnim z polskich królów, któremu wykonano baldachimowy nagrobek w katedrze wawelskiej. Jest to jeden z najpiękniejszych rzeźbionych nagrobków późnego Średniowiecza w Europie.
Katedra na Wawelu, od pogrzebu króla Władysława Łokietka w 1333 r., stała się miejscem pochówku królów polskich.

Ćwiczenia

1. Jak nauczano w Średniowieczu?
2. Z czego słynęła Akademia Krakowska?
3. Co napisał Jan Długosz i skąd czerpał wiadomości do swego dzieła?
4. Podaj cechy stylu gotyckiego.
5. Opowiedz o rzeźbie Wita Stwosza na podstawie zamieszczonych w podręczniku barwnych fotografii fragmentów Ołtarza Mariackiego.

Poglądy Długosza na metodę pracy historyka.

„[...] Wszystko zaś, co z dziejami polskimi miało jakikolwiek stosunek i związek, co się zdawało przydatnym do ich objaśnienia, osądziłem za rzecz godną pozbierać zewsząd i wcielić razem do niniejszej księgi [...] Ze wszystkich też nauk, które służą do ukształcenia umysłu, żadna moim zdaniem nie jaśnieje tak świetnie ani się taką zaleca wartością, jak historia. Z niej bowiem uczymy się, jak żyć uczciwie, z niej największe wyciągamy korzyści [...] Nikt zaś słusznie na mnie gniewać się nie może, jeżeli idąc za prawdą historyczną, niektórych ludzi obyczaje, czyny i zbrodnie wykryję; powinnością bowiem i powołaniem jest dziejopisarza skreślać wiernie, tak pomyślne jak i nieszczególne wypadki, chwalebne jak i niepoczciwe sprawy, a w nich przekazywać potomnym zwierciadło i przykład budujący ku zachęcie, albo przestrodze [...]".

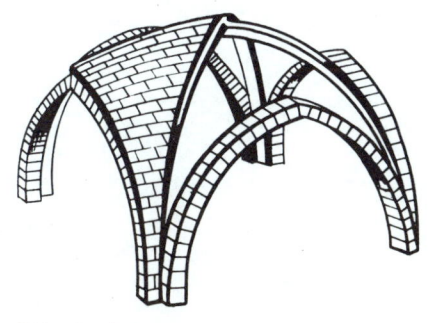

Sklepienie krzyżowe gotyckie

Jeśli jeszcze jej nie czytałeś, przeczytaj książkę Michaliny Domańskiej *Historia żółtej ciżemki*.

Wielkie odkrycia geograficzne i podboje kolonialne

1. Poszukiwanie nowych szlaków handlowych

Wyobrażenia o świecie w XV w. Aż do XV w. wyobrażenia mieszkańców Europy o reszcie świata były bardzo powierzchowne i błędne. Znali oni poza swoim kontynentem tylko część Azji i Afryki. Podróżowali np. tzw. „jedwabnym szlakiem" z Zachodu przez Azję Środkową do Chin, ale nie zdawali sobie sprawy z istnienia kontynentu amerykańskiego. Powszechne było mniemanie, że lądy: europejski, azjatycki i afrykański otoczone są ze wszystkich stron wodami ogromnego oceanu.

Mówiono, że czyhają tam na żeglarzy wielkie niebezpieczeństwa, jak góra magnetyczna, wyciągająca ze statku wszystkie jego żelazne części, czy też morze tak gorące, że woda z niego wyparowała i została sama sól. Opowiadano również, że nieznane części świata zamieszkują różne potwory morskie i lądowe. Miały wśród nich znajdować się ludzie bez głów i stwory o jednej stopie, poruszające się błyskawicznie.

Posługiwano się wprawdzie mapami, ale były one jeszcze bardzo niedokładne i stanowiły zazwyczaj tylko ogólnikowe i często błędne szkice. W Średniowieczu umiejętność sporządzania map znacznie obniżyła się w porównaniu ze starożytnością. Nie wiedziano dokładnie, jaki kształt ma Ziemia. Niektórzy uczeni twierdzili, że jest kulista, ale brak było na to dowodów. Śmiałkowie-marynarze, którzy wybierali się w dalekie strony, dawali upust fantazji, opowiadając po zakończeniu podróży, że np. dotarli do krańca Ziemi, poza którym istniała przepaść.

Bajeczne postacie, lokalizowane w nieznanych ludziom rejonach świata

38

Rysunek „róży wiatrów", czyli kompasu albo busoli, nie zmienił się od czasów Magellana. Współczesne „róże" mają jednak skalę większą, niż te w czasach wielkiego podróżnika, bo od 0 do 360 stopni.

Busola to przyrząd wyposażony w igłę magnetyczną wskazującą swym położeniem strony świata.

Udoskonalenie środków żeglugi. W drugiej połowie XV w. ruszyły wyprawy na dalekie morza. Umożliwił je postęp w dziedzinie żeglarstwa, a przede wszystkim wynalazek kompasu i budowa ulepszonych, szybkich i zwrotnych statków. Nowe statki, zwane k a r a w e l a m i, posiadały ruchome żagle umożliwiające żeglugę niezależnie od kierunku wiatru.

Przywrócono również znajomość zapomnianej od czasów starożytnych Greków tzw. siatki kartograficznej. Umożliwiała ona dokładniejszą orientację w przestrzeni za pomocą południków i równoleżników, co pozwalało sporządzać dokładniejsze mapy. Ciągle jednak obejmowały one głównie rejon Morza Śródziemnego, które było najlepiej znane. Lecz, gdy zostały udoskonalone statki, zaopatrzone często w busole okrętowe, żeglarze przestali lękać się olbrzymiego oceanu.

Poszukiwanie drogi morskiej do Indii. Przyczyną podejmowania dalekich wypraw stała się chęć znalezienia drogi morskiej do Indii, kraju słynącego ze swych bogactw. Drogi lądowe do Indii zostały zagrożone przez Turków. Utrudniali oni przywóz z Indii i innych krajów Wschodu sprowadzanych stamtąd od wielu lat towarów, jak cukier z trzciny cukrowej oraz pieprz, imbir, cynamon i goździki, zwane k o r z e n i a m i albo p r z y p r a w a m i k o r z e n n y m i. Sądzono także, że w Indiach są wielkie zasoby złota i srebra. Z metali tych bito wówczas monety. W związku z rozwojem handlu w Europie potrzebowano coraz więcej pieniędzy. Handel towarami wschodnimi znajdował się w rękach kupców włoskich. Dlatego też kupcy i podróż-

Wyobrażenia Polaków o ludach obcych nie odbiegały, jak widać na ilustracji, od wizji innych ludzi zamieszkujących Europę w czasach Średniowiecza

Tak wyobrażano sobie wyspy Morza Karaibskiego, do których dopłynął na swoich statkach Krzysztof Kolumb

nicy portugalscy i hiszpańscy szukali do Indii nowej drogi. Portugalczycy już w pierwszej połowie XV w. wyruszali na południe wzdłuż brzegów Afryki. Wiedzieli, że Indie leżą nad morzem, poszukiwali więc drogi morskiej. Opiekunem i entuzjastą wypraw morskich, mających na celu poszukiwanie szlaku do legendarnych Indii, był książę portugalski **Henryk Żeglarz (1394–1460).** Choć sam nie żeglował, rozbudował flotę i wysyłał wyprawy morskie wzdłuż zachodnich wybrzeży Afryki. W 1488 r. żeglarz portugalski **Bartłomiej Diaz (ok. 1450–1503),** podczas jednej z takich wypraw, odkrył Przylądek Dobrej Nadziei.

Ćwiczenia
1. Jak mieszkańcy Europy wyobrażali sobie resztę świata przed odkryciami geograficznymi? Wskaż na mapie znane im kontynenty.
2. Jakie wynalazki umożliwiły dalekie wyprawy morskie w drugiej połowie XV w.?
3. Dlaczego kupcy europejscy szukali nowej drogi do Indii?
4. Czym różnią się warunki ich żeglowania od warunków, w których poruszali się żeglarze średniowieczni?
5. Znajdź na mapie Azję Środkową i Chiny oraz Przylądek Dobrej Nadziei, a w encyklopedii nazwisko Bartłomieja Diaza.

Krzysztof Kolumb

2. Wielkie odkrycia geograficzne

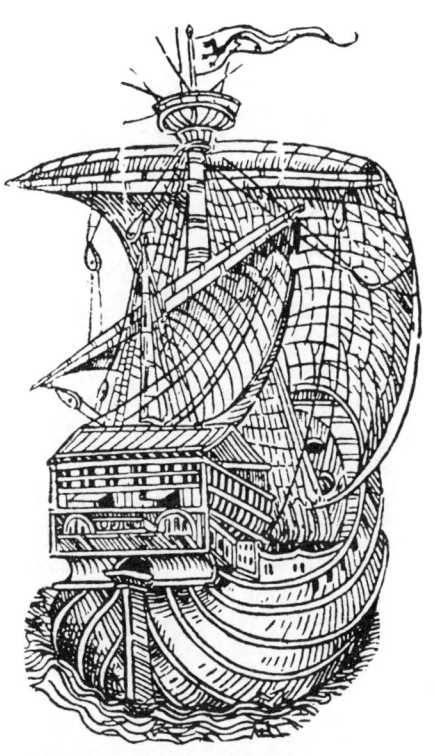

Odkrycie Ameryki przez Krzysztofa Kolumba (1492). Pod koniec XV w. Włoch z pochodzenia, **Krzysztof Kolumb (1451–1506)**, podjął śmiały zamiar, aby dotrzeć do Indii drogą morską, płynąc ciągle na zachód. Pomysł jego narodził się w związku z głoszonymi przez niektórych uczonych poglądami, że Ziemia ma kształt kuli. Opierając się na tym poglądzie Kolumb sądził, że płynąc na zachód dotrze do Indii od strony wschodniej. Nie przypuszczał, by między Europą a Azją mógł istnieć jakiś inny ląd. Po długich staraniach udało się Kolumbowi zainteresować swym projektem króla i królową Hiszpanii, którzy pomogli mu w zorganizowaniu wyprawy.

3 sierpnia 1492 r. Kolumb na czele maleńkiej floty, składającej się z trzech statków, odpłynął od wybrzeży hiszpańskich. Przez długi czas Krzysztof Kolumb i jego załoga oglądali tylko fale oceanu. Po wielu tygodniach podróży marynarze byli tak przerażeni ogromem przebytej drogi, że zagrozili buntem swemu dowódcy. Na szczęście rankiem 12 października 1492 r. ujrzano ląd.

Kolumb sądził, że dotarł do wybrzeży Indii, ale w rzeczywistości była to jedna z wysp Ameryki Środkowej. Ślady błędu Kolumba zachowały się

Karawela z pierwszej wyprawy Kolumba

„Santa Maria", „Pinta" i „Ninia" – tak nazywały się trzy karawele, które pod dowództwem Krzysztofa Kolumba wyruszyły na odkrycie Nowego Świata. Zabrały one na wyprawę około 110 marynarzy. Najwięcej, bo 50 członków załogi, zabrała na pokład „Santa Maria".

Krzysztof Kolumb w otoczeniu żołnierzy hiszpańskich schodzi na ląd i przyjmuje od tubylców dary
Wyspę, na której wylądował nazwał San Salwador.

Vasco da Gama

przez dłuższy czas w nazwach geograficznych: wyspy, do których dotarł śmiały żeglarz nazywają się Indiami Zachodnimi (w odróżnieniu od Indii właściwych czy Wschodnich), a najdawniejsi mieszkańcy Ameryki zostali przez odkrywców nazwani Indianami. Nazwa ta przetrwała do dnia dzisiejszego.

Krzysztof Kolumb podjął jeszcze trzy dalsze wyprawy do Ameryki, ale nie przyniosły one spodziewanych korzyści. Nie znalazł tam ani wielkich ilości złota, ani poszukiwanych „korzeni". Najpierw spotkały go zaszczyty, a potem więzienie. Wielki podróżnik zmarł opuszczony przez wszystkich, nie wiedząc, że odkrył nową część świata. Nie wiedział także, że odkryte przez niego ziemie staną się dla Hiszpanii źródłem wielkich bogactw. Na początku XVI w. ziemie odkryte przez Kolumba nazwano A m e r y k ą od nazwiska innego podróżnika, **Amerigo Vespucci (1451–1511)**, [czyt. Wespuczci], który obszar ten po raz pierwszy opisał.

Znalezienie drogi do Indii. Wiadomość o wyprawach Kolumba i o ziemiach zajętych przez niego dla króla hiszpańskiego przyspieszyła przygotowania portugalskie. W **1498 r.** żeglarz portugalski **Vasco da Gama (ok. 1460–1524)** [czyt. Wasko da Gama] opłynął wybrzeża Afryki, a następnie przez Ocean Indyjski dotarł do Indii. Wymienił tam przywiezione przez siebie towary na upragnione „korzenie". W ten sposób została wreszcie odkryta droga morska do Indii. Portugalia, która sfinansowała tę wielką i udaną wyprawę, na długi czas opanowała całkowicie handel z Indiami.

Pierwsza podróż dookoła świata (F. Magellan). Wielką wyprawą odkrywczą była pierwsza podróż dookoła świata. Rozpoczął ją w **1519 r.** żeglarz w służbie hiszpańskiej **Ferdynand Magellan (ok. 1480–1521)**. On także pragnął dotrzeć do Indii przez okrążenie południowych krańców Ameryki. W ten sposób dotarł do nieznanego oceanu, który nazwał S p o k o j n y m. Na wyspach Filipińskich Magellan poległ w walce z miejscowymi plemionami, ale część jego załogi przez Ocean Indyjski, a następnie wzdłuż wybrzeży Afryki, dotarła do Europy. Z pięciu statków powrócił tylko jeden,

Ferdynand Magellan

o nazwie „Viktoria" („Zwycięstwo"), z 265 ludzi załogi wróciło zaledwie osiemnastu. Resztę wyniszczyły choroby i walki z krajowcami. Pierwsza podróż dookoła Ziemi trwała dwa i pół roku. Potwierdziła ona słuszność nauki, która głosiła, że Ziemia jest kulista.

Skutki odkryć geograficznych. Odkrycia geograficzne spowodowały wielkie zmiany w życiu ówczesnej Europy. Oprócz „korzeni" z Indii, kukurydzy, tytoniu i innych produktów z Ameryki, do państw europejskich poczęło napływać w coraz większych ilościach złoto i srebro. Zmieniły się również najważniejsze drogi handlowe w Europie. W poprzednich wiekach główną rolę w handlu odgrywały kraje leżące nad Morzem Śródziemnym. W okresie wielkich odkryć handel europejski zaczął skupiać się na wybrzeżach Atlantyku, zwłaszcza w portach hiszpańskich, portugalskich i holenderskich.

H i s z p a n i a i P o r t u g a l i a były pierwszymi państwami w Europie, które w odkrytych i zdobytych przez siebie krajach zamorskich zakładały k o l o n i e.

Kolonią nazywamy obszar, zwykle zamorski, podbity przez jakieś państwo i wykorzystywany przez nie.

Posiadłości hiszpańskie w Ameryce ograniczały się początkowo tylko do odkrytych przez Kolumba wysp i kilku skrawków wybrzeży lądu stałego. Z czasem jednak zaczęły docierać do Hiszpanów wieści o niezmierzonych bogactwach, które miały się znajdować w głębi lądu, na obszarze dzisiejszej Ameryki Środkowej i Południowej. Wiadomości te nie były przesadzone. Na terytorium dzisiejszego Meksyku i Peru rozwijała się w owych czasach wysoka kultura.

Hiszpanie przystąpili do podboju tych ziem. Aby ułatwić sobie zadanie, podsycali niezgodę, jaka panowała między ludami indiańskimi. Osłabili w ten sposób ich siłę obronną. W dodatku zgodnie z pewną legendą Indianie uważali Hiszpanów za wysłanników bogów. W starciach zbrojnych najeźdźcy zwyciężali przede wszystkim dzięki lepszemu uzbrojeniu. Indianie nie znali jeszcze żelaza. Wywoływała więc wśród nich wielki popłoch broń Hiszpanów, przede wszystkim broń palna, a także nie znane dotąd konie i statki z żaglami. Mimo liczebnej przewagi zostali więc pokonani. Hiszpanie

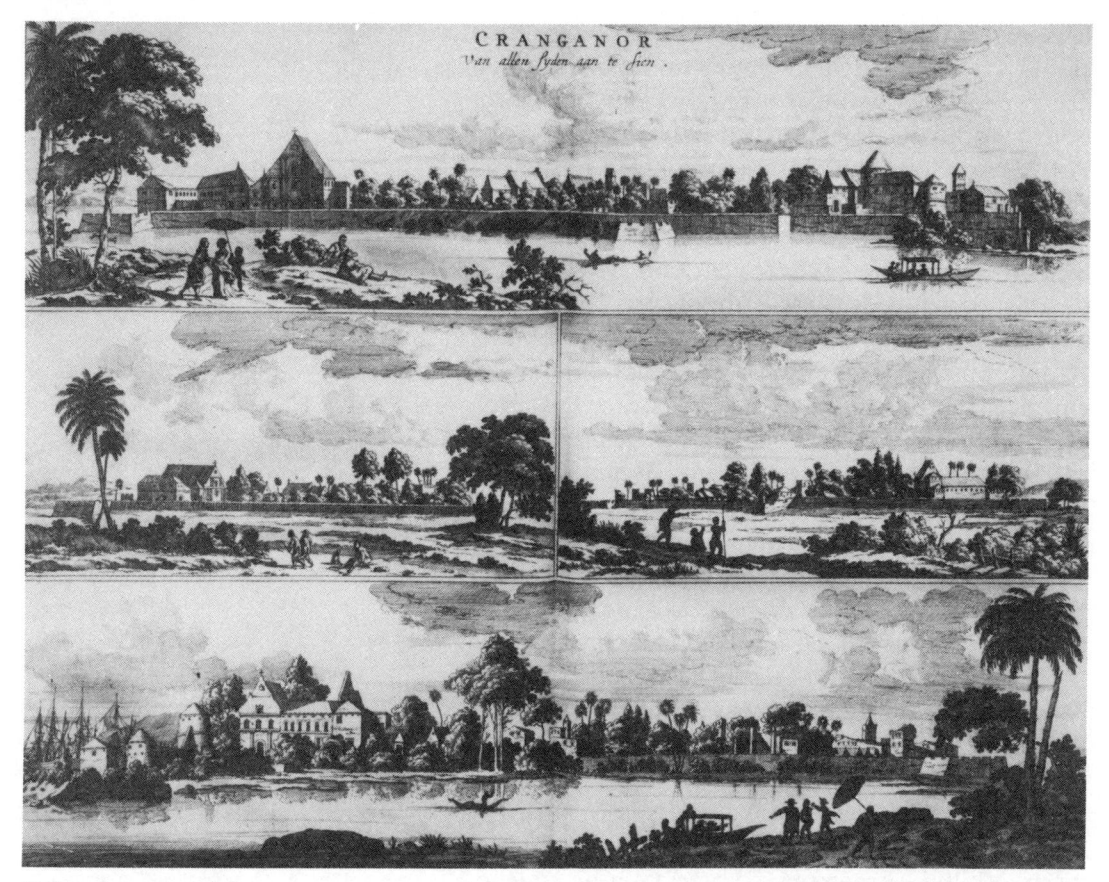

Faktoria portugalska

Faktoria to europejska osada handlowa w koloniach.

obrócili ludność indiańską w niewolników, a nagromadzone skarby wywieźli do Europy.

Co pewien czas odpływały z Ameryki do Hiszpanii silnie uzbrojone okręty, które nazywano „Srebrną flotą". Wiozły one z kolonii zagrabione złoto i srebro. W drodze czatowali na nie często rozbójnicy morscy, tzw. k o r s a r z e.

Posiadłości w Ameryce stały się dla Hiszpanii źródłem ogromnych dochodów. Hiszpanie zakładali tam wielkie gospodarstwa zwane p l a n t a c j a m i, w których hodowali cenne, nie spotykane w Europie rośliny, jak tytoń, kakao, kukurydzę, kartofle i ananasy. Uprawiano tam także bawełnę, trzcinę cukrową i kawę, sprowadzane niegdyś do Europy ze Wschodu.

Kolonizatorzy okrutnie obchodzili się z podbitą ludnością. Zmuszali Indian do pracy ponad siły w kopalniach i na plantacjach. Gdy wskutek nędzy, chorób i ciężkiej pracy ludność indiańska poczęła

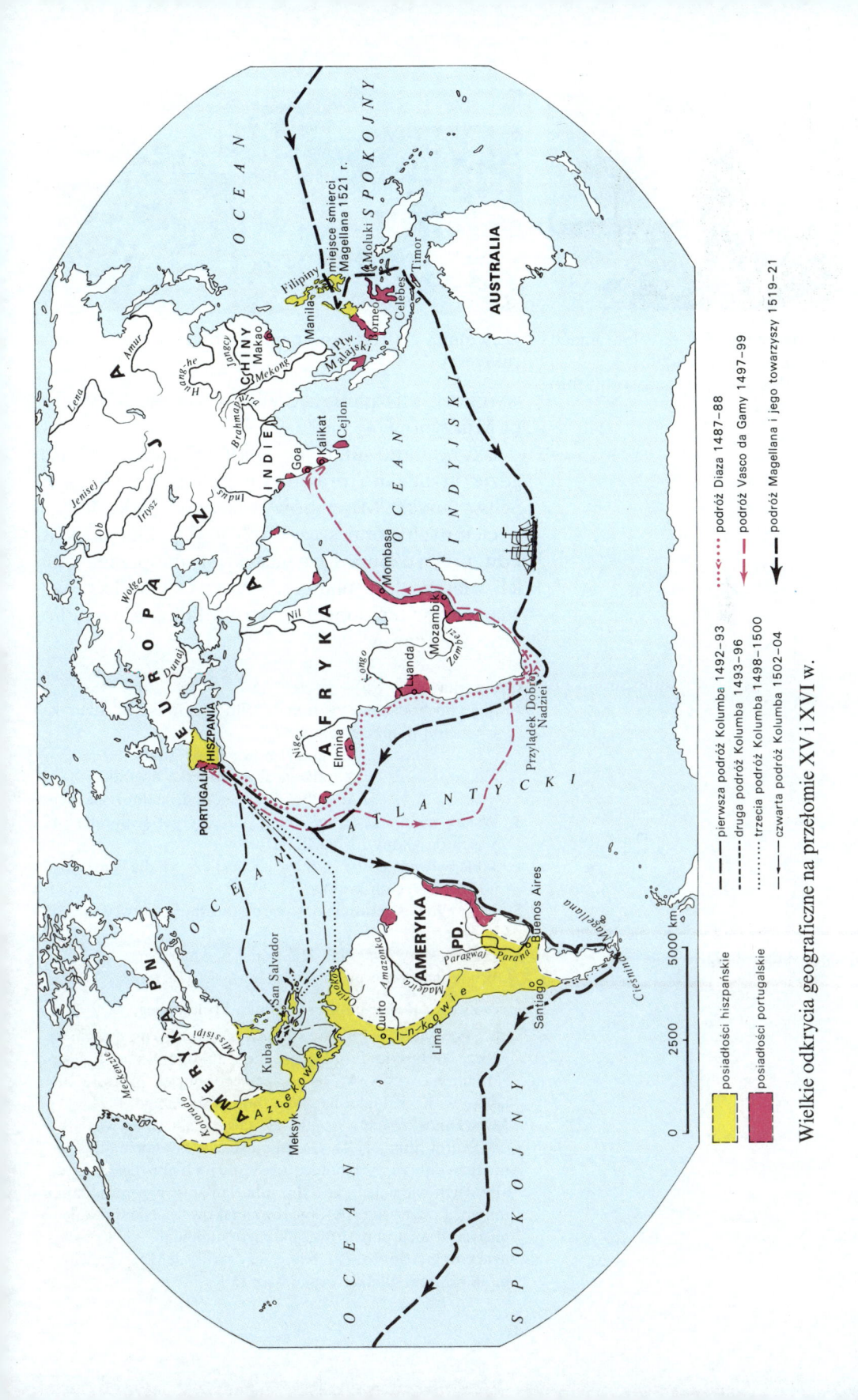

Wielkie odkrycia geograficzne na przełomie XVI i XVI w.

Karanie niewolników na plantacjach trzciny cukrowej w Brazylii
Czy pamiętasz, gdzie i kiedy powstało niewolnictwo?

Niewolnicy zatrudnieni przy wyrobie cukru z trzciny cukrowej

wymierać, Hiszpanie zaczęli sprowadzać do Ameryki Murzynów.

Liczne statki udawały się ku wybrzeżom Afryki, gdzie urządzano prawdziwe polowania na ludzi. Schwytanych Murzynów wiązano i stłoczonych w ciemnych pomieszczeniach pod pokładem statków przywożono do Ameryki. Tam sprzedawano ich właścicielom plantacji. Przez trzy stulecia wywieziono w ten sposób z Afryki kilkanaście milionów Murzynów.

Ćwiczenia

1. Skąd pochodzą nazwy: Indie Zachodnie, Indianie, Ameryka?
2. Uzupełnij poniższe zdania:
   .... odkrył nową część świata.
   .... odkrył drogę morską do Indii.
   .... odbył pierwszą podróż dookoła Ziemi.
3. Wskaż na mapie drogi kolejnych wypraw Kolumba oraz Vasco da Gamy i Magellana.
4. Jakie były następstwa odkryć geograficznych dla Europy i dla nowo odkrytych krajów?
5. Dlaczego Hiszpanom udało się opanować państwa indiańskie w Ameryce?
6. Jakie rośliny uprawiali Hiszpanie w Ameryce?
7. W jaki sposób w Ameryce znaleźli się Murzyni?

Urywki listu Kolumba do skarbnika królewskiego.

„[...] Po wyjeździe z Kadyksu (port hiszpański) przybyłem na Morze Indyjskie i odkryłem tam bardzo liczne i gęsto zaludnione wyspy, które bez czyjegokolwiek protestu objąłem w posiadanie naszego najmiłościwszego króla [...] Mieszkańcy owych wysp nie różnią się wcale co do wyglądu, obyczajów lub języka i rozumieją się nawzajem [...] Nie mogłem dobrze wyrozumieć, czy jest u nich prawo własności, albowiem widziałem, że jedni udzielali ze swego posiadania innym, a szczególnie potraw, przysmaków itp. Nie spotkałem też wśród nich potworów, jak wielu mniemało, ale są to ludzie potulni i dobrotliwi. Nie są też czarni jak Murzyni, włosy mają bowiem gładkie i spadające [...]".

Zapamiętaj datę **1492**

Odrodzenie we Włoszech

1. Kultura włoskiego Odrodzenia

Jaki styl panował w sztuce średniowiecznej do końca XV w.?

Rozkwit gospodarczy i kulturalny miast włoskich w XV w. We Włoszech wcześniej niż w innych krajach europejskich zaczął rozwijać się handel. Miasta włoskie bogaciły się głównie dzięki temu, że były pośrednikami w wymianie handlowej między Europą i krajami Wschodu. Wspaniały rozwój Florencji, Wenecji i innych miast włoskich przypada na wiek XIII i XIV. Te duże i bogate miasta stanowiły wówczas niezależne państewka.

Najbogatsza była północna część Włoch z ważnym ośrodkiem przemysłowym – Florencją oraz z miastami nadmorskimi – Wenecją i Genuą. Wyroby rzemieślników włoskich, zwłaszcza sukno, jedwab, lustra i broń, cenione były w całej Europie. Bogatym mieszczanom nie wystarczało już, że gromadzą dużo złota i sprawują władzę w swoich miastach. Chcieli żyć wygodnie, w pięknych domach i ogrodach, otaczać się dziełami sztuki. Zaczęli budować sobie pałace, umieszczać w nich wykonane często przez wybitnych artystów piękne rzeźby i obrazy. Interesowali się nauką i literaturą.

Humanizm i Odrodzenie. Nowe poglądy na świat i życie człowieka, które pojawiły się w Europie, zdobywały sobie w XV w. coraz więcej zwolenników. Znalazły one odbicie w literaturze. Wiele utworów literackich tego okresu opisuje życie ludzi, ich troski i radości. Ponieważ w języku łacińskim słowo ,,ludzki" brzmi *humanus,* pisarzy głoszących

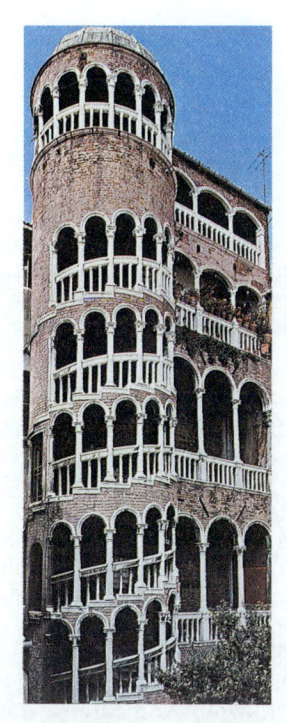

Kręte schody pałacu Minelli w Wenecji
Jest to konstrukcja w stylu renesansowym, zrealizowana w 1499 r. Schody te wznoszą się na małym placyku, niezależnie od pałacu i stanowią odrębną od niego budowlę. Poprzez oryginalność konstrukcji stanowią piękny przykład renesansowej architektury. Kolumnada, otaczająca schody zwieńczona łagodnymi łukami, nadaje budowli niezwykłej lekkości.

Renesans Okres w historii kultury europejskiej. Charakteryzował się rozwojem nauki, sztuki, literatury, oraz zainteresowaniem starożytnością. W architekturze zrywał z gotykiem dając jasne, pełne światła wnętrza.

Szkoła Ateńska, dzieło Rafaela [Raffaelo Santi, 1483–1520], wielkigo malarza i architekta włoskiego, jednego z najwybitniejszych artystów dojrzałego Renesansu
Szkoła Ateńska to jeden z najpiękniejszych fresków namalowanych we wnętrzach apartamentów papieskich w Pałacu Watykańskim w latach 1509–1511.
W Szkole Ateńskiej przedstawił Rafael grono filozofów i mędrców starożytnej Grecji m.in. Arystotelesa – postać centralna i Pitagorasa – postać mężczyzny z brodą, trzymającego rozłożoną księgę, w lewej dolnej części fresku. Twórczość Rafaela kształtowała w znacznym stopniu sztukę europejską. Wielkim mecenasem sztuki w epoce Odrodzenia był Kościół katolicki. Dzięki kolejnym papieżom powstały niezwykłe i piękne dzieła malarstwa, rzeźby i architektury, które do dzisiaj nie mają sobie równych.

takie myśli nazywano h u m a n i s t a m i. Ale humanistami nazywano nie tylko pisarzy. Byli wśród nich także uczeni i architekci, rzeźbiarze i malarze. Wszystkich łączyła jedna wspólna cecha: zainteresowanie człowiekiem i jego sprawami. Uczeni przeciwstawiali się poglądom wspieranym przez autorytet Kościoła. Krytykowali panujące w poprzednich wiekach niezgodne z nauką wyobrażenia o powstaniu świata i o historii Ziemi. Marzyli o opanowaniu sił przyrody, aby życie ludzkie uczynić łatwiejszym i wygodniejszym. W celu wytłumaczenia niektórych spraw sięgnęli do zapomnianych od lat dzieł filozofów i uczonych starożytnej Grecji i Rzymu. Także i artyści włoscy szukali wzorów dla swych dzieł w sztuce starożytnych Greków i Rzymian. Malarze i rzeźbiarze z zamiłowaniem odtwarzali piękno ciała ludzkiego. Architekci, oprócz świątyń, budowali ozdobne kamienice i pałace. Wzorowane one były często na budowlach starożytnych. We Włoszech nastąpił ogromny rozwój nauki, literatury i sztuki. Ponieważ wzorem dla pisarzy, a zwłaszcza dla malarzy i rzeźbiarzy, były zabytki piśmiennictwa, kultury i sztuki z czasów starożytnych, okres ten obejmujący wiek XV i XVI nazywamy okresem O d r o d z e n i a lub R e n e s a n s u.

W okresie Odrodzenia zwalczano panujące w poprzednich wiekach przekonanie, że celem życia człowieka jest osiągnięcie szczęścia wiecznego przez ubóstwo i pobożność. Humaniści głosili radość życia i umiłowanie ziemskiego piękna. Te nowe poglądy przenikały szybko do innych krajów europejskich. Ale chociaż wszędzie czerpano wzory z Włoch, to jednak w każdym z tych krajów kultura Odrodzenia miała odrębny charakter. Znalazło to swój wyraz w rozwoju piśmiennictwa w językach narodowych.

Ćwiczenia
1. Dlaczego wśród miast europejskich w XIV i XV w. najszybciej rozwinęły się miasta włoskie?
2. Wyjaśnij znaczenie słów: humaniści, Odrodzenie, Renesans?
3. Jakie poglądy głosili humaniści?
4. Jakie dziedziny nauki i sztuki rozwijały się w okresie Odrodzenia?
5. Opowiedz o budownictwie renesansowym.

Jak humaniści poszukiwali książek starożytnych.

„Klasztor Sankt-Gallen w pobliżu miasta, oddalony odeń o 20 tysięcy kroków. Tam też udaliśmy się na poszukiwanie ksiąg, których, jak nas powiadomiono, miała być wielka liczba. Istotnie wśród masy nagromadzonych książek, które długo by tu było wyliczać, znaleźliśmy Kwintyliana [pisarz starożytny], do dziś całego i nietkniętego, zaniedbanego wszakże i zapylonego. Księgi owe nie znajdowały się bowiem w bibliotece, lecz w ciemnym lochu, na dnie jednej z wież, gdzie nie zamknięto by nawet ludzi skazanych na śmierć [...] Przepisałem je własnoręcznie i to szybko, aby je posłać do Leonarda Aretina i Mikołaja z Florencji. Skoro dowiedzieli się ode mnie o znalezieniu tego skarbu, prosili mnie usilnie listami, abym im Kwintyliana posłał co prędzej" [fragment listu Petrarki, wybitnego poety i humanisty włoskiego].

Dama z gronostajem. Portret Leonarda da Vinci namalowany około 1485 r. Obraz przedstawia najprawdopodobniej Cecylię Gallerani, damę dworu mediolańskiego księcia Lodovica Sforzy. Jest to jedyne dzieło wielkiego mistrza włoskiego Renesansu, które znajduje się w Polsce. Nabył je w Italii około roku 1800, dla swej matki Izabeli, książę Adam Jerzy Czartoryski. Według Leonarda da Vinci: *malarstwo nie potrzebuje tłumacza na różne języki, jak potrzebuje je literatura i bezpośrednio zadowala rodzaj ludzki nie inaczej, jak czynią rzeczy stworzone przez naturę.*
Czy podzielasz pogląd wielkiego humanisty?

2. Wielcy mistrzowie włoskiego Odrodzenia

Wybitni przedstawiciele kultury i sztuki. Jednym z najwybitniejszych przedstawicieli Odrodzenia we Włoszech był **Leonardo da Vinci** [czyt. Winczi] **(1452–1519)**. Jego zainteresowania obejmowały prawie wszystkie dziedziny wiedzy i życia. Był on świetnym malarzem i rzeźbiarzem, zajmował się również medycyną, fizyką i architekturą. Obmyślał plany maszyny do latania i łodzi podwodnej. Tak

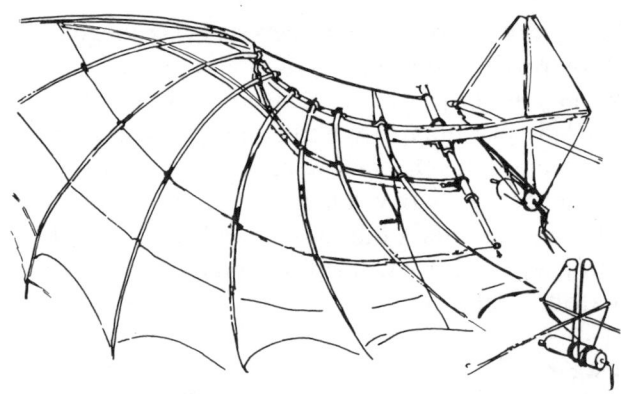

Model skrzydła stanowiącego fragment maszyny do latania, nad konstrukcją której pracował Leonardo da Vinci

Sekcja zwłok od łacińskiego słowa „sectio" [czyt. sekcjo] – rozcięcie. Otwarcie jam ciała (czaszki, klatki piersiowej, jamy brzusznej) po śmierci, w celu ustalenia zmian chorobowych w organizmie człowieka.

jak wielu innych humanistów Leonardo wyznawał zasadę: *Nic, co ludzkie, nie jest mi obce.*

Leonardo uważał, że celem sztuki malarskiej i rzeźbiarskiej jest wierne odtworzenie obrazu człowieka i przyrody. Dlatego wytrwale studiował anatomię ludzi i zwierząt. Dokonywał nawet sekcji zwłok, co było zabronione przez Kościół. Największą sławę zyskał jednak Leonardo da Vinci jako malarz. Do naszych czasów zachowały się tylko niektóre jego obrazy.

Malarz i rzeźbiarz **Michał Anioł (1475–1564)** był człowiekiem wszechstronnie uzdolnionym, podobnie jak Leonardo. Poza rzeźbiarstwem i malarstwem zajmował się architekturą, a nawet pisał wiersze.

Jako architekt zaprojektował słynną k o p u ł ę b a z y l i k i Ś w. P i o t r a w R z y m i e. Budowę tego kościoła rozpoczęto w 1506 r. według planów opracowanych przez wybitnego architekta i malarza **Donato Bramante (1444–1514)**.

Wynalazek druku. Do rozwoju kultury przyczynił się w niemałym stopniu wynalazek druku. W starożytności i Średniowieczu książki były nieliczne i drogie, gdyż każdą przepisywano ręcznie. Począt-

◀ *Mojżesz*. Rzeźba Michała Anioła, znajdująca się w kościele San Pietro in Vincoli w Rzymie, jest jedną z najwspanialszych rzeźb epoki Renesansu.
Jak myślisz, co stanowi o jej doskonałości? Czym różni się od postaci przedstawianych przez artystów średniowiecznych?

Praca w drukarni w połowie XV w.
Co widzisz na pierwszym planie ilustracji?
Na co muszą uważać zecerzy (składacze czcionek) w tyle rysunku?

kowo pisano na włóknach rośliny zwanej c i b u r ą, później zaś na p e r g a m i n i e – garbowanych cienkich skórach zwierzęcych. Około roku 1400 użyto po raz pierwszy drewnianych deseczek do druku ilustracji w tekście.

Na takiej deseczce ryto dłutkiem obraz bądź litery, deseczkę powlekano farbą i przykładano do papieru. Można było w ten sposób wydrukować całą książkę. Była to jednak nadal praca żmudna i męcząca. Dopiero około **1450 r. Jan Gutenberg (ok.1399–1468),** z Moguncji w Niemczech, wpadł na pomysł, który dokonał przewrotu w dziejach kultury. Zamiast całych rzeźbionych stron użył r u c h o m y c h c z c i o n e k, początkowo rzeźbionych w drewnie, później metalowych. Teraz tekst można było drukować w tysiącach egzemplarzy. Pierwszą książką wydrukowaną przez Gutenberga było łacińskie wydanie **Biblii.** Uczniowie i współpracownicy Gutenberga rozeszli się po wielu krajach Europy, przyczyniając się do rozpowszechnienia sztuki drukarskiej. Wynalazek druku silnie wpłynął na rozwój literatury, nauki i oświaty szerzonej przez humanistów.

Jedna ze stron Biblii Jana Gutenberga
Zwróć uwagę na piękno i harmonię, jaką uzyskano po złożeniu tekstu.

Ćwiczenia
1. Wskaż na mapie północnych Włoch: Florencję, Genuę i Wenecję.
2. Dlaczego o wielkich mistrzach Odrodzenia mówimy, że byli ludźmi wszechstronnymi?
3. Wymień poznane dzieła Leonarda da Vinci i Michała Anioła.
4. Czym zasłynął Donato Bramante?
5. Na czym polegał wynalazek Jana Gutenberga i dlaczego posiadał on tak duże znaczenie?
6. Spróbuj dowiedzieć się jak pracują obecnie drukarnie.

Znaczenie wynalazku druku według słów profesora jednego z niemieckich uniwersytetów w XV w.:

„[...] dokonał Jan Gutenberg ze Strasburga (Gutenberg działał również w Strasburgu) wielkiego i prawie że boskiego dobrodziejstwa dla całej ziemi, przez wynalezienie nowego sposobu pisania. Wynalazł on bowiem w Strasburgu sztukę drukowania książek i wydoskonalił ją potem szczęśliwie w Moguncji, dokąd następnie był się udał. Rodacy nasi odznaczyli się jednak w tej sztuce nie tylko w Strasburgu, ale także i gdzie indziej, zyskując cześć i majątek. [Autor nawiązuje do faktu, że wielu niemieckich drukarzy rozjechało się po całej Europie, upowszechniając wynalazek druku].

Reformacja w Europie

1. Narodziny i rozwój reformacji w Niemczech

Przypomnij, kiedy w Niemczech było silne cesarstwo i jak zagrażało ono Polsce?

Niemcy w początkach XVI w. Niemcy w XV w. nie były potężnym państwem, gdyż dzieliły się na wiele drobnych księstw; niektóre miasta w północnych Niemczech stanowiły nawet odrębne państewka. Władza cesarza była słaba. Poszczególni książęta byli niemal samodzielnymi władcami. Mimo to Niemcy pod względem rozwoju gospodarczego i kulturalnego należały do przodujących krajów w Europie. Pomyślnie rozwijał się tam handel, rzemiosło i rolnictwo. Ale już w połowie XVI w. położenie Niemiec zaczęło ulegać znacznemu pogorszeniu.

Jedną z przyczyn tego pogorszenia były wielkie odkrycia geograficzne. Zmiana dróg handlowych osłabiła handel miast północnoniemieckich. Kupcy i rzemieślnicy zaczęli tracić źródła dochodów.

Położenie chłopów poddanych także uległo pogorszeniu, gdyż panowie podwyższali czynsze. Chcąc zaś podnieść dochody z ziemi, wprowadzali p a ń s z c z y z n ę.

Pańszczyzna Bezpłatna i przymusowa praca chłopów na ziemi pańskiej

Kryzys Kościoła. Wśród mieszczaństwa i rycerstwa niemieckiego szerzyły się nowe prądy umysłowe płynące z Włoch. Znajdowały one protektorów wśród świeckich książąt i części duchowieństwa. Zaczęto krytycznie przyglądać się pozycji Kościoła katolickiego w Niemczech. Skupiał on w swych rękach 3/5 wszystkich posiadłości ziemskich i na-

◀ Wykonanie wyroku sądu inkwizycyjnego w Hiszpanii w XV w.
Opisz dokładnie ilustrację. Jakie szczegóły zwracają Twoją uwagę?
Co wiesz o sądach inkwizycyjnych? Jakimi sprawami się zajmowały i w którym kraju były one powszechne?
W Polsce w roku 1539 miał miejsce przypadek spalenia na stosie „heretyczki" – mieszczki krakowskiej *białogłowy w lat osiemdziesiąt, o żydowską wiarę spalonej* – jak wspomniał Łukasz Górnicki – *Mówili nadto siła z nią doktorowie; a im więcej mówili, tym ona w swym przedsięwzięciu uporniej stała, iż Bóg człowiekiem być i rodzić się nie mógł. Owa, gdy się od tej żydowskiej religijej* [tu: religii] *odwieść nie dała, znaleziono ją* [uznano] *być bluźnierką przeciwko Bogu i do urzędu miejskiego ją odesłano, a w kilka dni po tym, jakom wyżej wspomniał, spalono, na którą śmierć szła najmniej nie strwożona.*

kładał na ludność duże daniny i opłaty. Duże dochody przynosiła papiestwu sprzedaż o d p u s t ó w, czyli odpuszczanie za opłatą pieniężną kar grożących grzesznikom na „tamtym świecie". Wiele zgorszenia i niechęci budziło wystawne życie części duchownych, którzy zbyt mało czasu poświęcali pracy duszpasterskiej. Przeciwko duchowieństwu i papiestwu zaczęli ostro występować niemieccy pisarze-humaniści. Potępiano wysyłanie przez miejscowych biskupów danin do papieża, z czasem także krytyce poddano również niektóre d o g m a t y religii chrześcijańskiej.

Dogmat Twierdzenie przyjmowane za pewnik i nie podlegające krytyce.

Wystąpienie Marcina Lutra (1517). W tym czasie nastąpiło wydarzenie, które jeszcze bardziej wzmocniło niechęć do Kościoła i do duchowieństwa.

Handel odpustami
W 1517 r. w okolicach Wittenbergi pojawił się mnich dominikański, jeden z najbardziej znanych kaznodziejów handlujących odpustami. Odpust zapewniał zbawienie nie tylko kupującemu, lecz również jego krewnym, nawet już zmarłym.
Przeciw sprzedaży odpustów wystąpił Marcin Luter, jako niezgodnej z duchem *Ewangelii* i apelował do biskupów, aby zaprzestano tego sposobu zbierania pieniędzy na Kościół.

W związku z budową kościoła Św. Piotra w Rzymie papież ogłosił, że każdy kto dopełni ustalonych obrzędów religijnych i złoży ofiarę pieniężną, otrzyma odpust. Pismo papieskie, odczytane z ambon, wywołało sprzeciw w całej Europie. Jednak szczególnie wrogo zostało przyjęte w Niemczech.

Pewnego października dnia **1517 r.** wielkie poruszenie ogarnęło mieszkańców nieużego miasta nad Łabą, **Wittenbergi.** Oto na drzwiach jednego z kościołów ujrzeli wywieszone pismo krytykujące postępowanie duchowieństwa w Niemczech, a zwłaszcza sprzedaż odpustów. Autorem pisma był zakonnik niemiecki i równocześnie profesor uniwersytetu w Wittenberdze **Marcin Luter (1483–1546).**

Luter w swych 95 tezach ostro skrytykował sprzedaż odpustów przez Kościół. Wkrótce zyskał wielu zwolenników. Kiedy papież potępił jego poglądy, Luter w odpowiedzi spalił publicznie pismo papieskie i zaczął otwarcie głosić, że niepotrzebni są papież, biskupi, zakonnicy i klasztory.

Wystąpienie Marcina Lutra zapoczątkowało w Niemczech wielki ruch przeciw duchowieństwu i Kościołowi. Ponieważ celem jego było przeprowadzenie zmian, czyli reform, ruch ten nazywamy **reformacją.** Reformacja objęła prawie wszystkie warstwy społeczne, ale każda z nich rozumiała ją na swój sposób. Książęta pragnęli zagarnąć dobra kościelne, aby podnieść swe bogactwa i znaczenie w państwie.

Majątki kościelne chcieli zagarnąć również zubożali rycerze. Mieszczanie pragnęli uwolnić się od wielkich danin, jakie musieli składać duchowieństwu. Najwięcej nadziei pokładali w reformacji chłopi, którzy występowali przeciw uciskowi ze strony świeckich i duchownych posiadaczy majątków. Reformacja stała się przyczyną w o j e n r e l i g i j n y c h i s p o ł e c z n y c h w Niemczech, które trwały przez wiele lat. Wielkie powstanie przeciw uciskowi ze strony panów wywołali chłopi, Luter nie poparł jednak ich żądań.

Walki religijne w Niemczech trwały kilkadziesiąt lat. Przeciwko cesarzowi niemieckiemu, który bronił papiestwa, wystąpili książęta, którzy w większości byli zwolennikami nauki Lutra. Ostatecznie

Marcin Luter
Ten niemiecki reformator religijny uważał że *odpusty, okrzyczane przez kaznodziejów, jako największe łaski, można istotnie tak pojmować, ale tylko mając na myśli pomnażanie zysków.*

Teza Jakieś twierdzenie, dla którego przedstawia się uzasadnienie.

cesarz musiał ustąpić. Wielu książąt w północnych Niemczech wprowadziło w swych państwach naukę Lutra. Jego wyznawców nazywano l u t e r a n a - m i, p r o t e s t a n t a m i lub e w a n g e l i k a m i.

Wojny religijne osłabiły władzę cesarza w Niemczech. Książęta niemieccy uzyskali jeszcze większą niezależność. Wzrosła też ich potęga, ponieważ wszędzie tam, gdzie przyjęto naukę Lutra, możni i książęta podzielili między siebie wielkie majątki kościelne.

W 1555 r. przyjęto zasadę, że każdy władca może narzucić swoje wyznanie poddanym, chociaż nie musieli oni z tym się godzić. Mogli albo układać się z księciem w sprawie prywatnego uprawiania swojej religii jako mniejszość wyznaniowa, albo emigrować z kraju. Jednak w większości przyjmowano religię panujących.

Zapamiętaj datę **1517**

Ćwiczenia
1. Jakie było położenie Niemiec w XVI w.?
2. Jakie poglądy głosił Marcin Luter?
3. Dlaczego w reformacji wzięły udział prawie wszystkie warstwy społeczne?
4. Wskaż na mapie Wittenbergę.

Z pism Marcina Lutra.

„[...] Z dzieł teologicznych należy czytać jedynie nieliczne i najlepsze. Tak więc, powinno się czytać dzieła ojców kościoła tylko przez jakiś czas, abyśmy poprzez nie mogli dojść do Biblii [...] jedynie *Pismo św.* jest bowiem naszą winnicą, w której powinniśmy się ćwiczyć i pracować. Przede wszystkim najważniejszą i najpowszechniejszą lekcję w wyższych i niższych szkołach winna stanowić nauka *Pisma św.*, a u młodych chłopców – Ewangelii. I chciałby Bóg, aby każde miasto miało także szkołę dla dziewcząt, w której codziennie przez jedną godzinę dziewczynka słuchałaby Ewangelii po niemiecku lub po łacinie [...] Teraz zaś nawet wielce uczeni biskupi i prałaci nie znają Ewangelii".

2. Postępy reformacji w Europie

Powstanie nowych wyznań. Ruch reformacyjny ogarnął poza Niemcami również wiele innych krajów europejskich, w tym Polskę. Ukształtowały się nowe wyznania, jak luteranizm, kalwinizm, anglikanizm. Wszystkie one miały swoje źródło w odczytywaniu tekstu *Nowego Testamentu* na nowo.

Wnętrze zboru kalwińskiego w Lyonie
W połowie XVI w. przebudowano zwykły dom mieszkalny na zbór dla kalwinów, zwany też Domem Bożym, który służył do odmawiania wspólnej modlitwy przez wiernych tego wyznania.
Tylko wówczas, gdy czytano Biblię lub wymawiano imię Boga, mężczyźni zdejmowali kapelusze. Dla szlachty zarezerwowane były miękkie siedzenia, podczas gdy nieszlacheccy członkowie zboru musieli zajmować twarde ławki.
Porównaj wnętrze zboru kalwińskiego z wnętrzem katolickiego kościoła.

Luteranizm odrzucał wiele dogmatów – kult Matki Boskiej i świętych oraz wiarę w czyściec, a także wiele sakramentów. Odrzucił też zwierzchnictwo papieża. Kościołem luterańskim zarządzali sami wierni poprzez wybranych przedstawicieli.

Kalwinizm założony został w Szwajcarii w pierwszej połowie XVI w. przez francuskiego myśliciela **Jana Kalwina.** Tak jak Luter nie uznawał on zasady władzy wyższego duchowieństwa (hierarchii kościelnej), zakonów, bezżeństwa księży, kultu świętych oraz większości sakramentów. Pozostawił jedynie sakrament chrztu, komunię i małżeństwo. Poglądy Kalwina od innych wyznań protestanckich różniły się tym, że głosił on wiarę w przeznaczenie. Według niej człowiek z woli Boga jest przeznaczony na zbawienie lub potępienie. Ludzie stają się potępionymi po śmierci nie dlatego, że grzeszyli, lecz dlatego grzeszyli, bo byli z góry skazani na potępienie.

Anglikanizm. W Anglii nie dojrzały jeszcze warunki społeczne do rozwoju reformacji, jak to miało miejsce w Niemczech, Francji czy w Szwajcarii. Tu decydującą rolę w powstaniu nowej religii odegrała wola władcy, króla **Henryka VIII.** W 1534 r. zerwał on z Rzymem i ogłosił się głową k o ś c i o ł a n a r o d o w e g o. Bezpośrednim powodem tego kroku była odmowa przez papieża zgody na rozwód króla z jego pierwszą żoną. Reformacja w Anglii

Henryk VIII (1491–1547) był władcą absolutnym. W 1534 r. ogłoszony został przez parlament głową Kościoła w Anglii. Zbudował silną flotę morską, dzięki której Anglia stała się prawdziwą potęgą morską.

przebiegała inaczej niż w Niemczech i pozostałych krajach europejskich. Król nie zmieniał dogmatów i obrzędów katolickich. Pozostawił również dotychczasową organizację i hierarchię kościelną. Rozwiązał natomiast zakony i skonfiskował ogromne dobra zakonne. Po śmierci Henryka VIII próbowano w Anglii przywrócić katolicyzm. Ostatecznie jednak jego następcy opowiedzieli się za kościołem anglikańskim, który stał się w Anglii **kościołem państwowym**, tj. oficjalnie obowiązującym. W przeciwieństwie do Anglii inne kościoły reformowane były **kościołami narodowymi**.

Antytrynitarze. Istniały również odłamy reformacji, które odrzucały wiarę w Trójcę Świętą, a Chrystusa uznawały za istotę ludzką. Nie godziły się na chrzest dzieci, które ich zdaniem nie mogły podjąć samodzielnej decyzji dotyczącej ich wiary. Chrzest mieli więc przyjmować wyłącznie ludzie dorośli. Ponieważ *trinitas* oznacza po łacinie Trójcę, zwano ich *antytrynitarzami*. Antytrynitarze głosili daleko idące hasła społeczne: żądali równości wszystkich wiernych, potępiali bogactwo, niektórzy odrzucali wojny i sprawowanie urzędów. Przeciw antytrynitarzom występowali zarówno katolicy, jak i protestanci.

Wojny religijne we Francji. Wśród krajów europejskich najbardziej zacięte i krwawe walki religijne toczyły się we Francji. Trwały one z przerwami 36 lat. Zwolenników Kalwina we Francji nazywano **hugenotami**, którzy walczyli ze stronnictwem katolickim. Wojny doprowadziły do upadku autorytetu władzy królewskiej i zniszczenia kraju. Dopiero gdy pod koniec XVI w. zasiadł na tronie król **Henryk IV Burbon** nastąpił kres wojen. Ponieważ większość ludności kraju była katolicka, Henryk będący hugenotem, nie tylko sam przeszedł na katolicyzm, ale ogłosił go religią panującą. Jednocześnie zabezpieczył jednak swobodę wyznawania religii hugenotom. Mogli oni publicznie organizować swoje obrzędy i budować świątynie. Jako gwarancję swobody wyznania otrzymali prawo

Dominikanin

utrzymywania na koszt państwa w kilkunastu miejscach własnych oddziałów wojskowych. Tego typu działania władcy nazywamy t o l e r a n c j ą r e l i g i j n ą.

Tolerancja Wyrozumiałość, pobłażanie dla cudzych poglądów, upodobań, wierzeń. Tolerancja religijna – swoboda wyznawania innej religii, niż religia panująca w danym kraju.

Ćwiczenia
1. Wymień główne cechy luteranizmu, kalwinizmu, anglikanizmu i antytrynitaryzmu.
2. W jaki sposób król Henryk IV Burbon zażegnał wojny religijne we Francji?
3. Co nazywamy tolerancją? Spróbuj uzasadnić stanowisko, że tolerancja wobec cudzych poglądów jest zjawiskiem pozytywnym.
4. Znajdź w encyklopedii informacje o Lutrze, Kalwinie, Henryku VIII i Henryku IV Burbonie.

Polska Złotego Wieku na tle europejskim

1. Pozycja polityczna Polski XVI w. Polityka zagraniczna ostatnich Jagiellonów

Przypomnij postanowienia pokoju toruńskiego.
Gdzie miał swoje posiadłości Zakon Kawalerów Mieczowych?

Umocnienie pozycji Polski nad Bałtykiem. Po 1466 r. znacznie wzmocniło się położenie międzynarodowe Polski, a przede wszystkim jej pozycja nad Bałtykiem. Mimo że Zakon nie został zupełnie złamany, korzyści Polski były ogromne. Odzyskała bowiem wolny dostęp do morza, umożliwiający swobodne kontakty drogą morską z państwami zachodniej Europy.

Odniesione nad Zakonem zwycięstwo i zmiana wielkiego mistrza krzyżackiego w l e n n i k a Polski nie oznaczały bynajmniej, że państwo zakonne zrezygnowało już ostatecznie ze swych agresywnych planów wobec Polski. Jeszcze za Kazimierza Jagiellończyka, po zakończeniu wojny trzynastoletniej, dochodziło do nowych konfliktów zbrojnych między Polską a Krzyżakami na Warmii i w ziemi chełmińskiej; udało im się nawet opanować kilka zamków polskich. Wkrótce wypędzono Krzyżaków z Prus Królewskich, a wielki mistrz krzyżacki zmuszony był złożyć przysięgę zobowiązującą go do lojalności wobec króla polskiego. Próby uniezależnienia się od Polski podejmowali Krzyżacy i za panowania synów Kazimierza Jagiellończyka: Jana Olbrachta i Aleksandra. Było jasne, że konflikt polsko-krzyżacki musi być ostatecznie rozstrzygnięty.

Hołd pruski (1525). Sytuacja zaostrzyła się, gdy wielkim mistrzem został **Albrecht Hohenzollern**, siostrzeniec króla polskiego **Zygmunta I (1506– –1548)**, książę pochodzący z niemieckiej rodziny

Lenno Ziemia wraz z poddanymi nadawana w Średniowieczu przez seniora wasalowi pod warunkiem wykonywania pewnych powinności na rzecz nadającego. Główną powinnością lennika było posłuszeństwo i służba wojskowa na wezwanie seniora.

Hohenzollernów, panującej w Brandenburgii.

Chciał on całkowicie uniezależnić się od Polski i utworzyć samodzielne państwo. Dlatego odmówił złożenia hołdu królowi Zygmuntowi I, zwanemu później Starym. Było to przyczyną ostatniej w dziejach wojny z Krzyżakami. **W 1520 r.** wojska polskie zajęły część Prus i obległy stolicę Zakonu – Królewiec. Sytuacja Albrechta pomimo pomocy cesarza i papieża była beznadziejna, toteż wkrótce poprosił on o zawieszenie broni, na które Zygmunt I wyraził zgodę.

Kilka lat jeszcze trwał spór polsko-krzyżacki, choć już bez działań wojennych. Wreszcie Albrecht przedstawił królowi i jego doradcom następujący plan: Krzyżacy przyjmą naukę Lutra i staną się rycerstwem świeckim – Zakon zostanie rozwiązany, a dotychczasowe **państwo zakonne stanie się księstwem świeckim**. Państwo to nadal będzie pozostawać pod zwierzchnictwem Polski. Rządy w nim obejmie Albrecht jako dziedziczny książę (po nim mieliby objąć władzę jego potomkowie) i lennik Polski.

Projekt wielkiego mistrza został przyjęty przez Zygmunta. **W kwietniu 1525 r.** na krakowskim Rynku zebrały się tłumy mieszkańców. Wszyscy chcieli zobaczyć hołd księcia pruskiego. Przed ratu-

Renesansowy orzeł Zygmunta Starego

◀ Hołd lenny złożony w 1525 r. na Rynku krakowskim Zygmuntowi I Staremu przez wielkiego mistrza Albrechta Hohenzollerna. Hołd był wynikiem traktatu, tworzącego z ziem Zakonu Krzyżackiego świeckie księstwo pruskie, zależne od Polski, a wielki mistrz obrał wówczas tytuł księcia pruskiego.

Księstwo to wyrosło z czasem na jednego z zaborców Rzeczypospolitej w XVIII w.

Zwróć uwagę na postać siedzącą poniżej królewskiego tronu. Kim był Stańczyk? Jak sądzisz, dlaczego jest zamyślony?

szem na podwyższeniu stał tron przybrany materią i szkarłatnym suknem. Na tronie zasiadł król Zygmunt Stary. Do króla zbliżył się książę Albrecht i uklęknąwszy przed tronem otrzymał z rąk królewskich chorągwie na znak, że ma panować w dawnych Prusach Krzyżackich, zwanych odtąd K s i ą ż ę c y m i. Następnie Albrecht złożył przysięgę lenną tej treści: *Ja Albrecht, margrabia brandenburski, a także książę Prus, ślubuję i przysięgam [...] że od tej chwili na wieczne czasy będę wierny, uległy i posłuszny ze wszystkimi moimi poddanymi Najjaśniejszemu Miłościwemu Panu Zygmuntowi, królowi polskiemu i jego potomkom oraz całej Koronie Polskiej, tak jak należy i przystoi lennemu księciu i miłośnikowi pokoju.*

W razie wojny Albrecht i jego następcy zobowiązani byli dostarczyć Polsce posiłków wojskowych.

W całym mieście panowała radość. Cieszono się, że zakończył swe istnienie znienawidzony Zakon Krzyżacki, który tyle zła wyrządzał Polsce. Po przyjęciu luteranizmu książęta Prus nie mogli liczyć na pomoc papieża i cesarza. Do składania hołdu zobowiązani byli również potomkowie Albrechta, a w razie gdyby ród jego wymarł, Prusy miały wrócić do Polski. Nikt się wówczas nie spodziewał, że na miejscu Zakonu wyrośnie potężne państwo, które w przyszłości zagrozi Polsce.

Walka o Inflanty. Od czasu połączenia Zakonu Kawalerów Mieczowych z Krzyżakami oba zakony utworzyły potężne państwo nad Bałtykiem. Obejmowało ono terytoria dzisiejszej Ł o t w y i E s t o n i i czyli tzw. **Inflanty.** Ale za Zygmunta Starego Zakon Krzyżacki upadł i Prusy stały się lennem Polski. Państwo Zakonu Kawalerów Mieczowych pozostało więc państwem samodzielnym, choć słabym.

Miejscowa ludność łotewska nienawidziła niemieckich rycerzy zakonnych, którzy nad nią panowali, kraj był ubogi a ziemia nieurodzajna. Złe stosunki między mistrzem Zakonu i arcybiskupem ryskim jeszcze bardziej osłabiały państwo.

W istniejący spór mistrza z arcybiskupem włączył się na prośbę arcybiskupa syn i następca Zygmunta Starego król **Zygmunt August (1548–1572).** Oba-

Zygmunt II August
Okres jego panowania charakteryzował się rozkwitem kultury i nauki oraz pomyślnym rozwojem gospodarki. Król próbował współpracować ze średnią szlachtą, utrzymując w kraju tolerancję religijną. Sukcesy w polityce zagranicznej osiągnął obejmując w 1561 r. zwierzchnictwo nad Inflantami i doprowadzając do Unii Lubelskiej. Był ostatnim męskim przedstawicielem dynastii Jagiellonów na polskim tronie.

wiał się on, że Inflanty łatwo mogą stać się łupem państwa moskiewskiego, które odcięte od Morza Bałtyckiego próbowało za wszelką cenę to dojście uzyskać. Państwo moskiewskie od XIII w. wzrastało bowiem coraz bardziej w siłę, gromadząc wokół siebie inne ziemie ruskie. Prowadziło wojny z Litwą, chcąc zagarnąć jej posiadłości na wschodzie i zjednoczyć całą Ruś pod swoim panowaniem.

Gdy car Moskwy **Iwan IV** zajął Narwę, port nad Zatoką Fińską, Zygmunt August skłonił wielkiego mistrza zakonu inflanckiego do zawarcia traktatu z Polską. Przeciw Polsce i Litwie wystąpiło Wielkie Księstwo Moskiewskie. Car Iwan IV, zwany Groźnym, był władcą pełnym okrucieństwa i tak też postępowało jego wojsko, które spustoszyło Inflanty. Mimo to ziemie te pozostały przy Polsce.

Iwan IV Groźny

Początki polskiej floty. Już za panowania Zygmunta Starego, a w jeszcze większym stopniu za

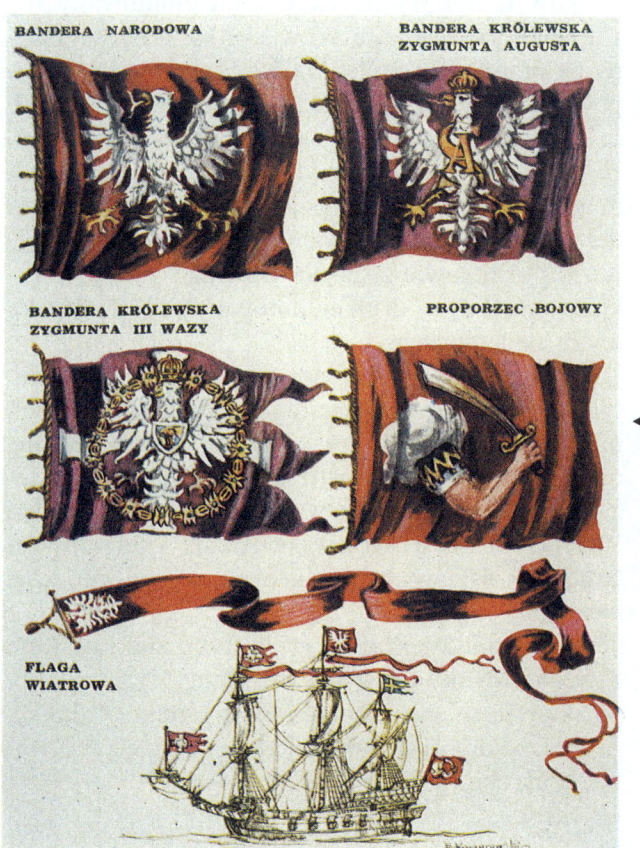

Jeden z najbardziej popularnych w XVI–XVII w. typów statków handlowych wykorzystywanych również w działaniach bojowych na morzu

◀ Bandery, proporce i flagi podnoszone na okrętach polskich w XVI i XVII w. Organizację polskiej floty kaperskiej zapoczątkował król Kazimierz Jagiellończyk, a rozbudował w 1456 r. Zygmunt II August (widzimy jego banderę na ilustracji). Utworzył on w roku 1568 Komisję Morską z siedzibą w Gdańsku, nadzorującą całość spraw morskich.

Polską flotę wojenną próbował zbudować Zygmunt III Waza, co poniekąd mu się udało, ale niechętna postawa szlachty i magnaterii sprawiła że, ze szkodą dla Polski, król nie doprowadził swojego planu do końca.

Ubiory załóg okrętów polskich w XVII w.
Zwróć uwagę na szczegóły ubioru i uzbrojenia.
Pierwszy od lewej stoi pikinier, dalej: muszkieter, artylerzysta, marynarz, bosman, porucznik i kapitan okrętu.

Zygmunta Augusta, pojawiły się na Morzu Bałtyckim pierwsze polskie okręty wojenne. Na zewnątrz mało różniły się one od zwykłych, np. gdańskich, statków handlowych. Taki okręt zbudowany był z dębowego drewna, niski w środku, a podwyższony na przodzie i w tyle. Na środkowym – niskim – pokładzie umieszczonych było parę ciężkich dział; działa lżejsze znajdowały się w obu wyższych częściach. Żagle rozpięte były na dwóch wysokich masztach, a na tylnym pokładzie powiewała bandera, czyli flaga okrętowa: na czerwonym tle ramię w złotym rękawie z dłonią trzymającą miecz. Takich okrętów w drugiej połowie XVI w. Polska miała siedemnaście.

Służący na nich marynarze nie byli żołnierzami, tylko odważnymi marynarzami cywilnymi, zwanymi k a p r a m i. Nie płacono im żołdu ani nie dawano okrętu. Po prostu król wynajmował jakiegoś dzielnego żeglarza wraz z okrętem i załogą. Wstępował on w królewską służbę i otrzymywał banderę i list, w którym król powierzał mu *straż morza*.

Okręty polskie krążyły po Bałtyku atakując flotę Szwecji i Moskwy w walce o Inflanty. Z powstania polskiej floty niezadowolony był tylko Gdańsk, zajmujący dotąd uprzywilejowaną pozycję na Morzu Bałtyckim.

Ćwiczenia
1. W jaki sposób doszło do hołdu pruskiego? Jakie było jego znaczenie?
2. Wskaż na mapie Prusy Książęce i Inflanty.
3. Dlaczego Polska walczyła o Inflanty?
4. Jak wyglądały dawne okręty wojenne?
5. Kto sprawował z ramienia Polski „straż morza" na Bałtyku?

Akt sekularyzacji Prus (fragment).

[...] Margrabia Albrecht, książę pruski oraz jego następcy i dziedzice lenna [tj. Prus – St.Sz], będą obowiązani, za wyświadczone im przez Nas [określenia „My" używali królowie, w tym wypadku Zygmunt Stary – St. Sz.] dobrodziejstwo składać. Nam takie przyrzeczenie uległości, że gdybyśmy z racji owej ugody lub nadania lenna zostali zaatakowani przez jakiegokolwiek księcia lub państwo, wtedy margrabia Albrecht, względnie jego następcy, książęta pruscy, mają Nam i Naszemu Królestwu przyjść wszędzie z pomocą [...] Nawzajem zaś My i Nasi Następcy będziemy obowiązani w podobnym wypadku to samo uczynić. Gdyby zaś, zdarzyło się, że My lub Nasi Następcy i Królestwo Polskie zostaną napadnięci z jakiejś innej przyczyny [...] a My sami lub Nasi Następcy, osobiście z poddanymi Naszymi wyruszymy na wojnę, wtedy margrabia Albrecht, ks. pruski, lub jego rzeczeni następcy, książęta pruscy, mają z nami ze stu uzbrojonymi jezdnymi wyruszyć i służyć Nam w granicach ziemi pruskiej. Gdybyśmy zaś zechcieli wyprowadzić go lub jego następców poza granice Prus, będziemy odtąd obowiązani wypłacać owym stu jezdnym żołd, jaki wypłacać się zwykle będzie innym Naszym najemnym jezdnym [...].

Zapamiętaj datę **1525**

Sekularyzacja Prus oznaczała ich zeświecczenie tzn. przekształcenie ich w państwo o charakterze świeckim, czyli takim, w którym jego władca nie jest jednocześnie przedstawicielem duchowieństwa.

2. Gospodarka polska w XVI w.

Jakie było położenie chłopów w okresie gospodarki czynszowej? Dlaczego wzrosło znaczenie Wisły jako szlaku handlowego? Jak wyglądało życie w mieście średniowiecznym?

Powstanie folwarku pańszczyźnianego. Wiele zmieniło się na wsi polskiej w drugiej połowie XV w. Szlachta zaczęła powiększać obszar ziemi dworskiej, aby móc uprawiać więcej zboża na sprzedaż. Dawniej szlachcic mało interesował się uprawą roli. Posiadał niewiele ziemi uprawnej, a dochody czerpał głównie z czynszów i danin chłopskich. W XV w. handel zbożem zaczął przynosić duże dochody, potrzebowały go rozwijające się miasta w Polsce. Wzrastało także zapotrzebowanie na zboże w miastach zachodniej Europy.

Pańszczyzna sprzężajna w XVI w.
Był to rodzaj pańszczyzny, którą chłop odrabiał na pańskim polu swoimi narzędziami i zaprzęgiem.
Wymiar pańszczyzny od XVI w. systematycznie się powiększał. Od 2-3 dni w tygodniu w XVI w. do 7 dni w XVIII w. Do obowiązków chłopa należało także transportowanie pańskich produktów swoim zaprzęgiem, pilnowanie zabudowań itp.

Pańszczyzna piesza
Ten rodzaj pańszczyzny odrabiany był przez najuboższych chłopów, nie dysponujących zaprzęgiem czy narzędziami.

Folwark Gospodarstwo wiejskie pana. Początkowo jego zadaniem było zaspokajanie potrzeb własnego dworu, potem folwark zaczął wytwarzać produkty rolne na handel. W folwarku pracowali chłopi w zamian za prawo użytkowania swych niewielkich gospodarstw.

Czynsz W Średniowieczu danina w pieniądzach lub w naturze ze strony poddanych na rzecz właścicieli gruntów. Z czasem została zastąpiona przez pańszczyznę, lecz powróciła w XVIII w. i początkach XIX w.

Początkowo zboża dostarczały do miast przeważnie gospodarstwa chłopskie. Szlachta patrzyła na to zazdrosnym okiem. Wkrótce też zaczęła przejmować zyskowny handel w swoje ręce. Dotychczas najwięcej ziemi we wsi posiadał sołtys. Panowie usuwali więc sołtysów, zabierając im ziemię. Włączali również do swych posiadłości ugory i pastwiska, karczowali lasy, zabierali także ziemię opuszczoną przez chłopów. W ten sposób powstały duże gospodarstwa szlacheckie, zwane f o l w a r k a m i. Ponieważ folwarki potrzebowały dużo rąk do pracy, szlachta zmuszała chłopów do odrabiania p a ń s z c z y z n y. W początkach XVI w. wynosiła ona jeden dzień w tygodniu, z czasem wzrosła jednak do trzech i czterech tygodniowo.

Obowiązki chłopów nie kończyły się na odrabianiu pańszczyzny. Musieli oni poza tym płacić panu c z y n s z, a także oddawać określoną ilość zboża, pewną liczbę kur, gęsi, jaj itp. Ponadto bardzo uciążliwą powinnością było pełnienie straży przy pańskich stogach, naganianie zwierzyny na polowaniach i inne posługi. Chłopi zaniedbywali przez to własne gospodarstwa. W folwarkach pańszczyźnianych pracowały również kobiety i dzieci chłopskie.

Zboża polskie na rynkach europejskich. Wskutek zwiększonego zapotrzebowania na polskie zboże w rozwijających się miastach zachodniej Europy Polska stała się jej przysłowiowym spichlerzem. Pod tym względem nie dorównywał jej żaden inny kraj nadbałtycki czy środkowoeuropejski. Rozwój folwarku, dzięki wykorzystywaniu nie uprawianych dotąd gruntów, wpłynął dodatnio na podwyższenie produkcji rolnej. Pod koniec XVI w. produkowano w Polsce (bez Wielkiego Księstwa Litewskiego)

◀ Młyn z kołem nasiębiernym, poruszany wodą spadającą na nie z góry. Młyny pańskie przynosiły właścicielom duże dochody, podobnie jak zboże uprawiane w folwarkach, powiększanych systematycznie poprzez odbieranie chłopskiej ziemi.

Pan [...] usunął wszystkich kmieci z łanów i dołączywszy je do dawnych pól folwarcznych stworzy wspaniały folwark, któremu drugi podobny trudno byłoby znaleźć, a pobudowawszy kilka obszernych, rozległych spichrzy gromadzi [...] i przechowuje wielką moc zboża wszelkiego rodzaju.

około 1,5 mln ton zboża rocznie, co oznaczało wzrost w porównaniu z połową XV w. o ponad 100%. Handel zbożem urósł do rangi zajęcia godnego szlachcica. Głównym odbiorcą polskiego zboża była Holandia, a także Szwecja, Francja, Anglia, Włochy i Hiszpania.

Drogą morską eksportowano także wyroby i produkty leśne. W zamian sprowadzano do Polski wyroby przemysłowe i artykuły luksusowe. Ogólny bilans tej wymiany handlowej był korzystny dla Polski.

Spław wiślany i rozwój Gdańska. Dochody z folwarków znacznie wzrastały, gdy zboże można było dostarczyć Wisłą do Gdańska. Ze spławu wiślanego, który zaczął rozwijać się po zakończeniu wojny trzynastoletniej, korzystały teraz przede wszystkim duże dobra, położone w niezbyt znacznej odległości od rzeki od 50 do 70 km. Organizowały one własny transport. Statki wiozące zboże budowano z własnego drewna i często po odbyciu podróży sprzedawano w Gdańsku. Zboże z folwarków przy szlaku

Prace w kopalni. Kołowrót wyciągu kopalnianego napędzany jest przez konie.

Dawny spichrz zbożowy w Kazimierzu Dolnym

▲
Mieszczanie gdańscy na początku XVII w.

Rozkwit miast polskich w XVI w. i ogólny rozwój gospodarki wynikał w dużej części z przedsiębiorczości polskiego mieszczaństwa. Szlachta bardzo nichętnie patrzyła na bogacących się mieszczan. Toteż w ciągu XVI i XVII w. uparcie dążyła do ograniczenia ich praw. Znamiennym przykładem postawy stanu szlacheckiego wobec mieszkańców miast była konstytucja [prawo] sejmowa z 1620 r. wprowadzająca ograniczenia w strojach mieszczańskich.

[...] *Postanawiamy, aby żaden mieszczanin, ani plebejusz wyjąwszy burmistrze i wójty [...] nie śmiał zażywać szat jedwabnych i podszewek, także futer kosztownych, oprócz lisich i inszych podlejszych. Także w safianie, aby żaden z nich nie chodził [...].*

Safian Ozdobna skóra kozia.

wiślanym trafiało zwykle na jesieni do spichrzów w takich miejscowościach, jak Kazimierz Dolny, Włocławek, Bydgoszcz, Toruń, Grudziądz.

Wczesną wiosną zaczynał się spław prowadzony przez f l i s a k ó w. Dzięki rozwojowi handlu wiślanego Gdańsk stał się największym i najpiękniejszym miastem w Polsce. Powstawały tu okazałe kamienice i pałace, a o charakterze miasta najlepiej świadczyły liczne magazyny portowe, dźwigi i żurawie, służące do przeładunku towarów z barek wiślanych na statki morskie. Rocznie Gdańsk przyjmował w XVI w. od 400 do 500 statków z różnych krajów. Miasto posiadało także twierdzę (fortyfikacje wojskowe).

Ustawodawstwo ograniczające prawa chłopów. Niektórzy chłopi chętnie rzuciliby ciężkie obowiązki wobec panów i poszli w świat. Na to jednak nie zgadzała się szlachta. **W 1496 r.** uchwalono prawo, że c h ł o p u   n i e   w o l n o   o d e j ś ć   z e   w s i bez zgody pana. Tylko jednemu synowi z rodziny chłopskiej wolno było iść do miasta, aby tam uczyć się rzemiosła lub handlu. Pozostali synowie musieli zostać na wsi, aby swą pracą powiększać dochody szlachty. W XVI w. całkowicie zakazano chłopom opuszczania wsi.

W poprzednim okresie drobne wykroczenia popełniane przez chłopów sądził sołtys. Po odebraniu ziemi sołtysom pan przejął również sądy nad chłopami. Od wyroków pańskich nie było odwołania.

Widok Gdańska z początku XVII w.
Gotów jestem śpiewać, dokąd mnie wieziesz – pisał pewien podróżnik odwiedzający Gdańsk – *A jest doprawdy o czym, bo wspaniałe są tematy czy spojrzeć na domy wysokie, na skarby kupców i owo mnóstwo zamożnej ludności, czy na wielką ilość statków żaglownych, co codziennie przybijają do portów gdańskich [...] nie bez zysków wielkiego miasta.*

W ten sposób chłopi zostali całkowicie uzależnieni od swoich panów. Jedyną ich bronią było z b i e - g o s t w o. Schwytanych zbiegów czekały jednak surowe kary.

Miasta i rzemiosło. W drugiej połowie XV i na początku XVI w. miasta polskie przeżywały swój największy rozkwit. Wzrastała w nich liczba ludności – rozwijał się handel i rzemiosło. W miastach osiedlali się synowie chłopscy, którzy otrzymali zezwolenie szlachcica na uczenie się rzemiosła; osiedlała się ponadto zubożała szlachta, a także rzemieślnicy i kupcy obcego pochodzenia. Przez Polskę prowadziły liczne drogi handlowe, ze wschodu na Śląsk, a później do Niemiec i innych krajów Europy Zachodniej; z Czech i Węgier na północ, do Gdańska. Wszystko to sprzyjało rozwojowi miast, wśród których do największych w tym okresie należały: Kraków, Gdańsk, Toruń, Poznań i Lublin.

Zapotrzebowanie na wyroby rzemieślnicze powodowało, że powstawały nowe specjalności w rzemiośle i tworzyły się nowe cechy. Przy samej tylko obróbce metalu pracowali rzemieślnicy zgrupowani w kilkunastu cechach. Oto niektóre z nich: kowale,

Garbarze przy pracy
Ilustracja z *Kodeksu Baltazara Behema*, krakowskiego pisarza miejskiego, który w roku 1505 spisał statuty cechów rzemieślniczych i opatrzył je 27 barwnymi ilustracjami. Przedstawiono na nich bogaty obraz codziennego życia w dawnym Krakowie na przełomie Średniowiecza i czasów renesansowych.

ślusarze, płatnerze (wyrabiający zbroje rycerskie), rusznikarze (zajmujący się wyrobem i naprawą broni palnej). Zupełnie nowymi gałęziami rzemiosła było papiernictwo i drukarstwo.

W miastach było wielu czeladników, którzy musieli czekać nieraz długie lata na otwarcie własnych warsztatów. Dlatego osiedlali się oni często za murami miasta, gdzie nie obowiązywało prawo miejskie. Tam wykonywali swoje rzemiosło. Ponieważ nie byli członkami cechów i nie płacili podatków, pobierali za swoje wyroby niższe ceny. Cechy zawzięcie ich zwalczały, jako niebezpiecznych dla siebie konkurentów.

Ludność miast nie była jednolita pod względem zamożności. Najlepiej powodziło się bogatym kupcom i właścicielom dużych warsztatów rzemieślniczych. Ubożsi byli rzemieślnicy cechowi i drobni kupcy. Szlachta spoglądała z niechęcią na rozwijające się miasta. Zazdrościła mieszczanom, a zwłaszcza kupcom ich bogactwa. Nie chciała się także pogodzić z wieloma prawami nadanymi miastom przez królów we wcześniejszym okresie.

Równolegle z ograniczaniem praw chłopskich szlachta prowadziła walkę o ograniczenie praw mieszczan.

W **1496 r.** uchwalona została **ustawa przeciw mieszczanom**. Zostali oni zmuszeni do płacenia cła przy wywozie towarów i sprowadzaniu ich z obcych krajów, szlachta zaś od tych opłat została zwolniona. Pozbawiono mieszczan prawa nabywania dóbr ziemskich i piastowania wyższych urzędów państwowych i kościelnych. Szlachta uzyskała także prawo kontrolowania cen towarów w miastach.

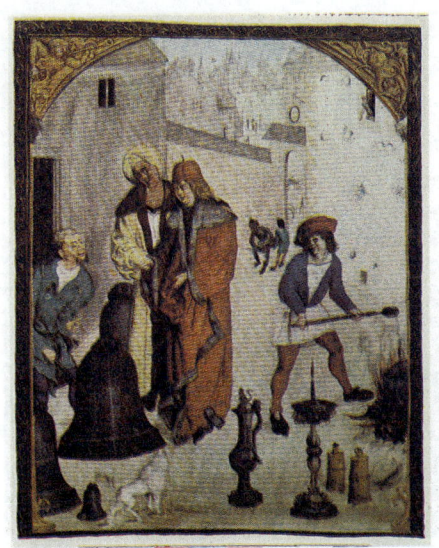

Praca w zakładzie ludwisarskim
Ilustracja z *Kodeksu Baltazara Behema*.
Zwróć uwagę, jak ubierano się w Krakowie w początkach XVI w. i jakie przedmioty wytwarzano w tym zakładzie rzemieślniczym.

Szlachta sprzedająca towary w Gdańsku

Ćwiczenia
1. Jakie zmiany zaszły w położeniu chłopa w XVI w.?
2. W jaki sposób szlachta powiększała swoje posiadłości?
3. Jakie były korzyści folwarku pańszczyźnianego dla polskiej gospodarki?
4. Dlaczego w XVI w. szczególnie rozwinął się Gdańsk?
5. Jak wyglądało życie w miastach polskich w XVI w.?
6. W jaki sposób szlachta ograniczała prawa mieszczan?

Anegdota z XVI w.

Staropolski pisarz Mikołaj Rej, przejeżdżając przez nieznaną sobie wieś, wdał się w dyskusję ze spotkanym chłopem.

[...] Rej: A kto tę wieś trzyma?
Chłop: Ziemia a płoty.
Rej: A który tu panem?
Chłop: Ten, co ma więcej pieniędzy.
Rej: A któż tu starszym?
Chłop: Jest tu baba, co jej już przeszło sto i dziesięć lat, to ta najstarsza.
Rej: Któż wyższym?
Chłop: Lipa najwyższa, bo ją nad kościołem widać.
Rej: Daleko południe?
Chłop: Nie szło tędy panie, nie wiem jak daleko jest.
Rej rozgniewany: Chłopie, alboć to ze swoim równym błaznować?
Chłop: Zsiądźcie jeno panie z wozu, zmierzywa się, co wiedzieć, jeliśwa równi.
Rej: Widzi mi się chłopie, weźmiesz w gębę.
Chłop: Nie wezmę panie, ja nie pies, wolę w rękę, jak człowiek.
Obaczywszy pan Rej, iż na swego trafił, powiedział: Jakom żyw, tak sztuczny [sprytny, chytry] chłop na mię nie przychodził".

3. Rzeczpospolita Obojga Narodów

Jakie przywileje otrzymała szlachta w XV w. kosztem chłopów i mieszczan?
Kiedy doszło do pierwszej unii Polski z Litwą?

Przywileje szlacheckie. Przywileje zdobyte przez szlachtę w XIV i XV w. pozwalały jej wywierać wielki wpływ na rządy w państwie. Umacniała ona swoją pozycję kosztem ograniczenia władzy królewskiej i odebrania praw chłopom i mieszczanom. Już od **1374 r.** obowiązywał wydany przez króla **Ludwika Węgierskiego** przywilej, zapewniający szlachcie poważne zwolnienie jej od podatków. Władysław Jagiełło wydał bardzo ważne dla szlachty postanowienie, że nie wolno będzie bez zgody sędziego uwięzić panującemu szlachcica. Gdy na początku wojny trzynastoletniej zebrało się szlacheckie pospolite ruszenie, wysunęło ono dalsze żądania. **Kazimierz Jagiellończyk** został zmuszony do wydania **w roku 1454** przywileju, zwanego S t a t u t a m i n i e s z a w s k i m i, zapowiadającego, że król nie będzie nakładał nowych podatków ani powoływał szlachty pod broń bez jej zgody. W ten sposób szlachta uzyskała w nadanych przywilejach potwierdzenie nietykalności osobistej i majątkowej,

Strona tytułowa księgi przywilejów szlacheckich uchwalonych na sejmach koronnych w latach 1550–1625

Sejmik szlachecki
W dniu wyznaczonym szlachta posiadająca dobra ziemskie zjeżdża do miasta wskazanego prawem i sejmikuje w kościele, gdzie posłaniec królewski oddaje list jednemu z urzędników ziemskich, który go w głos czyta. Jeżeli znajdują się jacy senatorowie, po ich krótkim przemówieniu przystępują do obrania marszałka sejmiku, który dla uniknięcia zamieszania daje głos komu się podoba.
[...] Po roztrząśnieniu propozycji królewskich, ich przyjęciu lub odrzuceniu, pisarz ziemski spisuje na co się zgodzono bez sprzeciwu.

Sejmiki ziemskie Zjazdy szlachty z poszczególnych ziem.

Sejm walny W Polsce najwyższy organ władzy. Sejm zwyczajny zbierał się co 2 lata na 6 tygodni, w nagłych potrzebach zwoływano sejmy nadzwyczajne.

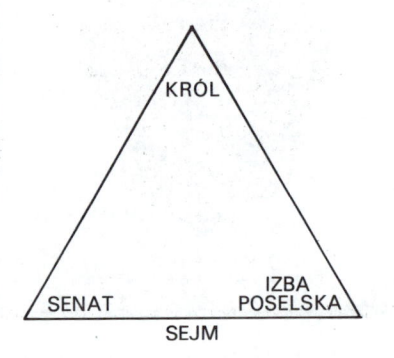

Struktura władzy w Rzeczypospolitej szlacheckiej

a także szczególnej roli w państwie jako grupy rządzącej.

Powstanie i organizacja sejmu walnego. Już od XIV w. istniały w Polsce sejmiki ziemskie. Uzyskały one z czasem wielkie uprawnienia. Decydowały o uchwaleniu podatków, wywierały także wpływ na politykę zagraniczną. Pod koniec XV w. ustalił się zwyczaj, że przedstawiciele poszczególnych sejmików zjeżdżali się razem, aby wspólnie z radą królewską i z królem omawiać najważniejsze

Obrady parlamentu szlacheckiego zwanego sejmem walnym. Główne miejsce w tym zgromadzeniu zajmował król, wokół niego zasiadali senatorowie, a za nimi dopiero posłowie ziemscy. Parlament dwuizbowy wykształcił się w Polsce w końcu XV w. Podczas obrad obowiązywała zasada jednomyślności, w praktyce jednak do połowy XVII w. do przyjęcia uchwały wystarczała jedynie większość głosów.

sprawy państwowe. Zjazdy takie nazywano **sejmami walnymi**, a przedstawicieli sejmików – **posłami ziemskimi**. **Sejm walny** składał się z **króla, senatu i izby poselskiej**, w której zasiadali posłowie ziemscy. W skład senatu, który powstał z dawnej rady królewskiej, wchodzili najwyżsi dostojnicy świeccy oraz arcybiskupi i biskupi rzymskokatoliccy.

Sejmy walne zwoływano zwykle co 2 lata. W razie potrzeby zwoływano sejmy nadzwyczajne. Początkowo miejsce obrad sejmu nie było stałe, ale od drugiej połowy XVI w. odbywały się one najczęściej w Warszawie i w Grodnie. W 1505 r. król Aleksander wydał ustawę, nazwaną w skrócie *Nihil novi* [po łacinie znaczy to: – nic nowego]. Głosiła ona, że król nie może wydawać żadnych nowych praw bez zgody izby poselskiej i senatu. Ustawa *Nihil novi* podkreślała rolę sejmu, a tym samym utrwalała rządy szlachty w Polsce.

Unia lubelska (1569). Szlachta polska od dawna domagała się ściślejszego powiązania Litwy z Polską. Nie wystarczyły jej zasady dotychczasowego związku między obu państwami: połączenie Polski i Litwy osobą wspólnego władcy. Żądanie to popierała szlachta litewska, gdyż dążyła do uzyskania takich samych przywilejów, jakie miała szlachta polska. Zwolennikiem nowej unii Polski z Litwą był także syn Zygmunta Starego, król polski i wielki książę litewski **Zygmunt August (1548–1572).** Nie miał on dzieci i obawiał się, że z chwilą jego śmierci

Posłowie ziemscy Przedstawiciele ziem wybierani na sejmikach.

Aleksander Jagiellończyk

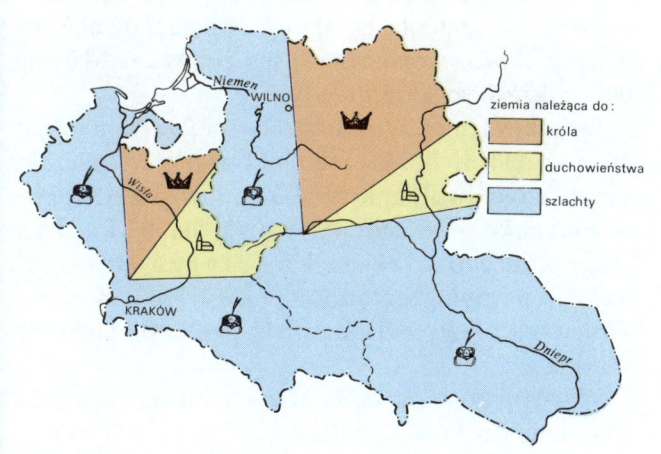

Własność ziemi w Rzeczypospolitej w XVI w.

Arras, przedstawiający herby Polski i Litwy, został wykonany na zamówienie króla Zygmunta Augusta w jednym ze słynnych warsztatów brukselskich, w latach siedemdziesiątych XVI w.
Zwróć uwagę na kolorystykę tej pięknej tkaniny i niezwykłe kompozycje kwiatowe otaczające pola z herbami. Co szczególnego znajdujemy w herbie Korony Polskiej na wizerunku Orła? Czy wiesz jak nazywał się herb Litwy?

Polska i Litwa wybiorą sobie odrębnych władców. Obawy te podzielali również inni zwolennicy unii.

Przeciwko unii występowała magnateria litewska, obawiająca się utracenia swego dotychczasowego znaczenia. Część magnatów litewskich rozumiała jednak, że bez pomocy Polski Litwa nie zdoła utrzymać zdobytych wcześniej ziem.

W 1569 r. w Lublinie został zwołany wspólny s e j m p o l s k o - l i t e w s k i. Miał on bardzo burzliwy przebieg. Doszło nawet do tego, że część posłów litewskich opuściła miejsce obrad, nie chcąc się zgodzić na przyłączenie do Polski Podlasia, Wołynia i Ukrainy. Po długich sporach i naradach podpisano wreszcie akt unii.

Polska i Litwa stanowić miały jedno państwo – R z e c z p o s p o l i t ą O b o j g a N a r o d ó w, czyli rzecz wspólną. Na czele państwa miał stać jeden, wspólnie wybrany król. Jeden też odtąd był sejm, wspólne przymierza i wojny oraz jednakowe pieniądze. Szlachta litewska została zrównana w prawach ze szlachtą polską. Litwa zachowała oddzielny skarb, wojsko i własne prawa. Oddzielne były także wszystkie urzędy.

Do najważniejszych urzędów należały: u r z ą d m a r s z a ł k a, do którego obowiązków należało zarządzanie dworem królewskim i troska o zapewnienie spokoju w miejscu pobytu króla, h e t m a n a – dowodzącego wojskiem, k a n c l e r z a, który czuwał nad polityką zagraniczną i kierował kancelarią królewską oraz p o d s k a r b i e g o, czyli zarządcy skarbu.

Ważnym postanowieniem sejmu lubelskiego było włączenie do Polski Podlasia, Wołynia i Ukrainy, ziem należących poprzednio do Litwy. Przed mag-

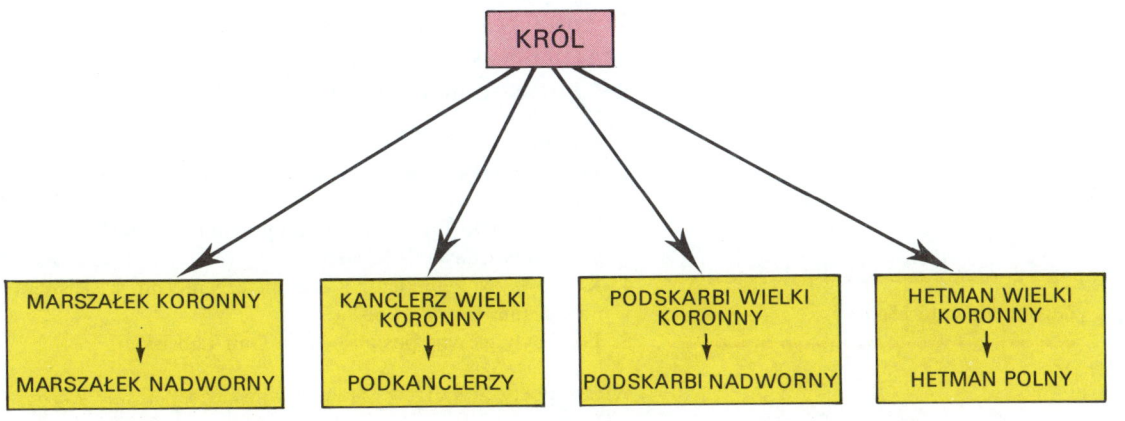

```
                    KRÓL
    ┌───────┬─────────┬─────────┐
MARSZAŁEK  KANCLERZ  PODSKARBI  HETMAN
KORONNY    WIELKI    WIELKI     WIELKI
   ↓       KORONNY   KORONNY    KORONNY
MARSZAŁEK     ↓         ↓          ↓
NADWORNY  PODKANCLERZY PODSKARBI  HETMAN
                       NADWORNY   POLNY
```

Urzędy centralne w czasach Rzeczypospolitej szlacheckiej

Główni urzędnicy terytorialni w czasach Rzeczypospolitej szlacheckiej ▶

Z terytorialnych urzędników w dawnej Rzeczypospolitej największą rolę odgrywali wojewodowie. Byli oni przywódcami pospolitego ruszenia na swoim terenie, sprawowali władzę sądowniczą nad Żydami, ustalali ceny na towary.

Kasztelanowie – pozostali w czasach Rzeczypospolitej szlacheckiej ziemskimi urzędnikami tytularnymi, zasiadającymi w senacie, w hierarchii godności zajmując miejsce po wojewodzie.

Starostowie byli użytkownikami tzw. dóbr starościańskich, nadawanych tym urzędnikom przez króla. Starostowie czuwali nad bezpieczeństwem publicznym, ogłaszali uniwersały, ściągali podatki i zarządzali dobrami królewskimi. Objęcie starostwa wiązało się ze znacznymi możliwościami wzbogacenia się, toteż wielu przedstawicieli możnych rodów ubiegało się u króla o dzierżenie tego urzędu.

```
WOJEWODOWIE
     ↓
KASZTELANOWIE
     ↓
STAROSTOWIE
```

natami polskimi stanęły otworem ogromne obszary na wschodzie Rzeczypospolitej. Magnaci polscy, wspólnie z magnatami litewskimi i ruskimi, podporządkowali sobie tamtejszą szlachtę i umocnili swe znaczenie w państwie.

Obszar i ludność Rzeczypospolitej Obojga Narodów. Powierzchnia ziem włączonych do Polski, w myśl postanowień unii, była prawie trzykrotnie większa od ziem rdzennej Polski.

Polska przed unią liczyła około 3 mln mieszkańców. Po wcieleniu ziem wschodnich i połączeniu się z Litwą liczba ludności wzrosła do 8 mln, w tej liczbie jednak było tylko około 40% Polaków.

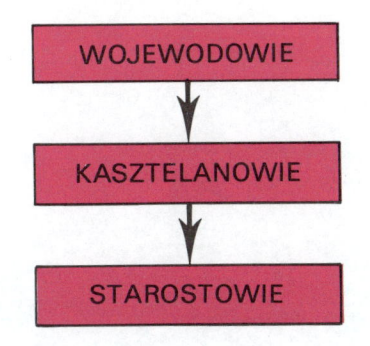

Pozostałą część stanowiła ludność litewska, ukraińska i białoruska. Rzeczpospolita szlachecka stała się więc państwem wielonarodowym.

Ćwiczenia
1. Jakie uprawnienia uzyskała szlachta w nadanych sobie przywilejach?
2. Kiedy i w jaki sposób doszło do powstania sejmu?
3. Co głosiła ustawa *Nihil novi?*
4. Kto był zwolennikiem, a kto przeciwnikiem ściślejszego powiązania Litwy z Polską?
5. Jakie były główne postanowienia Unii Lubelskiej?

Zapamiętaj datę **1569**

Wiersz poety z XVII w. Jana Gawińskiego *Na unię Korony z Litwą.*

> „Z serca życia postawa, z serca miłość wschodzi,
> Głowa sercu ozdoba i rząd głowa rodzi.
> Sercem jest zacne Księstwo, głową cna Korona,
> Związek, piękny, gdy głowa z sercem zjednoczona".

4. Pierwsze wolne elekcje

Ostatnim z Jagiellonów był Zygmunt August (zm. w 1572 r.), czy pamiętasz kto był pierwszym Jagiellonem na tronie polskim? Kto przystąpił do rywalizacji w XVI w. o Inflanty?

Pierwsi królowie elekcyjni. W 1572 r. zmarł Zygmunt August, ostatni król z rodu Jagiellonów. Przed państwem polskim stanęła wówczas ważna sprawa wyboru nowego króla. Dotychczas ustalił się zwyczaj, że wybierano na tron zawsze kogoś z rodziny Jagiellonów. Czyniono tak dlatego, żeby nie zerwać związku z Litwą, ponieważ Jagiellonowie rządzili na Litwie dziedzicznie, tzn. że ich władza przechodziła tam z ojca na syna. Królów wybierały bądź zjazdy możnych, bądź sejmy. Nie zostało jednak ustalone, kto właściwie ma prawo wyboru króla, czyli e l e k c j i: senat, cały sejm, czy jakieś jeszcze inne zgromadzenie.

W chwili śmierci ostatniego z Jagiellonów nie było więc postanowione ani kogo powołać na tron, ani w jaki sposób dokonać wyboru króla.

W wyniku wielu zjazdów i narad uchwalono, że wybór króla będzie dokonywany przez ogół szlachty, która winna w tym celu zjechać pod Warszawę. Ten sposób wyboru króla otrzymał nazwę w o l n e j e l e k c j i.

Wolna elekcja Elekcja, to z języka łacińskiego „wybory", wybór na jakieś stanowisko lub urząd. Wolna elekcja oznaczała, że każdy szlachcic miał prawo osobistego uczestniczenia w wyborze króla.

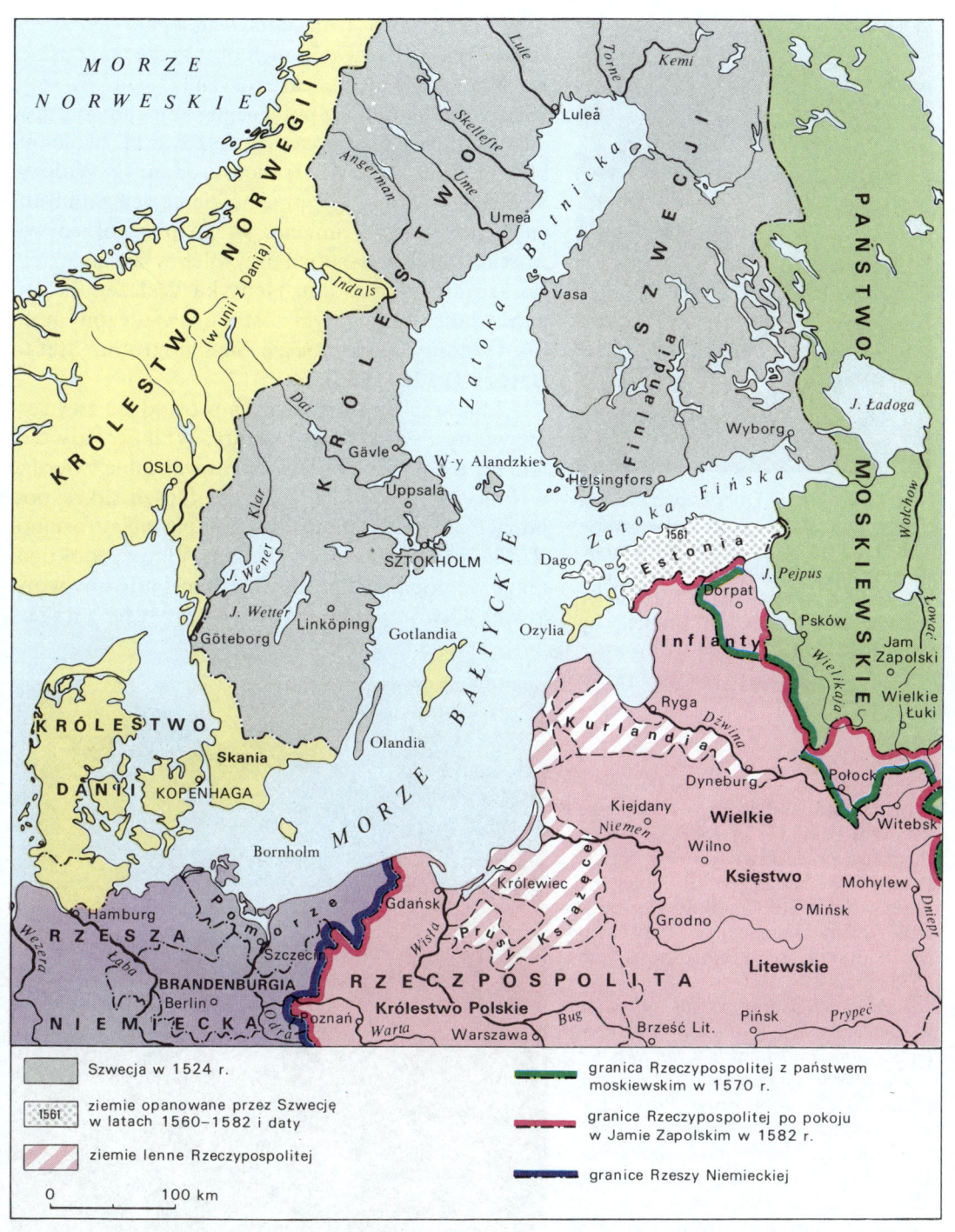

Kraje nadbałtyckie w XVI w.

Legenda:
- Szwecja w 1524 r.
- ziemie opanowane przez Szwecję w latach 1560–1582 i daty
- ziemie lenne Rzeczypospolitej
- granica Rzeczypospolitej z państwem moskiewskim w 1570 r.
- granice Rzeczypospolitej po pokoju w Jamie Zapolskim w 1582 r.
- granice Rzeszy Niemieckiej

Henryk Walezy był pierwszym królem elekcyjnym. Panował w Polsce w latach 1573–1574, niewiele interesując się sprawami kraju, którym rządził. Na wieść o śmierci brata Karola IX podążył potajemnie do Francji, by tam objąć tron.

W **1573 r.** o tron polski ubiegało się wielu kandydatów. Był wśród nich brat króla francuskiego Henryk Walezy, car rosyjski Iwan Groźny, książę Maksymilian z potężnego rodu Habsburgów austriackich i król szwedzki. Najwięcej zwolenników uzyskał królewicz francuski **Henryk Walezy.** Szlachcie podobało się przemówienie delegata francuskiego, który w imieniu swego pana obiecywał zatwierdzenie wszystkich przywilejów szlacheckich. Po krótkim panowaniu Henryka Walezego kolejnym władcą elekcyjnym został doświadczony polityk i zdolny wódz, książę Siedmiogrodu, **Stefan Batory (1576–1586).**

Za Stefana Batorego Polska prowadziła zwycięskie wojny z Moskwą o Inflanty. Walki trwały trzy lata i w ich wyniku Polacy opanowali silne twierdze w Połocku i Wielkich Łukach. Doszli także pod mury Pskowa. Na podstawie podpisanego rozejmu Rosjanie wycofali się z Inflant. Batory dokonał także wzmocnienia państwa i ważnej reformy wojskowej. Utworzył tzw. p i e c h o t ę w y b r a n i e c-

Wojska Stefana Batorego oblegające ▶ Psków w roku 1581 i 1582
Ilustracja przedstawia ikonę z epoki. Psków był bezskutecznie oblegany przez wojska Stefana Batorego podczas wojny toczonej z Państwem Moskiewskim o Inflanty w latach 1578–1582
Na Polakach Psków zrobił kolosalne wrażenie. Na jego widok sekretarz królewski, Jan Piotrowski, wykrzyknął z mimowolnym podziwem: O Jezu! Toć wielkiego coś, niby drugi Paryż. [...] Miasto bardzo wielkie. W Polsce takiego nie mamy. Murem otoczone wszystko. Cerkwie jako las gęste a świetnie stoją, wszystkie murowane.
Porównaj ilustrację przedstawiającą Psków z opisem tej twierdzy królewskiego sekretarza. Czy opis Jana Piotrowskiego zgodny jest z tym, co znajduje się na ilustracji?

ką, której nazwa pochodziła stąd, że z 20 gospodarstw chłopskich wybierano jednego chłopa, który stawał się żołnierzem i którego pozostali mieszkańcy wyposażali w mundur i broń. Zorganizowanie piechoty wybranieckiej znacznie wzmocniło siłę wojsk polskich.

Jan Zamoyski. Zwolennikiem wolnej elekcji był wybitny polityk tego okresu i bliski współpracownik Stefana Batorego Jan Zamoyski. Doszedł on do najwyższych urzędów państwowych. Uzyskane godności zawdzięczał wybitnym zdolnościom, pracowitości i wykształceniu. Na obszarze swych posiadłości założył twierdzę i miasto – **Zamość.** Utworzył tam szkołę zwaną **Akademią Zamojską,** wspomagał rozwój handlu, nauki i sztuki. W czasie narad i zjazdów szlachty, poprzedzający wybór nowego króla, Zamoyski, występując z projektem wolnej elekcji, pozyskał sobie wielkie zaufanie szlachty. Uchwalając postanowienia wolnej elekcji ustanowiono także, że podczas bezkrólewia króla będzie zastępował arcybiskup gnieźnieński – prymas, zwierzchnik kościoła w Polsce.

Żołnierz piechoty wybranieckiej

Pole elekcyjne wyznaczono na prawym brzegu Wisły naprzeciw Warszawy. Ogrodzono je parkanem, a pośrodku został wzniesiony namiot, zwany szopą senatorską. Obradował w niej senat pod przewodnictwem prymasa. Szlachta gromadziła się przed namiotem i wysłuchiwała przemówień wysłanników różnych królów i książąt cudzo-

Jan Zamoyski (1542–1605), kanclerz wielki koronny od 1581 r. Jan Zamoyski był rzecznikiem wzmocnienia władzy królewskiej; cieszył się zaufaniem i szacunkiem szlachty. Był twórcą potęgi gospodarczej i politycznej rodu i jednym z największych właścicieli ziemskich w Rzeczypospolitej.
A oto jak widzieli kanclerza jego współcześni:
Pan kanclerz jest mąż roztropny, rozważny i bardzo biegły [...] Z łatwością tłumaczy się w pięciu lub sześciu językach. Dość chętnie słyszy pochwały, lecz wszystko przyjmuje z skromnością. Wzrost jego jest wyższy nad mierny, postać piękna i rześka, twarz okrągła i rumiana, wesoła, przy tym bardzo poważna. Ubiera się z ruska: płaszcz, czyli fereżja ze szkarłatu, długa po kostki, żupan miał z adamaszku karmazynowego. Ten ubiór odmienia co do materii podług pory roku. Buty nosi podkute po polsku, zawsze szabla przy boku, a nóż turecki za pasem.

IOANNES ZAMOISHI DE ZAMOSCHIE MAGNVS CANCELLARIVS REGNI POLONIÆ ET DVX MILITIÆ.

79

Plan Zamościa
Miasto Zamość założył Pan kanclerz z powodu, że się w tej okolicy urodził [...] Zaczął stawiać to miasto w roku 1581 i już dzisiaj liczy do czterechset domów po większej części z włoska budowanych. Miasto formuje czworogran, ma rynek obszerny, otoczony kształtnymi podcieniami, w których znajdują się sklepy z różnymi towarami. Murują teraz kościół wspaniały i piękny, wewnątrz i zewnątrz dobrze ozdobiony.
Ten kościół będzie kolegiatą, jest hojnie opatrzony, i już kosztownymi sprzętami kościelnymi wzbogacony został. [...] Wystawił i założył Akademię, w której prócz teologii, do wszystkich nauk są profesorowie [...] Jest też w Zamościu twierdza obszerna, ozdobna, rozważnie stawiana i lubo na równinie – mocno obwarowana, lecz nade wszystko w liczny rynsztunek dobrze opatrzona [...] Kazał wystawić bibliotekę bardzo dobrze rozporządzoną, znaczną, ksiąg zwłaszcza w językach greckim i ormiańskim [...]

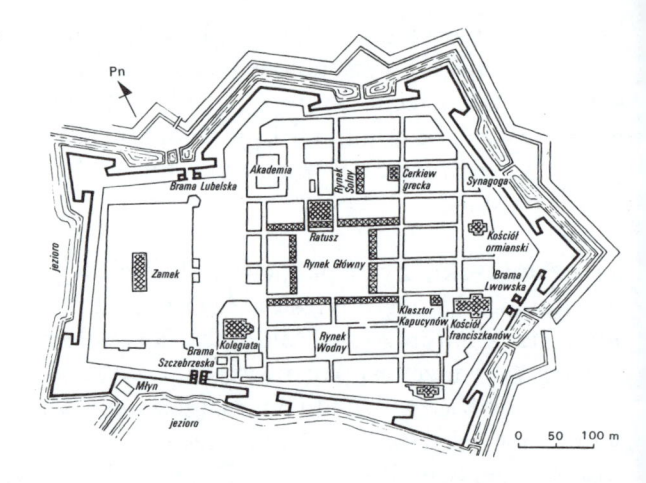

ziemskich ubiegających się o tron polski. Posłowie zachwalali gorliwie swoich kandydatów, a czasem nawet nie szczędzili pieniędzy, aby pozyskać głosy szlachty. Najliczniej zjeżdżała na elekcje szlachta mazowiecka, najbiedniejsza i najmniej oświecona z całej szlachty polskiej.

Pole elekcyjne na Woli
Od 1573 r. miejscem elekcji, czyli wyboru króla, była Warszawa, a właściwie ówczesna podwarszawska miejscowość Wola

Artykuły henrykowskie. W czasie pierwszej elekcji ułożono warunki, które każdy nowo wybrany król musiał zaprzysiąc przed koronacją. Od imienia Henryka Walezego wzięły one nazwę a r t y k u - ł ó w h e n r y k o w s k i c h. W myśl tych artykułów nie wolno było królowi używać tytułu dziedzicznego władcy ani decydować w sprawach państwowych bez zgody sejmu. Król uznawał wolną elekcję i zobowiązywał się do przestrzegania przywilejów szlacheckich. Gdyby król wykroczył przeciwko artykułom henrykowskim, szlachta miała prawo odmówić mu posłuszeństwa.

Gdy po kilku miesiącach sprawowania rządów w Polsce Henryk Walezy otrzymał wiadomość o śmierci swojego brata, potajemnie wyjechał do Francji, gdzie został królem.

Wolne elekcje były często źródłem zamętu w państwie, ponieważ brak zgody co do osoby kandydata do tronu polskiego groził wojną domową. Dawało to okazję obcym państwom do mieszania się w sprawy polskie. Szlachta, biorąca udział w elekcji, była zwykle uzależniona od magnatów i głosowała zgodnie z ich zaleceniami.

Ćwiczenia
1. W jaki sposób wybierano króla za Jagiellonów?
2. Porównaj panowanie Henryka Walezego i Stefana Batorego.
3. Z kogo składała się piechota wybraniecka?
4. Jakie warunki stawiano królowi w artykułach henrykowskich?
5. Który z nich posiadał szczególne znaczenie?
6. Jak oceniasz znaczenie wolnej elekcji dla Polski?
7. Znajdź na mapie Siedmiogród, Połock, Wielkie Łuki, Psków i Inflanty.

Charakterystyka Stefana Batorego pióra jednego ze współczesnych mu historyków:

„Miał on w twarzy, w postawie i w mowie dziwną powagę, a obok tego powściągliwość i uprzejmość. Łagodny nadzwyczaj, mimo wrodzonej powagi i majestatyczności, która go nigdy prawie nie odstępowała, często z bliskimi sobie poufale obcował i bojaźliwych ośmielał. Toteż nie wiadomo, czy się go więcej bano, czy go więcej kochano [...] Roztropność jego była zadziwiająca; nabył jej czytaniem i rozważaniem historyków węgierskich, tureckich i włoskich. Lubił najbardziej Cezara i ciągle go miał pod ręką. Po łacinie mówił doskonale, a wszystkie jego słowa nosiły niezaprzeczone piętno mądrości. Gdzie wiedział, że ma prawo i słuszność za sobą, tam nigdy nie ustąpił. Prawda była u niego najwyższą cnotą".

Stefan Batory, książę Siedmiogrodu i król polski w latach 1576–1586. Ożenił się z Anną Jagiellonką. Był wybitnym monarchą i zwolennikiem silnych rządów. W latach 1578–1582 prowadził z Rosją zwycięską wojnę o Inflanty. Przeprowadził także szereg reform wojskowych. W trosce o powiększenie siły zbrojnej Rzeczypospolitej zorganizował piechotę wybraniecką, którą zasilali chłopi z dóbr królewskich.

Zapamiętaj datę **1573**

5. Renesans w Polsce

Jakich znasz wybitnych przedstawicieli Odrodzenia europejskiego?

Wpływ kultury włoskiej. Początki Odrodzenia przypadły w Polsce na koniec XV i początek XVI w. Polska przodowała wtedy w wielu dziedzinach życia międzynarodowego, jej produkcja rolnicza przyczyniła się w dużym stopniu do zapewnienia rozwoju gospodarczego Europy Zachodniej. Szlachta wysyłała swoich synów na naukę za granicę, zwłaszcza do Włoch. Przywozili oni do kraju zainteresowanie kulturą, kult dla świata starożytnego i wiedzy ludzkiej.

Ważnym ośrodkiem kultury w Polsce stał się w XVI w. dwór królewski w Krakowie. Dwaj ostatni królowie z rodu Jagiellonów, Zygmunt Stary i Zygmunt August, sprowadzili do Krakowa wielu znakomitych włoskich budowniczych i rzeźbiarzy. Zajęli się oni przebudową Wawelu na wzór zamków i pałaców włoskich. Stara siedziba królów polskich została zupełnie zmieniona. W miejsce dawnych mrocznych komnat wybudowano jasne, przestronne sale o szerokich oknach. Ozdobiono je pięknymi rzeźbami, które przedstawiały postacie ludzkie, kwiaty i liście. Na ścianach rozwieszono obrazy z podobiznami królów i dostojników.

Przy pracach na Wawelu zatrudnieni byli architekci włoscy i polscy. Dlatego w zabytkach wawelskich, obok cech świadczących o wpływie sztuki Odrodzenia włoskiego, znajdujemy także ślady samodzielnej twórczości artystów polskich. Za przykładem obu Zygmuntów poszli liczni magnaci. Przebudowywali oni swe zamki, gromadzili książki, obrazy i rzeźby. Także w miastach wznoszono piękne ratusze i kamienice w stylu renesansowym.

Zygmunt Stary, a później jego syn Zygmunt August chętnie otaczali się artystami i pisarzami. Możni panowie, goście zagraniczni i dworzanie królewscy bawili się wesoło na dworze Zygmuntów. Przy dźwiękach orkiestry odbywały się huczne przyjęcia. Wieczorem okna zamkowe jaśniały od setek świec. Wśród dworzan i zaproszonych gości

Ratusz w Poznaniu to jedna z piękniejszych budowli renesansowych w Polsce. Został wybudowany w latach 1550–1560 jako siedziba władz miejskich

słyszało się język włoski. Nie było w tym nic dziwnego – wielu Włochów przybyło do Polski w związku z przebudową Wawelu. Poza tym żona Zygmunta Starego księżniczka włoska Bona, chętnie otaczała się swoimi rodakami.

W celu uświetnienia swoich rządów Zygmunt Stary kazał zawiesić na wieży katedry wawelskiej potężny dzwon, zwany „Zygmuntem". Jego głos rozbrzmiewa i dziś w dniach wielkich uroczystości.

Zygmunt August, chcąc ozdobić przestronne komnaty wawelskie, sprowadzał z zagranicy piękne i kosztowne tkaniny, przedstawiające postacie ludzkie, a przede wszystkim piękne krajobrazy, rośliny i zwierzęta. Często ich tematyka zaczerpnięta była z Biblii. Zwano je a r r a s a m i od nazwy miasta Arras we Francji, gdzie zaczęto je wyrabiać.

Kształtowanie narodowego charakteru kultury (M. Rej, J. Kochanowski). W XVI w. nastąpił rozwój literatury polskiej. Pisarze i poeci coraz częściej w swej twórczości posługiwali się językiem ojczystym. W porównaniu z literaturą średniowieczną zmieniła się również treść książek: więcej uwagi poświęcano w nich człowiekowi i wszystkiemu co dotyczyło jego życia. Mniejsze znaczenie miały sprawy religijne. Dzięki wynalazkowi druku powstawało coraz więcej książek. Pierwsze drukarnie w Polsce powstały w końcu XV w.

W XVI w. żyli i działali najświetniejsi przedstawiciele literatury staropolskiej. Pamiętamy z poprzednich lekcji, że na okres ten przypada również rozwój sztuki, nauki i oświaty. Dlatego wiek XVI nazywamy „Złotym Wiekiem". Do najbardziej utalentowanych pisarzy „Złotego Wieku" należeli Mikołaj Rej i Jan Kochanowski.

Mikołaj Rej (1505–1569). Mikołaj Rej był pierwszym pisarzem, który zaczął tworzyć wyłącznie w języku polskim. O jego umiłowaniu do języka polskiego świadczy następująca wypowiedź: *Niechaj to narodowie wżdy postronni znają, iż Polacy nie gęsi, iż swój język mają*. W utworze *Krótka rozprawa między trzema osobami, panem, wójtem a plebanem* Rej krytykował szlachtę i duchowieństwo, którzy dbali tylko o własne korzyści. Pisarz wystąpił tu

Królowa Bona z rodu Sforzów, druga żona Zygmunta Starego. Zmierzała do umocnienia władzy królewskiej poprzez zorganizowanie silnego i oddanego sobie stronnictwa dworskiego i gromadzenie wielkich domen królewskich, tzw. królewszczyzn.

Arras wawelski z satyrami. Satyry podtrzymują herb z monogramem króla Zygmunta II Augusta. Arras wykonano w warsztacie brukselskim w drugiej połowie XVI w.
Czy wiesz co to są satyrowie? Jak myślisz, dlaczego na tkaninie, która powstała w okresie Odrodzenia, przedstawiono te mitologiczne postacie?

Stronica książki drukowanej na początku XVI w.

Wynalazek druku przyczynił się do ogromnego podniesienia nauki i upowszechnienia oświaty, dzięki temu książka stała się tańsza i bardziej dostępna dla wielu ludzi. W okresie Odrodzenia coraz powszechniej zaczęto używać w książkach języka narodowego, wypierającego powszechny w Średniowieczu język łaciński. Zwracali na to uwagę również cudzoziemcy przebywający w Polsce:

Jedno wy, mili Polacy, jakom wyżej namienił, obaczywszy się, rozmiłujecie się języka swego. Ten niech przoduje, ten niech dziedziczy. Bowiem muszę powiedzieć: przez obcy język podczasem w obce ręce państwa przechodziły. Aby ta ma praca daremna nie była, to jest żeby się tym większa sława językowi temu za tym początkiem popłodziła, a łaska wasza za pracami mojemi przeciw mnie [tu: naprzeciw] *w waszych się sercach pomnożyła.*

Mikołaj Rej, nazwany ojcem literatury polskiej, obok Jana Kochanowskiego był największym pisarzem epoki Odrodzenia

jako obrońca uciskanego chłopstwa. W innych utworach Mikołaj Rej opisywał uroki cichego, spokojnego życia na wsi polskiego ziemianina. Wprowadził on do literatury polskiej mowę potoczną, pełną dosadnych, jędrnych wyrazów.

Jan Kochanowski (1530–1584). Największym poetą polskiego okresu Odrodzenia był Jan Kochanowski. Otrzymał on gruntowne wykształcenie. Początkowo studiował na uniwersytecie w Krakowie, następnie kształcił się we Włoszech i Francji. Przez pewien czas przebywał na dworze Zygmunta Augusta, gdzie pełnił funkcję sekretarza. W późniejszym okresie życia osiadł na stałe w swoim majątku Czarnolas, niedaleko Radomia.

Utwory Kochanowskiego przeniknięte są głęboką troską o sprawy ojczyzny. Autor nawoływał w nich do utworzenia silnego rządu i naprawy Rzeczyspolitej. Liczne drobne wiersze o żartobliwym charakterze, czyli f r a s z k i, zawierają obrazki z życia dworskiego. W *Pieśni Świętojańskiej o Sobótce* Jan Kochanowski przedstawił piękno wsi polskiej. Szczytem jego osiągnięć poetyckich były t r e n y – wiersze pisane po śmierci ukochanej córeczki Urszuli.

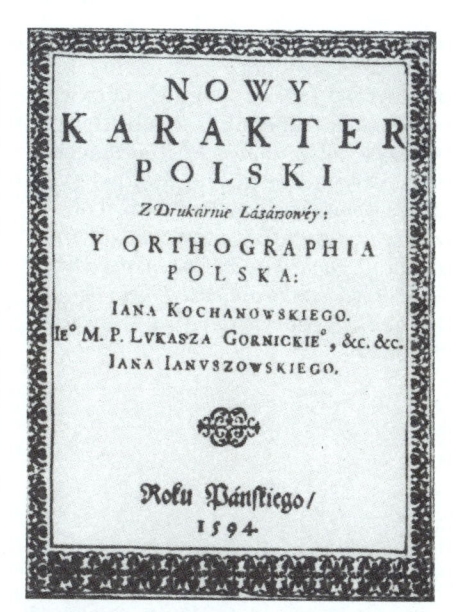

Wkład Polski do kultury i nauki europejskiej (M. Kopernik, A. F. Modrzewski). Polacy nie tylko przejmowali zdobycze kulturalne i naukowe innych narodów, ale także wzbogacali je własnymi osiągnięciami. Ważną rolę pod tym względem odgrywała Akademia Krakowska, gdzie w wysokim stopniu rozwinęła się matematyka i astronomia. Wielkie znaczenie dla rozpowszechniania nowych poglądów miały drukarnie istniejące na ziemiach polskich. Działały one nie tylko w takich miastach, jak: Kraków, Gdańsk, Toruń, Wrocław, Królewiec, Wilno, ale nawet w Zamościu. Drukowały one książki także w językach sąsiednich narodów, np. niemieckim, ruskim, węgierskim. Szczególny wkład do kultury i nauki europejskiej wnieśli Mikołaj Kopernik i Andrzej Frycz Modrzewski.

Traktat o ortografii polskiej wydany w 1594 r.
Odczytaj z ilustracji, kto był jego autorem?

Mikołaj Kopernik (1473–1543). Mikołaj Kopernik urodził się w Toruniu jako syn kupca. W wieku 18 lat rozpoczął studia w Akademii Krakowskiej. Po jej ukończeniu wyjechał na dalszą naukę do Włoch. Studiował medycynę, filozofię i matematykę, ale oprócz tych nauk interesował się także geografią i inżynierią. Szczególnie umiłował jednak astronomię. Po powrocie do Polski zamieszkał na Warmii, a kiedy wybuchła wojna polsko-krzyżacka w 1520 r., Mikołaj Kopernik kierował przygotowaniami do obrony zamku olsztyńskiego.

Będąc duchownym i zarazem administratorem dóbr kościelnych, pisał książki o sposobie bicia dobrej monety, zajmował się lecznictwem, tłumaczył nawet dzieła literackie. Wszystkim tym pracom mógł Mikołaj Kopernik podołać dzięki wielkim zdolnościom i pracowitości.

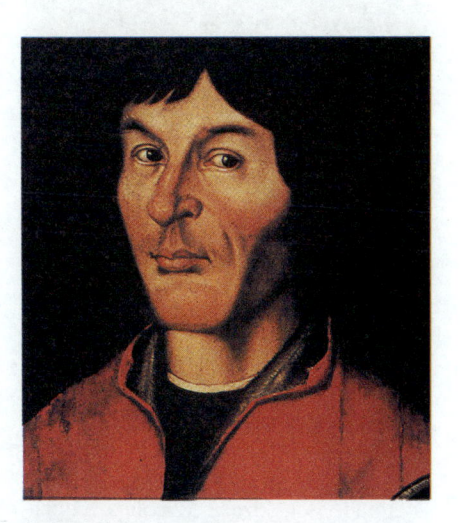

Po wieloletnich obserwacjach doszedł do wniosku, że pogląd jakoby Słońce, gwiazdy i planety obracały się dookoła Ziemi, a Ziemia stała w miejs-

Mikołaj Kopernik, astronom, matematyk, ekonomista i lekarz, był prawdziwym człowiekiem Renesansu. W roku 1517 przedstawił projekt reformy monetarnej.

85

Mikołaj Kopernik w swoim obserwatorium we Fromborku
Odkrycia renesansowego uczonego – Mikołaja Kopernika – opublikowane w dziele *O obrotach sfer niebieskich*, stanowiły podwaliny nowożytnej koncepcji świata i człowieka. Uważał on, że *myśli uczonego są niezależne od sądu ogółu – ponieważ dążeniem uczonego, o ile tylko ludzkiemu rozumowi pozwala na to Bóg, jest szukanie we wszystkim prawdy.*

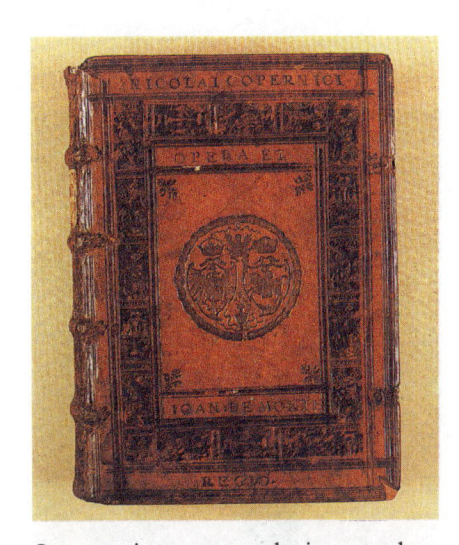

Oprawa pierwszego wydania norymberskiego (1551 r.) dzieła Mikołaja Kopernika *De revolutionibus orbium coelestium – O obrotach sfer niebieskich* z 1543 r. Na podstawie ilustracji, opowiedz, jak oceniasz pracę szesnastowiecznych wydawców?

cu, jest błędny. Kopernik udowodnił, że Ziemia jest tylko jedną z planet i wraz z nimi obraca się wokół Słońca. Odkrycie Kopernika miało wielkie znaczenie dla dalszego rozwoju wiedzy. Zostało ono jednak potępione przez protestantów, a później Kościół jako niezgodne z jego nauką. Dzieło Kopernika *O obrotach sfer niebieskich* ukazało się drukiem w 1543 r., już po śmierci wielkiego uczonego. Zostało umieszczone w spisie ksiąg zakazanych przez Kościół. Dopiero po wielu latach poglądy Kopernika zwyciężyły powszechnie i stały się podstawą rozwoju nowoczesnej nauki.

Andrzej Frycz Modrzewski (1503–1572). Był wybitnym pisarzem politycznym. W łacińskim dziele *O naprawie Rzeczypospolitej* pisał o potrzebie przebudowy ustroju państwa. Żądał m.in. równych praw i kar dla wszystkich, zreformowania obrony granic, reoformy szkolnictwa. Występował jako obrońca pokoju między narodami i przeciwnik niesprawiedliwych wojen. Opowiadał się też za silną władzą królewską. Poglądy Andrzeja Frycza Modrzewskiego były znane i komentowane za granicą.

Zabytki architektury i sztuki renesansowej w Polsce. W dobie Renesansu powstało na ziemiach polskich wiele okazałych budowli i dzieł sztuki. Spośród nich jedną z najpiękniejszych jest Wawel w Krakowie.

◀ Dziedziniec renesansowego Wawelu
Uwagę zwracają krużganki, które oprócz swojej funkcji architektonicznej, nadającej budowli wrażenie lekkości, służyły także celom reprezentacyjnym. Tu gromadził się dwór królewski podczas wspaniałych uroczystości, które uświetniały występy artystów i turnieje rycerskie.

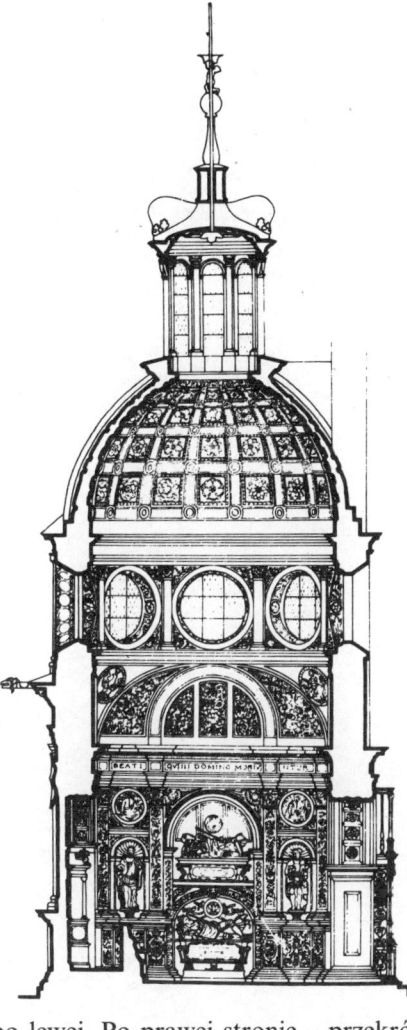

Kaplica Zygmuntowska i kaplica Wazów na Wawelu – po lewej. Po prawej stronie – przekrój kaplicy Zygmuntowskiej z widokiem na ścianę nagrobkową. Król Zygmunt Stary (górny sarkofag) i jego syn Zygmunt August (sarkofag dolny) zostali przedstawieni jako śpiący rycerze gotowi w każdej chwili do przebudzenia.

Zamek wawelski od strony zachodniej z narożnymi basztami

Pomieszczenia zamkowe rozplanowane zostały w wielkim czworoboku. Obejmował on w środku obszerny dziedziniec otoczony okrągłołukowymi arkadami, opartymi na kamiennych kolumnach. Arkady podtrzymywały sklepienia, na których przebiegały krużganki. Na drugim piętrze niepotrzebne były sklepienia – tam na smukłych kolumnach opierał się tylko drewniany pułap i dlatego te kolumny były wyższe, co nadawało całej budowli lekki, harmonijny charakter. W ścianach za arkadami widać było z zewnątrz szeregi okien w kamiennych, rzeźbionych obramowaniach – to okna królewskich sal. Sale były większe i mniejsze, a wszystkie ozdobione malowidłami i rzeźbionymi sufitami. W sali poselskiej król przyjmował posłów obcych państw. Słynęła ona ze wspaniałości swego urządzenia. Najpiękniejszym jednak zabytkiem budownictwa renesansowego na ziemiach polskich jest kaplica Zygmuntowska, przybudowana do katedry wawelskiej. Jest to czworoboczny budynek pokryty pozłacaną kopułą ze ścianami bogato ozdobionymi na zewnątrz i od środka.

Także w Wilnie za obu Zygmuntów odnowiono obszerny zamek. Powstała rezydencja w zamiarach swoich twórców godna zestawienia z Wawelem. Rzeźbiarze i malarze ozdabiali Wilno dziełami *przedziwnej roboty*. Obaj Zygmuntowie równie chętnie przebywali w Wilnie, jak w Krakowie, a z zachowanych licznych opisów życia dworskiego w Wilnie możemy wnioskować o wspaniałości ich siedziby. Do naszych czasów ich zamek się nie dochował.

Podobne do Wawelu zamki zbudowali magnaci w Pieskowej Skale, Baranowie i innych miejscowościach. W miastach wznoszono renesansowe ratusze, których przepięknym wzorem był ratusz w Poznaniu ozdobiony strzelistą wieżą.

Architekturę renesansową rozwijały u siebie nie tylko duże miasta, ale i mniejsze ośrodki, jak Kazimierz Dolny. Miastem całkowicie zbudowanym w stylu Renesansu był Zamość. Duże zmiany nastąpiły także w rzeźbie i w malarstwie. Pod wpływem rzeźbiarzy włoskich tworzyli w duchu Renesansu także i rzeźbiarze polscy. Najpowszechniej nowe prądy przyjęły się w malarstwie.

Dziedziniec renesansowy Uniwersytetu Wileńskiego Akademię Wileńską utworzył Stefan Batory w 1579 r.

◄ Zamek w Baranowie jest przykładem piękna harmonii architektury renesansowej. Zamek został zbudowany dla rodu Leszczyńskich w latach 1591–1606. W bryłę zamku wkomponowane zostały w narożach okrągłe baszty. W środku znajduje się dziedziniec z krużgankami.
Zwróć uwagę na polską renesansową attykę wieńczącą frontową fasadę budowli.

Renesansowe kamienice Mikołaja i Krzysztofa Przybyłów na rynku w Kazimierzu Dolnym. Należą one do najoryginalniejszych zabytków architektury polskiego Renesansu.
Podobne, stojące obok siebie, tworzą na pozór jakby jedną wydłużoną budowlę, jakby miejskiego pałacyku. Zwróć uwagę na piękną attykę (ozdobna ścianka wieńcząca front budynku) przesłaniającą dach.

Ćwiczenia
1. Kto i jak przebudował Wawel za Zygmuntów?
2. Jak wyglądało życie na dworze królewskim?
3. Dlaczego wynalazek druku przyczynił się do rozwoju literatury polskiej?
4. Dlaczego wiek XVI nazywamy „Złotym Wiekiem"?
5. Jakie były zasługi Mikołaja Reja?
6. Dlaczego Jana Kochanowskiego nazywamy największym poetą polskim okresu Odrodzenia?
7. Na czym polegało odkrycie Kopernika?
8. Na czym polegało uniwersalne znaczenie poglądów głoszonych przez A. F. Modrzewskiego?
9. Wymień najpiękniejsze fragmenty zamku wawelskiego i na podstawie ilustracji opowiedz o ich wyglądzie.
10. Skąd pochodzi nazwa „arras"?
11. Znajdź na mapie Kraków, Wilno, Czarnolas, Gdańsk, Toruń, Królewiec, Warmię, Pieskową Skałę, Baranów, Poznań, Kazimierz Dolny, Zamość.

Fragment dzieła Andrzeja Frycza Modrzewskiego *O naprawie Rzeczypospolitej*

„[...] Niechże tedy i to stanie się obyczajem, aby przy powierzaniu dostojeństw najbardziej oglądano się na cnotę. Niechże król, albo ktokolwiek, kto ma się o to troszczyć, nie pozwala, aby mu oczy ćmiono tylko zadymionymi ze starości herbami przodków; niech wybada, jaki charakter i myśli tego, kogo ma do dostojeństwa przeznaczyć. Głosu takiego człowieka trzeba słuchać czy w senacie, czy w sądach, doświadczać jego rad, poznawać jego czyny żołnierskie i domowe. Bo nie wiem, czego znakomitego dokona, na urzędzie, kto ani rozsądkiem, ani nauką do takich spraw nie przygotowany, kto nie wie, co to uczciwa praca, i kto na nią niewytrzymały, kto przywykł trawić największą część swego czasu na zabawach i biesiadach [...]".

6. Reformacja w Polsce

Jakie były główne kierunki reformacji na zachodzie Europy? Co nazywamy tolerancją religijną?

Główne nurty reformacji w Polsce: luteranizm, kalwinizm, bracia polscy. Niedługo po wystąpieniu Marcina Lutra hasła reformacji dotarły do Polski i znalazły tu podatny grunt. Szlachta burzyła się przeciwko wysyłaniu przez duchownych znacznych sum pieniędzy do Rzymu i lekceważeniu przez nich swoich obowiązków. Oburzenie wywoływała dziesięcina polegająca na ściąganiu przez duchowieństwo części dochodów od wszystkich grup ludności. Niepopularne były również sądy duchowne, które za nieposłuszeństwo wobec Kościoła wydawały wyroki, wykonywane później przez władze świeckie. Dlatego ruch r e f o r m a c y j n y znalazł wśród szlachty wielu zwolenników. Reformacja szerzyła się także wśród mieszczan, a nawet wśród chłopów.

Szlachta, wykorzystując hasła reformacji, podjęła walkę przeciwko magnatom, którzy przy poparciu Kościoła rządzili państwem, odsuwając ją od władzy. Aby złamać przewagę maganaterii, domagała się na sejmach przeprowadzenia reform w Polsce. Przede wszystkim żądała, aby magnaci zwrócili dobra królewskie, tzw. k r ó l e w s z c z y z n y, z których czerpali wielkie zyski.

ROCZNY DOCHÓD

41875 zł p. — wielki właściciel ziemski
175 zł p. — szlachcic
12 zł p. — żołnierz najemny
1–2 zł p. — robotnik folwarczny

Średni roczny dochód uzyskiwany w drugiej połowie XVI w. przez przedstawicieli wybranych warstw społecznych.

Ponieważ dochody skarbu państwa były niewielkie, często zdarzało się, że królowie sprzedawali swe majątki lub dawali w zastaw magnatom za pożyczenie pieniędzy. Za panowania Zygmunta Augusta uchwalono odebranie dóbr królewskich, zastawionych lub darowanych możnowładcom bez zgody sejmu. Czwartą część dochodów z tych dóbr przeznaczono na utrzymanie wojska. Choć nie wszystkie majątki udało się odzyskać, potęga magnatów została przejściowo osłabiona.

W Polsce największe poparcie wśród mieszczan, zwłaszcza w zachodniej i północnej Polsce, zyskał l u t e r a n i z m. Propaganda tego wyznania rozwijała się za pośrednictwem polityków, wędrownych kaznodziejów, kupców, studentów i książek. Pisma Lutra wydawane były w Niemczech w dużych nakładach i przywozili je stamtąd głównie polscy studenci. Pierwszym luteraninem w Polsce, jawnie głoszącym w kazaniach swoje poglądy w 1518 r., był pewien dominikanin z Gdańska. Gdańsk stał się wkrótce, obok Torunia, jednym z najważniejszych ośrodków luterańskich na ziemiach polskich. Innym ważnym ośrodkiem luteranizmu był Królewiec, gdzie kształcili się protestanci polscy i gdzie masowo drukowano protestanckie książki i broszury. W niektórych miastach, między innymi w Gdańsku i Toruniu, istniały stojące na wysokim poziomie gimnazja luterańskie.

K a l w i n i z m polski ogarnął głównie szlachtę. Kalwini byli ostrzejszymi przeciwnikami kultu świętych i obrazów aniżeli luteranie i dlatego istnieje staropolskie przysłowie: *pusto jak w kalwińskim zborze*. We Francji i w Polsce demokratyczny charakter kalwinizmu odpowiadał przede wszystkim szlachcie, przyznając jej w swych zasadach prawo sprzeciwu wobec postanowień władzy królewskiej. Zwolennicy Kalwina stanowili trzon obozu reform w Polsce domagającego się osłabienia potęgi magnatów. Kalwinizm przyjął się szczególnie w Małopolsce i na Litwie. W Pińczowie działało gimnazjum kalwińskie. Wszędzie, gdzie przewagę zyskali kalwiniści, zamieniano kościoły na zbory, nie uznawano sądów kościelnych i nie płacono dziesięciny. Podobnie jak inne wyznania reformowane kalwinizm likwidował większość świąt, co

Wypędzenie mnichów z Pińczowa
W okresie upowszechniania się haseł reformacyjnych, kształtujących w dużej mierze stosunki społeczne w Rzeczypospolitej, doszło w 1550 r. w dobrach Mikołaja Oleśnickiego w Pińczowie do wygnania paulinów. Pińczów po tym incydencie stał się centrum małopolskiego ruchu reformacyjnego. Zorganizowano tam zbór, gimnazjum i drukarnię. Odbywały się też zjazdy szlachty kalwińskiej.

Dziesięcina Stała danina uiszczana przez ludność Kościołowi pierwotnie w wysokości dziesiątej części plonów lub dochodu, później w wysokościach nie zmieniających się.

było równoznaczne z ograniczeniem liczby dni wolnych od pracy.

Jednym z odłamów reformacji kalwińskiej w Polsce byli **bracia polscy**, czyli **arianie**. Tak nazywano na ziemiach polskich **antytrynitarzy**. Głosili oni, że wszyscy ludzie są braćmi i dlatego jeden człowiek nie może wyzyskiwać drugiego i żyć z owoców jego pracy. Wśród zwolenników arianizmu była nie tylko szlachta, ale również liczni mieszczanie i chłopi. Niektórzy przedstawiciele szlachty ariańskiej wyrzekali się nawet swych majątków, uwolnili chłopów od poddaństwa i rozdali im ziemię. Bracia polscy nie uznawali wojen i rozlewu krwi. Aby podkreślić swoje przekonania, niektórzy z nich zamiast szabli, która była chlubą każdego szlachcica, nosili u boku zawieszone na sznurku drewniane miecze.

Największe skupiska braci polskich znajdowały się w miasteczkach i wsiach w okolicach Kielc. Wielką sławę zdobyło miasto Raków, zamieszkane w większości przez arian. Ze znakomitej znajomości swojej sztuki słynęli rakowscy rzemieślnicy, a rakowscy kupcy – z uczciwości. Ale najbardziej znana była **Akademia Rakowska,** w której wykładali profesorowie-arianie, a kształciła się w niej młodzież ariańska przyjeżdżająca nawet z zagranicy.

Szkoła rakowska słynęła z wysokiego poziomu naukowego i nowoczesnych metod nauczania.

Jan Łaski (1499–1560)
Działacz reformacji w Rzeczypospolitej i za granicą. Podjął próbę zjednoczenia wszystkich wyznań polskich w jeden Kościół narodowy.

Gnojno. Zbór Gnoińskich, braci polskich. Na fasadzie znajduje się popiersie założyciela zboru.

Oprócz Akademii arianie założyli w Rakowie własną drukarnię. Drukowano w niej dzieła uczonych i nowe podręczniki dla młodzieży. Wydawnictwa ariańskie cieszyły się uznaniem w całej Europie.

Poglądy głoszone przez arian godziły w szlachtę zarówno katolicką, jak i różnowierczą. Szlachta żyła z wyzysku poddanych chłopów i pyszniła się swoimi przywilejami. Toteż zgodnie występowała przy różnych okazjach przeciwko arianom, domagając się wypędzenia ich z kraju, jeżeli nie wyrzekną się swoich przekonań. Oskarżano ich o to, że dążą do *pomieszania stanów,* że chcą doprowadzić do tego, aby powstał *nieszlachcic przeciw szlachcicowi.* Z czasem arianie przyłączyli się do zwolenników Kalwina.

Tolerancja religijna (Konfederacja Warszawska – 1573 r). Początkowemu rozwojowi reformacji w Polsce sprzyjał fakt, że jej wyznawcy nie byli prześladowani, odwrotnie niż w większości krajów Europy Zachodniej. Wprawdzie król Zygmunt I wydawał zarządzenia skierowane przeciw „nowinkom religijnym", ale nie przeszkadzało to szerzyć się tym nowinkom nawet na dworze królewskim. Reformacja miała wielu wyznawców i opiekunów na dworze królewskim i wśród dostojników państwowych.

W połowie XVI w. zwolennicy reformacji stanowili większość w izbie poselskiej. W Polsce prawie cały wiek XVI panowała t o l e r a n c j a   r e l i g i j n a. Zasady tolerancji zostały wyrażone w **Konfederacji Warszawskiej** w **1573 r.** Zagwarantowano wówczas bezwarunkowy i wieczny pokój między wszystkimi różniącymi się w wierze, zwolennikom reformacji zapewniono równouprawnienie z katolikami i opiekę państwa. Reformacja w Polsce wpłynęła korzystnie na rozwój kultury narodowej. Różnowiercy zakładali szkoły, drukarnie i wydawali wiele książek w języku polskim, w których wykładali swoje poglądy.

Pierwsza strona *Indeksu ksiąg zakazanych*
W księdze tej w roku 1616 umieszczono również dzieło Mikołaja Kopernika *O obrotach sfer niebieskich.*

Kościół katolicki wobec reformacji. Rozwój haseł reformacyjnych w Polsce przypadł na okres, kiedy Kościół katolicki na zachodzie Europy przy-

Sobór w Trydencie (1545–1563) zwołany został w celu przeciwstawienia się Kościoła katolickiego reformacji. Główne dogmaty Kościoła katolickiego zostały opisane w *Trydenckim wyznaniu wiary* w 1564 r.
Opracowany w 1564 r. *Indeks ksiąg zakazanych* zawierał dzieła absolutnie przez Kościół potępione i zakazane, jako heretyckie. Ilustracja przedstawia malowidło w jednym z klasztorów w Szwajcarii. Ojcowie soborowi siedzą w szerokim półokręgu. Przed krzyżem siedzi przedstawiciel władzy świeckiej – cesarz i duchowny zapisujący postanowienia soboru. Za krzyżem wysłannicy papieża.
Czy wiesz, co symbolizuje przedstawiona nad duchownymi gołębica?

stąpił do dzieła swej wewnętrznej przebudowy i odnowy. Uzasadniono i podtrzymano obowiązujące d o g m a t y r e l i g i j n e, wzmacniając jednocześnie dyscyplinę i moralność wśród duchowieństwa. W dyskusjach z duchownymi innych wyznań i w krzewieniu wiary katolickiej wielką rolę odgrywali kaznodzieje z z a k o n u j e z u i t ó w, zakonu specjalnie utworzonego do walki z reformacją. Jezuici zyskiwali posłuch u magnatów i zaufanie wśród pozostałej większej części społeczeństwa. Przyczyniali się do odnowienia żarliwości religijnej, gdyż odwoływali się do uczucia, przeciwstawiając się z powodzeniem odwołującej się do rozumu reformacji. Bogato wyposażone kościoły i uroczyste nabożeństwa skuteczniej przemawiały do wyobraźni wiernych, niż surowe „zimne" wnętrza zborów. Szeregi zwolenników reformacji zaczęły po jakimś czasie maleć. Miało to związek z programem oczyszczenia życia kościelnego z błędów i walki z reformacją, zwanym k o n t r r e f o r m a c j ą. Do ostatecznego zwycięstwa kontrreformacji w Polsce w dużym stopniu przyczynili się jezuici. Do najwybitniejszych jezuitów polskich należał ksiądz **Piotr Skarga (1536–1612)**. Był on świetnym kaznodzieją zwalczającym protestantów i arian, a także autorem prac: *Żywoty świętych* i *Kazania sejmowe*. W tej ostatniej książce poddał surowej krytyce wady ustroju państwa.

Galileusz [Galileo Galilei, 1564–1642] był wybitnym włoskim uczonym i fizykiem, astronomem i filozofem. Wykładał na uniwersytetach w Pizie i Padwie. Potwierdził teorię heliocentryczną Mikołaja Kopernika. W 1633 po ukazaniu się rozprawy naukowej Galileusza zatytułowanej *Dialog o dwu najważniejszych układach świata: ptolemeuszowym i kopernikowym,* trybunał inkwizycji uznał *Dialog* za dzieło zakazane i zmusił Galileusza do publicznego odwołania swych poglądów i wyrzeczenia się teorii Kopernika.

Biskup warmiński kardynał **Stanisław Hozjusz (1504–1579)** opracował zasady dogmatyki katolickiej. Dzieło doczekało się 39 wydań i przekładów na wiele języków, a jego autor był jednym z kandydatów na papieża.

Ćwiczenia
1. Dlaczego hasła reformacji znajdowały w Polsce zwolenników?
2. O co walczyła szlachta polska pod hasłami reformacji?
3. Dlaczego reformacja wpłynęła korzystnie na rozwój literatury narodowej?
4. Gdzie i dlaczego rozwijał się luteranizm i kalwinizm?
5. Jakie poglądy głosili bracia polscy?
6. Jak Kościół katolicki walczył z reformacją?
7. Wskaż na mapie Raków i Pińczów.
8. Co ogłoszono w sprawie reformacji w 1573 r.?

Słowa jednego z przywódców ariańskich.

„Ja tak rozumiem i tak wierzę, iż się wiernemu nie godzi mieć poddanych, a daleko mniej niewolników i niewolnic, gdyż to jest rzecz pogańska panować nad swoim bratem, potu jego albo raczej krwi używać. Ano *Pismo święte* jaśnie świadczy, że Bóg z jednej krwi uczynił wszystek rodzaj człowieczy, wedle czego wszyscy jesteśmy sobie równi".

Rzeczpospolita w XVII w.

1. Rzeczpospolita szlachecka za pierwszych Wazów

Dlaczego Polska walczyła z Moskwą w XVI w.

Nowa dynastia. Po śmierci Stefana Batorego królem został królewicz szwedzki **Zygmunt III Waza (1587–1632),** siostrzeniec Zygmunta Augusta. Nowy król, podobnie jak Batory, dążył do wzmocnienia władzy królewskiej, ale nie posiadał uzdolnień swojego wielkiego poprzednika. Był gorliwym katolikiem i za jego panowania nastąpiło ostateczne zwycięstwo kontrreformacji. Znaczna część szlachty nie lubiła króla, gdyż występując przeciwko różnowiercom łamał przysługujące im prawa. Stronnictwo magnackie, wybierając Zygmunta III miało nadzieję, że połączy on unią Polskę ze Szwecją i tym samym stworzy potęgę panującą nad Bałtykiem.

Tymczasem Zygmunt, jako wróg różnowierców, także w protestanckiej Szwecji był bardzo niepopularny. Dlatego też Szwedzi usunęli go z tronu, a królem wybrali jego stryja.

Zygmunt III bezskutecznie usiłował odzyskać koronę szwedzką. Polityka króla doprowadziła wkrótce do licznych wojen polsko-szwedzkich. Innym jeszcze powodem tych wojen były dążenia Szwecji do opanowania ziem leżących na południowym wybrzeżu Bałtyku. Polska zmuszona była bronić swych granic przed zaborczością Szwecji.

Zygmunt III Waza przeniósł stolicę Polski z Krakowa do Warszawy. Osiadł tu na stałe dwór królewski, tutaj też odbywały się sejmy. Na tę decyzję króla złożyło się wiele przyczyn. Królowi wygodniej było śledzić stąd sprawy szwedzkie, niż z leżącego na południu Polski Krakowa. Poza tym

Zygmunt III Waza

Kościół Św. Anny (bernardynów) na Krakowskim Przedmieściu. W czasach saskich i stanisławowskich odbywały się tu posiedzenia sejmów prowincjonalnych.

W czasach Oświecenia Warszawa była miastem bardzo prężnie rozwijającym się, a według świadków ówczesnej epoki [...] *Najświetniejszą częścią Warszawy jest główna jej ulica, zwana Krakowskim Przedmieściem. Na niewielkiej rozległości zawiera ona jedenaście pałaców, a niektórych z nich nie powstydziłby się panujący książę, i sześć kościołów, wszystkie prawie wielkie i pięknie budowane, mnóstwo domów murowanych od dwóch do pięciu pięter [...]*

Na podstawie ilustracji opisz wygląd Krakowskiego Przedmieścia.

Lisowczyk. Żołnierz lekkiej jazdy zorganizowanej na początku XVII w. przez Aleksandra Józefa Lisowskiego, który wraz ze swoimi oddziałami od 1611 r. w służbie polskiej walczył z wojskami rosyjskimi. Lisowczycy wsławili się wielką odwagą w walce z nieprzyjacielem, walczyli także jako oddziały najemne w służbie Habsburgów. Do historii przeszła ich bezwzględność i liczne grabieże, których dokonywali w trakcie przemarszu.

Warszawa posiadała dogodne położenie geograficzne. Wychodziły z niej drogi do różnych miast: do Poznania, Krakowa, Lublina, Lwowa i Wilna. Odkąd pod Warszawą zaczęły odbywać się elekcje, szybko wzrastała liczba jej ludności. Powstało w mieście wiele nowych domów i rozwijało się rzemiosło i handel.

Interwencja polska w Rosji. W początkach XVII w. Rosja (tak zaczęto nazywać dotychczasowe Wielkie Księstwo Moskiewskie) przeżywała okres silnego wewnętrznego niepokoju i zamętu. Od kilkunastu lat nie żył już Iwan IV. Korzystając z tego niektórzy magnaci polscy wysunęli na tron rosyjski awanturnika nieznanego pochodzenia, który podawał się za syna Iwana IV, Dymitra. W ten sposób magnaci polscy chcieli zdobyć wpływy w Rosji. Spodziewali się, że w zamian za poparcie i pomoc wojskową w osadzeniu go na tronie car nada im liczne ziemie. Fałszywemu Dymitrowi, który otrzymał przydomek Samozwańca i ożenił się z córką jednego z magnatów polskich Mniszcha, z pomocą Polaków udało się zdobyć władzę w Moskwie.

Jednak rządy Samozwańca wzbudziły ogólne niezadowolenie ludności. Przeciw carowi wybuchło powstanie. Dymitr został zabity, a Polaków z jego otoczenia wypędzono z Rosji.

Carem został wybrany jeden z bojarów, przedstawiciel bogatej szlachty rosyjskiej, Wasyl Szujski. Wówczas Zygmunt III wypowiedział w 1609 r.

wojnę Rosji. Politykę króla polskiego popierał papież, licząc na podporządkowanie sobie rosyjskiego Kościoła prawosławnego. W roku **1610** wojska polskie dowodzone przez hetmana Stanisława Żółkiewskiego odniosły zwycięstwo pod **Kłuszynem.** Wówczas część bojarów rosyjskich zgodziła się powołać na tron syna Zygmunta III, Władysława, pod warunkiem, że przyjmie on prawosławie. Bojarzy wpuścili wojska Żółkiewskiego do Moskwy, ale do wyboru Władysława na cara jednak nie doszło, gdyż przeciwstawił się temu Zygmunt III. Król Rzeczypospolitej sam bowiem chciał zostać carem, połączyć Rosję z Rzecząpospolitą i narzucić jej katolicyzm.

Chłopi ukraińscy

Ludność Rosji, tak jak ludność ziem białoruskich i ukraińskich wchodzących w skład Rzeczypospolitej, wyznawała religię prawosławną. Wyznawcy prawosławia różnili się od wyznawców religii katolickiej między innymi tym, że nie uznawali zwierzchnictwa papieża. Dążenie Zygmunta III do narzucenia Rosji katolicyzmu i jego zaborcza polityka wywołały oburzenie Rosjan. Przeciwko wojskom polskim wybuchło powstanie. Załoga polska w Moskwie została zmuszona do poddania się. W Rosji wybrano nowego cara. Na mocy zawartego rozejmu Rzeczpospolita zatrzymała część ziem białoruskich za Dnieprem, a z ważniejszych miast – Smoleńsk.

Wojny z Turcją (Cecora). Po zdobyciu Konstantynopola w XV w. Turcja stała się wielką potęgą. Zaczęła zagrażać niektórym państwom europejskim, a wśród nich Austrii i Polsce. Uzależnieni od Turków Tatarzy krymscy napadali często na południowe ziemie Rzeczypospolitej, a podobne wyprawy na posiadłości tureckie organizowali mieszkający na Ukrainie Kozacy. Powodowało to ciągłe nieporozumienia między Polską a Turcją. Za panowania Zygmunta III doszło do wielkiej wojny polsko-tureckiej. Starcie nastąpiło w Mołdawii, kraju leżącym na południe od Dniestru, nad rzekami Prutem i Seretem.

Mołdawia, podobnie jak sąsiadująca z nią Wołoszczyzna i Siedmiogród, była zależna od Turcji. Około 1600 r. księstwa te zostały zjednoczone i były

Tatar

Wielki hetman Rzeczypospolitej, Stanisław Żółkiewski, był wybitnym wodzem i patriotą. Swą postawą zawsze dawał wspaniały przykład szlachcie i swym żołnierzom. Brał udział w licznych kampaniach wojennych z Rosją, Tatarami i Turkami. Zginął śmiercią bohatera pod Cecorą w 1620 r., nie poddając się jak inni panicznej ucieczce. Na apel przyjaciela, by hetman ratował swoje życie w obliczu śmiertelnego zagrożenia ze strony wroga, Stanisław Żółkiewski przebijając konia mieczem odpowiedział: [...] *Proszę cię, ty wsiądź a uchodź, dla lepszych czasów, na usługę Rzeczypospolitej zachowaj życie, a ja swym tułowiem do ojczyzny nieprzyjacielowi niechaj drogę zawalę.*

Zbroja husarska

wolne, ale niebawem znowu uległy Turcji. Panowie polscy urządzali często na tereny Mołdawii wyprawy wojenne, usiłując osadzić na jej tronie swoich krewnych. Z tego też powodu dochodziło do zatargów między Turcją a Polską.

W roku **1620** sułtan wypowiedział Polsce wojnę. Jak pewny był ostatecznego zwycięstwa nad Polską, świadczą słowa jego listu skierowanego do króla Zygmunta III: *Już więcej nadziei w przyjaźni naszej ani w słabych murach twoich, które poddanymi swymi potłukę, nie miej. Kraków twój bez miłosierdzia wezmę, ziemię twoją podepczę* [...]. Przeciw ogromnej armii tureckiej Polska mogła wystawić tylko 8 tys. wojska. Na jego czele stanął hetman **Stanisław Żółkiewski.** Liczył wówczas przeszło 70 lat. Poprowadził on swe wojsko w głąb Mołdawii i założył obóz nad Prutem pod Cecorą. Chciał w ten sposób zatrzymać pochód Turków i Tatarów. Na polu przed obozem doszło do zaciętej bitwy, która zakończyła się porażką wojsk polskich. Nie mogło już być mowy o utrzymaniu obozu, trzeba było wracać ku granicom Rzeczypospolitej. Aby zapewnić bezpieczeństwo w czasie odwrotu, hetman rozkazał spiąć wozy łańcuchami w tzw. tabor. W tyle i na przedzie posuwały się armaty, a z boków piechota i jazda. W ogniu i dymie, wśród strzałów nacierającego nieprzyjaciela, tabor posuwał się bardzo wolno. W pewnej chwili odwrót zamienił się w bezładną ucieczkę. Widząc ogólną panikę Żółkiewski przebił szablą swego konia na znak, że nie myśli ratować się ucieczką. Stary hetman padł na placu boju, walcząc bohatersko do końca.

W rok po bitwie cecorskiej ruszyła nowa nawała turecka na Polskę. Wojska polskie oczekiwały Turków nad Dniestrem, w obozie pod twierdzą Chocimiem. Na czele 35-tysięcznej armii polskiej stał znakomity wódz **Jan Karol Chodkiewicz (1560–1621).** Na pomoc armii Chodkiewicza przybyli także Kozacy. Turków było jednak znacznie więcej. Przez kilka tygodni wojska tureckie zaciekle atakowały obóz chocimski. Obrońców począł nękać głód, wyczerpywały się zapasy amunicji. Mimo to zamknięci w twierdzy żołnierze bronili się po bohatersku, odrzucając propozycje poddania się. Oporu nie przerwała nawet śmierć Jana Karola Chodkiewicza. W końcu Turcy odstąpili spod Chocimia, podpisując pokój na warunkach korzystnych dla Polski.

Jan Karol Chodkiewicz, starosta żmudzki i hetman wielki litewski od 1605 r. Jeden z najwybitniejszych wodzów dawnej Rzeczypospolitej. Uczestnik wojen ze Szwecją, Moskwą i Turcją. Zwycięzca spod Kircholmu.

Ćwiczenia
1. Dlaczego Zygmunt III Waza był niepopularny w Polsce i Szwecji?
2. Jakie były przyczyny przeniesienia w końcu XVI w. stolicy do Warszawy?
3. Jak doszło do interwencji polskiej w Rosji w XVII w. i jakie były jej następstwa?
4. Wskaż na mapie rzekę Dniepr, Kłuszyn i Smoleńsk.
5. Dlaczego doszło do wojen Polski z Turcją?
6. Opowiedz o bitwie pod Cecorą i znajdź Cecorę na mapie.

Testament Żółkiewskiego (fragmenty).

[...] W imię Przenajświętszej Trójcy Świętej, Boga Ojca i Syna i Ducha Świętego. Zawżdy każdemu człowiekowi ma być przed oczyma niepewność żywota tego doczesnego, gdyż niezliczonej liczbie przygód jest podległy. Zatem i ja, pamiętając na śmiertelność, a tym więcej będąc na teraźniejszej Rzeczypospolitej posłudze [...] w obyczaj oświadczenia intencji i wolej [woli] swej ostatecznej, z mocą testamentu [...] to co niżej napisałem.
Ciebie moja najmilsza małżonko, poruczam Panu Bogu. Jegoż i twojej opiece poruczam dziatki spólne pamiętając na to, w jakiej zgodzie i w jakiej miłości żyliśmy z sobą [...] Janie, mój synu najmilszy, do ciebie teraz mowa moja [...] Królowi polskiemu, panu swemu wiernie służ i Rzeczypospolitej ojczyźnie swej; dla dostojeństwa, dla sławy króla pana swego, dla dobra Rzeczypospolitej krwie i zdrowia swego nie żałuj. Młodsze lata swe naukami poleruj, nie daj się nikomu w młodości twojej od tego odwodzić [...] Historyki koniecznie czytaj [...] Gdy do męskiego wieku będziesz przychodzić, rycerskie ćwiczenie jest szlachcicowi najprzystojniejsze, tym

Szyszak (hełm stożkowy)

się paraj [...] A jeśliby cię potrzeba jaka Rzeczypospolitej podała, nie zostawałem sam nazad; nie dla chluby to wspominam, ale żebym z mego przykładu w tobie tym większą chęć pobudził do naśladowania cnoty ojcowskiej [...] Abyś i też umarł przy tym nic osobliwszego potkać cię nie może. I poganie tak rozumieli, że śmierć dla ojczyzny słodka [...]. Ciebie też Kasieńko córko moja, Panu Bogu poruczam i opiece Jego. Ćwicz się i ty w bojaźni Bożej, wstydu, pokory i innych cnót, stanowi swemu przynależących, nawykaj [...] naśladuj przykładu białych głów świętych, żebyś i sama była wzorem i przykładem wszelkiej uczciwości białogłowskiej".

2. Powstanie Chmielnickiego

Kiedy Ukraina została włączona do Polski?

Podłoże powstania i jego przebieg. Wcielone do Polski ziemie nad Dnieprem były rozległe, ale słabo zaludnione. Większą część Ukrainy zajmowały stepy, to jest najczęściej okryte bujną trawą bezleśne równiny. Bliskie sąsiedztwo Tatarów, osiadłych na Krymie i nad Morzem Czarnym, sprawiało, że żyzny step ukraiński uprawiali nieliczni osadnicy. Ci zaś, którzy mieszkali tam mimo zagrożenia ze strony Tatarów, byli to ludzie odważni, nawykli do niebezpieczeństwa i wojny.

W XVI i XVII w. zaczęły powstawać na Ukrainie ogromne majątki panów polskich i spolszczonych magnatów ukraińskich. Pochodziły one zwykle z darowizn królewskich. Jagiellonowie i ich następcy nadawali zasłużonym dowódcom wojsk i magnatom ogromne dobra. Utworzone w ten sposób

Porucznik chorągwi pancernej z pierwszej połowy XVII w.

Gospodarstwo tatarskie

posiadłości liczyły niejednokrotnie setki wsi. Ich właścicieli nazywano „królewiętami".

Panowie, chcąc zagospodarować swoje majętności, zwalniali osadników na pewien okres z pańszczyzny i wszelkich czynszów; nieraz taka w o l n i z n a trwała nawet 25 lat. Toteż na Ukrainę zaczęły napływać gromady zbiegów z różnych części Polski i Litwy, a nawet z Rosji. Stopniowo jednak pogarszało się położenie chłopów ukraińskich. W XVII w. stosowano już tu powszechnie pańszczyznę.

Wzrost ucisku pańszczyźnianego powodował, że chłopi uciekali na południe Ukrainy, w okolice słabo zaludnione. Mieszkali tam ludzie wolni rozmaitego pochodzenia, zwani K o z a k a m i. Część Kozaków miała własne gospodarstwa, trudniła się także rybołóstwem i myślistwem, ale byli i tacy, którzy żyli tylko ze zdobyczy wojennych. Ci właśnie Kozacy byli zorganizowani w sposób wojskowy, a ich dowództwo mieściło się w **Siczy,** na jednej z wysp na rzece Dniepr. Często napadali na Tatarów krymskich, zgarniając jeńców i łupy.

Szczególnie wsławiły Kozaków ich wyprawy morskie. Budowali oni lekkie łodzie, na których wypływali Dnieprem aż na Morze Czarne. Uderzali tam znienacka na okręty tureckie, albo wyprawiali się na ląd, grabiąc wsie i miasta. Te zuchwałe napady udawały się zwykle dzięki odwadze Kozaków oraz szybkości i zwinności łodzi, którymi się posługiwali.

Królowie polscy cenili wysoko wartość bojową Kozaków. Stefan Batory polecił część z nich spisać i wypłacać im żołd. Mieli oni wzmacniać siły armii

Ataman kozacki

Wybór atamana kozackiego na Siczy

Portret królewicza Władysława Wazy (1594–1648) w stroju polskim, 1620 r. Jako król Władysław IV zasiadał na tronie w latach 1632–1648. W latach 1632–1634 prowadził zwycięską wojnę z Rosją. W 1635 r. podpisał rozejm ze Szwedami w Sztumskiej Wsi.

Czeladź stanowili pachołkowie i woźnice znajdujący się przy wojsku dawnej Rzeczypospolitej, nie zaliczani do składu tego wojska.

Chan Tytuł władcy u ludów tureckich i mongolskich.

polskiej, a od słowa „rejestr", czyli „spis" nazwano ich K o z a k a m i r e j e s t r o w y m i. Następca Zygmunta III, **Władysław IV (1632–1648)** w czasie swego panowania snuł plany wojny polsko-tureckiej, w której wielką rolę odegraliby Kozacy.

Szlachta i magnaci patrzyli jednak na Kozaków coraz bardziej niechętnym okiem. Siedziby kozackie były bowiem nieraz miejscem schronienia dla uciekających chłopów. Kozacy przewodzili często powstaniom chłopskim na Ukrainie. Kilka takich powstań wybuchło w końcu XVI i na początku XVII w. Zostały one jednak krwawo stłumione przez wojska królewskie i magnackie.

Rosnący ucisk budził wśród Kozaków coraz większą wrogość w stosunku do Rzeczypospolitej. Przyczyniła się do tego także działalność duchowieństwa katolickiego, które usiłowało narzucić katolicyzm prawosławnej ludności Ukrainy. Wszystko to powodowało zaostrzenie sytuacji na Ukrainie, zwłaszcza że chłopi ukraińscy nadal spoglądali z nadzieją na Kozaków, widząc w nich obrońców przed panami.

W 1638 r. szlachta uchwaliła, że wszyscy Kozacy nierejestrowani uważani będą odtąd za chłopów. Zaczęto zmuszać ich do odrabiania pańszczyzny i poddaństwa, a ich osady włączać do majątków szlacheckich. Wszystko to pchnęło Kozaków do nowej walki. Na czele wielkiego powstania, które wybuchło w **1648 r.** stanął szlachcic z pochodzenia **Bohdan Chmielnicki (ok. 1595–1657),** piastujący na Ukrainie ważny urząd pisarza wojsk kozackich, a występujący nieraz wobec Rzeczypospolitej jako przedstawiciel Kozaków. Okazał on wkrótce wielki talent wojskowy i polityczny.

Do oddziałów Chmielnickiego pospieszyli prócz Kozaków także chłopi, a nawet drobna szlachta ukraińska. W krótkim czasie zebrał on ogromną armię. Uzyskał również pomoc Tatarów, którzy poparli powstanie. Siły Chmielnickiego wzrosły tak bardzo, że w pierwszym roku wojny przeciw Rzeczypospolitej w bitwie pod **Korsuniem** wziął do niewoli dwóch hetmanów polskich. Gdy pod Piławcami zebrało się pospolite ruszenie, szlachta uciekła z pola walki na samą wieść o zbliżaniu się wojsk Chmielnickiego. Na całej Ukrainie chłopi organizowali oddziały powstańcze i niszczyli pańskie dwory. Tymczasem zmarł król Władysław IV. Tron objął brat Władysława, **Jan Kazimierz (1648–1668).**

Wojna zaostrzała się coraz bardziej. W **1649 r.** oddziały polskie nieprzyjaciel oblegał w twierdzy **Zbaraż.** Przez kilka tygodni po bohatersku broniły one zamku przed przeważającymi siłami Kozaków i Tatarów, zanim nadszedł z posiłkami król Jan Kazimierz.

Polakom udało się przejściowo odciągnąć Tatarów od pomocy Chmielnickiemu. Po bitwie pod Zborowem zawarto ugodę, na mocy której Chmielnickiemu przyznano tytuł hetmana ukraińskiego. Jednak po dwóch latach w 1651 r. walkę wznowiono. Chmielnicki zebrawszy ogromne siły ruszył na Wołyń. W odpowiedzi Jan Kazimierz zgromadził 90-tysięczną armię i przybył pod **Beresteczko,** miejscowość nad Górnym Styrem. Dawno nie widziano tak potężnych wojsk, które stanęły naprzeciw siebie. Po stronie polskiej wojsko regularne, pospolite ruszenie i obozowa c z e l a d ź, czyli ciury; po stronie Chmielnickiego liczebnie nieco silniejszej: Kozacy i chłopi ukraińscy, uzbrojeni w kosy i cepy oraz Tatarzy pod wodzą ich k s i ę - c i a - c h a n a. Do decydującego starcia doszło dopiero w trzecim dniu bitwy. Polacy uderzyli na Tatarów i odcięli ich od głównych sił Chmielnickiego. Gdy chan został ranny i zginął jego brat, Tatarzy rzucili się do ucieczki. Na widok cofających się Tatarów Chmielnicki, który posuwał się do ataku na skrzydło polskie, zostawił swoich i popędził za chanem, aby go zatrzymać. Ale ten w ataku wściekłości kazał go przywiązać do konia i porwał ze sobą. Teraz otoczono Kozaków i cały ich obóz, a armaty i chorągwie dostały się w ręce polskie.

Ugoda w Perejasławiu i wojny Rosji z Rzecząpospolitą. Zniechęcony do sojuszu z Tatarami Chmielnicki zaczął poszukiwać sojuszników w Rosji. Oba kraje zbliżała wspólna religia prawosławna, ale i niemało było przeciwieństw. Część Kozaków miała nadzieję na uzyskanie w Polsce szlachectwa i godności urzędowych. Mimo to w **1654 r.** w **Perejasławiu** rada kozacka uchwaliła połączenie Ukrainy z Rosją. Ugoda perejasławska nie została uznana

Jan Kazimierz (1609–1672). W 1656 r. król złożył tzw. śluby lwowskie, w których przyrzekał w obliczu walk toczonych przez masy ludowe ze Szwedami złagodzenie ucisku pańszczyźnianego w Polsce.

List chana Krymu Mehmeda Gereja IV do Jana Kazimierza, w którym przesyłał wyrazy pokoju, żądał jednak „upominków". Przez wiele lat na pograniczu kresowym Rzeczypospolitej panował spokój, później ataki tatarskie w połowie XVII w. doprowadziły do wznowienia walk.

Rzeczpospolita w XVII w.

- obszar Rzeczypospolitej w 1619 r.
- lenna Rzeczypospolitej
- ziemie polskie przejściowo należące do Turcji (1672-1699)
- granice między Koroną, Wlk. Księstwem Litewskim i Kurlandią
- granica po traktacie w Polanowie (1634 r.)
- granica po pokoju w Karłowicach (1699 r.)

przez Polskę. Rosja uderzyła wówczas na Polskę. W pierwszym okresie wojny Polacy doznali wielu niepowodzeń na Litwie. Największym z nich było zdobycie Wilna przez Rosjan, w chwili gdy Polska została ogarnięta najazdem szwedzkim. Wymordowano w Wilnie 20 tys. ludności, a szalejący przez 8 dni pożar miasta zamienił je w cmentarzysko. Wojna, przerwana w czasie walk ze Szwedami, rozgorzała na nowo po ich odparciu. Wojska rosyjskie podjęły nowe wyprawy na Polskę, które zakończyły się jednak niepowodzeniem. Wreszcie w **1667 r.** podpisano rozejm. Na mocy tego porozumienia Ukraina została podzielona między Polskę i Rosję. Ziemie na lewym brzegu Dniepru oraz Kijów i Smoleńsk zostały przyłączone do Rosji.

Warunki tego rozejmu zostały powtórzone w zawartym w **1686 r.** pokoju nazwanym od nazwiska posła polskiego pokojem Grzymułtowskiego.

Ćwiczenia

1. Jak powstawały majątki magnackie na Ukrainie?
2. Jakie było położenie chłopów ukraińskich?
3. Czym trudnili się Kozacy?
4. Jakie były przyczyny powstania na Ukrainie?
5. Opowiedz o bitwie pod Beresteczkiem.
6. Jakie były postanowienia i skutki dla Polski ugody w Perejasławiu?
7. Kiedy i jak została podzielona Ukraina między Polskę i Rosję?
8. Znajdź na mapie: Korsuń, Piławce, Zbaraż, Zborów, Beresteczko i Perejasław.

Interesujący, choć nie zawsze ścisły, obraz walk Polaków z Kozakami znajdziesz w powieści Henryka Sienkiewicza: *Ogniem i mieczem*.

A oto fragment pamiętnika z epoki:

> [...] Nazajutrz tedy, to jest we wtorek [...] ruszyli się panowie hetmani, spode Korsunia, ku Bohusławiu w wielkim bardzo nierządzie [nieporządku], bez żadnej straży, tylko taborem, a wojsko wokół taboru. I diabła tam miał być dobry rząd, kiedy pan [kasztelan] krakowski, hetman wielki koronny, Mikołaj Potocki ustawnie się opił gorzałką, jako i w te czasy pijany, w karecie siedział, a drugi polny hetman Kalinowski, choć chciał co począć, nie bardzo go posłuchano [...] Chmielnicki ze 40 tys. wojska gdzie i orda [Tatarzy] była, wypadłszy z zasadzki wokoło obóz ostąpił [...] tabor rozerwał, wojsko pogromił, hetmanów obydwóch [...] żywcem wziął, bo zgoła niemal wszystkich żywcem pobrał".

3. Najazd Szwedów na Polskę

Dlaczego Zygmunt III interesował się sprawami szwedzkimi? Jakie państwa w końcu XVI w. dążyły do zagarnięcia Inflant? Przypomnij znaczenie słów: lenno, lennik.

Przyczyny konfliktu polsko-szwedzkiego. W 1564 r. Szwecja opanowała północną część Inflant – Estonię. Od tego czasu sprawa Inflant odgrywała w jej polityce ważną rolę. Szwecji nie chodziło zresztą tylko o zdobycie nowych terytoriów: poprzez uzależnienie pozostałej części Inflant pragnęła zawładnąć w całości wschodnimi i południowymi wybrzeżami Bałtyku. W ten sposób speł-

Lufa żelazna polskiego działa odlanego w XVI w.

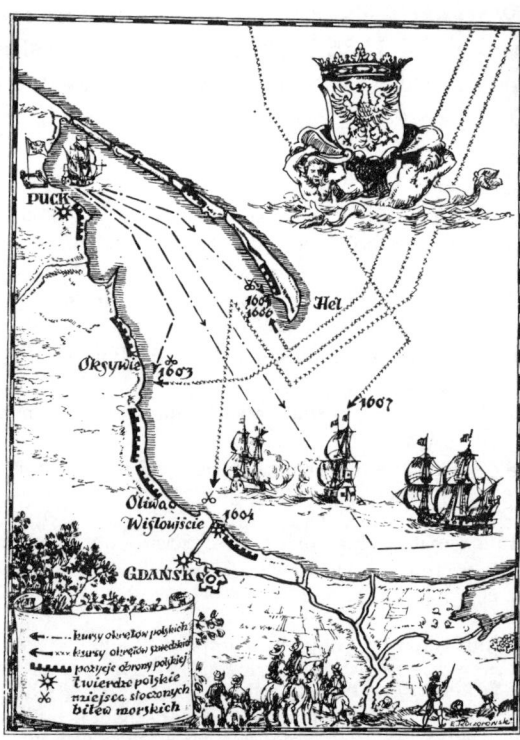

Działania floty polskiej w obronie Inflant i w Zatoce Gdańskiej przeciwko okrętom szwedzkim w początkach XVII w.

Husaria Od połowy XVI w. do XVIII w. polska ciężka jazda zaopatrzona w kopie i miecze, nosząca zbroje ze skrzydłami u ramion.

niłby się plan królów szwedzkich, którzy chcieli zmienić Morze Bałtyckie w wewnętrzne morze Szwecji. Dążenia Szwecji do opanowania wybrzeży bałtyckich spotkały się z oporem innych państw, przede wszystkim Polski i Rosji. Dlatego na przełomie XVI i XVII w. toczyły się wojny szwedzko-rosyjskie i szwedzko-polskie. W stosunkach polsko-szwedzkich oprócz rywalizacji o Inflanty przyczyną sporu były także pretensje królów polskich z rodziny Wazów do tronu szwedzkiego. W początkach XVII w. Szwedzi najechali polskie Inflanty i w krótkim czasie opanowali znaczną ich część. Obroną Inflant kierował doświadczony wódz, hetman litewski **Karol Chodkiewicz.**

W **1605 r.** doszło do bitwy wojsk polskich ze szwedzkimi pod wsią **Kircholm,** niedaleko Rygi. Armia polska, licząca 4 tys. żołnierzy, rozbiła trzykrotnie liczniejszą armię szwedzką.

O zwycięstwie polskim zadecydował atak jazdy pancernej zwanej h u s a r i ą. Doskonale uzbrojone

◀ Atak husarii polskiej w bitwie pod Kircholmem w 1605 r. Wojskiem polskim i litewskim dowodził hetman Jan Karol Chodkiewicz.
Przeciw wojskom szwedzkim liczącym 11 tys. żołnierzy stanęło 4 tys. doborowych żołnierzy polskich, którzy odnieśli błyskotliwe zwycięstwo. Ranny król szwedzki uciekł z pola walki.
Husarię od drugiej połowy XVI do XVIII w. stanowiła ciężkozbrojna jazda polska. Do uzbrojenia husarii doszedł koncerz (rodzaj broni siecznej) i dwa pistolety oraz charakterystyczne skrzydła umocowane u siodła lub przy zbroi. Husaria silnym uderzeniem przełamywała szyki wroga.

pancerne chorągwie uderzyły niepowstrzymanym pędem, łamiąc i tratując szeregi nieprzyjacielskie ciężarem koni i jeźdźców.

W bitwie pod Kircholmem został ranny król szwedzki. W ręce zdobywców wpadł cały jego obóz z armatami i sztandarami. Zwycięstwo kircholmskie okryło Chodkiewicza wielką sławą, nie zostało jednak należycie wyzyskane. Szwedów nie wyparto z Inflant, bo w Polsce doszło do sporów króla ze szlachtą, które przerodziły się nawet w wojnę domową. Tymczasem w Inflantach Szwedzi rządzili się jak we własnym kraju.

W kilkanaście lat po bitwie pod Kircholmem Szwedzi wznowili wojnę. Opanowali resztę Inflant, a następnie przeszedłszy przez zależne od Polski Prusy Książęce zagrozili Gdańskowi. Miasta wprawdzie nie udało się zdobyć, ale usadowili się mocno w tej części wybrzeża bałtyckiego i pobierali cło od okrętów w porcie gdańskim. Zadawało to dotkliwe straty gospodarce polskiej. Dalsze prowadzenie działań wojennych wymagało od Polski zorganizowania floty, która mogłaby podjąć walkę z okrętami szwedzkimi. Dotychczas, poza okrętami kaperskimi, Polska takiej floty nie posiadała.

Sejm uchwalił podatki na budowę floty i wkrótce polskie okręty wojenne, choć nieliczne, pojawiły się

Stanisław Koniecpolski (ok. 1594––1646), hetman wielki koronny, godny przeciwnik króla Szwecji, nazywany „Obrońcą ujścia Wisły"

Jan Weyher, starosta pucki i wojewoda chełmiński. Organizator i dowódca floty polskiej na początku XVII w.

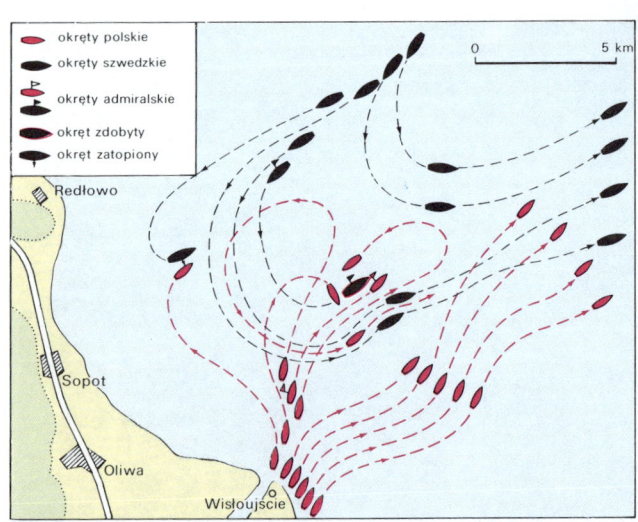

Bitwa pod Oliwą

na Bałtyku. W **1627 r.** w bitwie morskiej pod **Oliwą** flota polska odniosła nad Szwedami świetne zwycięstwo. Wybrzeże gdańskie zostało uwolnione od Szwedów. Polska była jednak osłabiona długotrwałą wojną. Zawarła w końcu rozejm ze Szwecją na niezbyt korzystnych warunkach: Szwedzi zatrzymali Inflanty i porty Prus Książęcych z wyjątkiem Królewca, nie mieli jednak prawa pobierania cła od towarów polskich.

W drugiej połowie XVII w. Szwecja, wykorzystując osłabienie Polski spowodowane wojną na Ukrainie, przygotowała się do napaści na Polskę. Nakłaniali króla szwedzkiego do tego kroku również

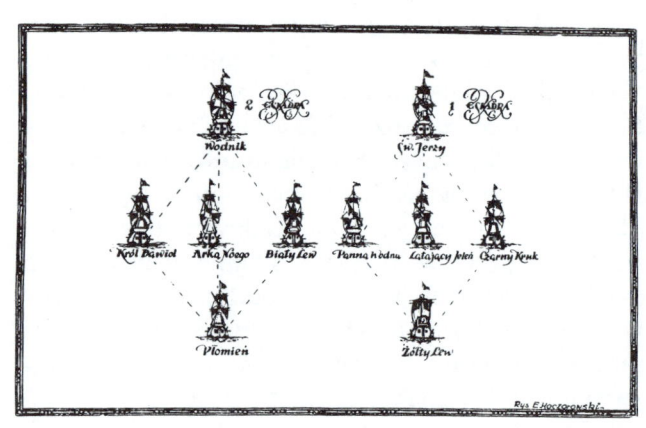

Schemat uszykowania okrętów polskich do bitwy pod Oliwą

110

Eskadra okrętów polskich w pierwszej połowie XVII w.

Półkartauna, polskie działo okrętowe z XVII w. Działa takie odlewane były początkowo w ludwisarni Wichtendahla [czyt. Witendala] w Gdańsku, później zaś w ludwisarni Tima w Warszawie.

niektórzy magnaci polscy, pokłóceni z Janem Kazimierzem i posłowie szwedzcy w Rzeczypospolitej, którzy wskazywali, że *naród polski jest bez zgody i jednej myśli, a panowie szukają tylko zysku dla swego domu*. Bezpośrednim pretekstem do wojny było to, że Jan Kazimierz używał tytułu króla szwedzkiego.

Najazd Szwedów na Polskę. W 1655 r. uderzyły na Polskę dwie armie szwedzkie. Jedna z nich wkroczyła od strony Pomorza Szczecińskiego do Wielkopolski, druga z Inflant zaatakowała Litwę. W Wielkopolsce pod U j ś c i e m zebrało się szlacheckie pospolite ruszenie, które miało wystąpić przeciw Szwedom. Do tego jednak nie doszło. Chociaż siły były niemal równe, magnaci – dowódcy pospolitego ruszenia – podpisali w imieniu szlachty wielkopolskiej dokument, w którym uznali „opiekę" Szwedów w zamian za potwierdzenie nietykalności majątków szlacheckich i wiary katolickiej. Podobnie postąpili najpotężniejsi magnaci litewscy – dwaj stryjeczni bracia, Janusz i Bogusław Radziwiłłowie. Za obietnicę utworzenia z części Litwy lennego księstwa Radziwiłłów oddali Litwę bez walki pod władzę **Karola X Gustawa.**

W krótkim czasie cała Polska wraz z Warszawą znalazła się w rękach Szwedów. Szlachta i magnaci masowo przechodzili na stronę Karola Gustawa, zadowalając się jego zapewnieniami, że nie będą naruszone przywileje szlacheckie. Król Jan Kazimierz zmuszony był uciekać z kraju. Bezpieczne

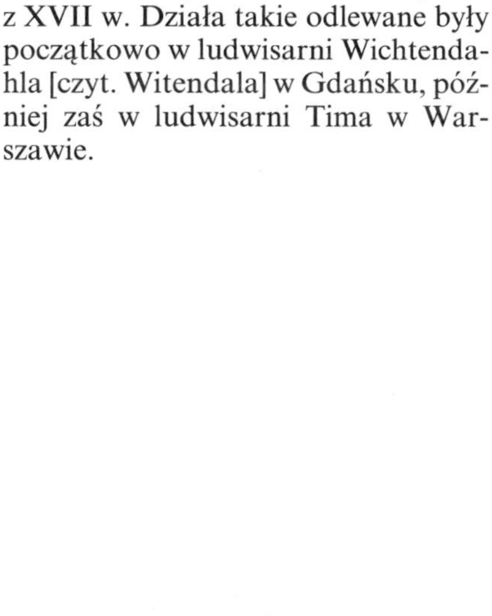

Karol X Gustaw (1620–1660)

schronienie znalazł dopiero na Śląsku, który znajdował się wtedy pod panowaniem Austrii.

W tak łatwo zdobytym kraju Szwedzi rozpoczęli grabież i rabunek. Zabierano towary ze sklepów i kosztowności z kościołów, nakładano na ludność wysokie podatki. Jak pisał jeden z ówczesnych autorów, *żołnierze dopuszczali się rozbojów i trudno było pokazać się na ulicy, bo przypadł żołnierz i jeśli żywotem darował, przynajmniej do stopy zrewidował* [od stóp do głów] *i odarł do koszuli. I w domu nikt nie był bezpieczny, bo Szwedzi naszli, złupili* [...].

Obrona Jasnej Góry. A jednak znalazło się w kraju miejsce, do którego nie udało się wedrzeć Szwedom. Tym miejscem był warowny klasztor na Jasnej Górze, którym zarządzał przeor **ks. Augustyn Kordecki.** Ten przezorny i zapobiegliwy zakonnik w białym habicie, o orlim nosie i gęstej brodzie, łatwo zjednywał sobie ludzi prostotą i dobrocią. Wywiózł on zawczasu na Śląsk cudowny obraz Matki Boskiej, ukrył kosztowności oraz wystarał się o 12 dział i dobrych artylerzystów. Załoga klasztoru liczyła 160 słabo uzbrojonych żołnierzy, kilkudziesięciu zakonników i gromadkę szlachty, która wraz z rodzinami schroniła się w klasztorze. Szwedzki generał Burhard Müller usłyszawszy o skarbach klasztoru postanowił je zrabować. Podszedł pod Jasną Górę z przeszło 3 tys. wojska i zażądał wpuszczenia szwedzkiej załogi. Przeor Kordecki odpowiedział, że Szwedów nie wpuści póki nie rozkaże tego sam król szwedzki. Gdy taki rozkaz królewski dostarczono, przeor odpisał, że dotyczy on miasta Częstochowy, a nie Jasnej Góry, która jest odrębną osadą, zarządzaną przez zakon

Przeor Wybierany przez władze zakonne przełożony niewielkiego klasztoru.

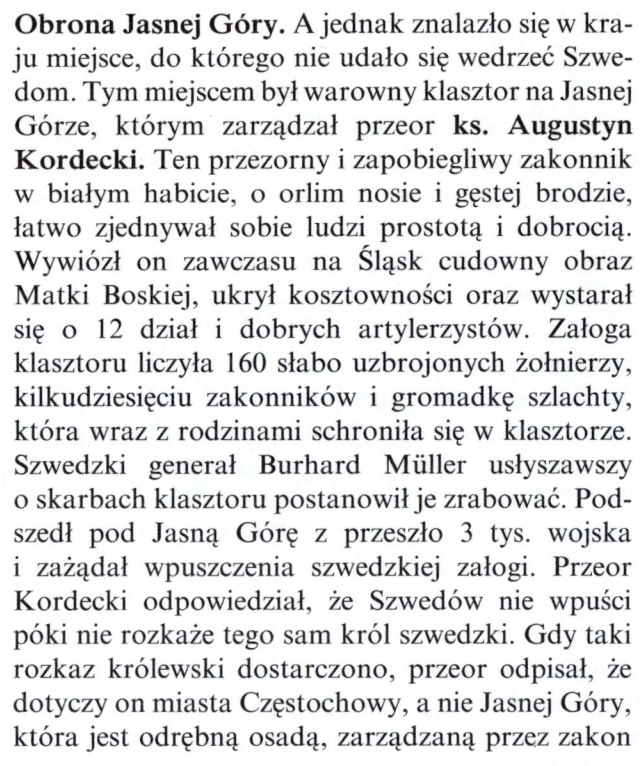

◀ Augustyn Kordecki (1603–1673), przeor klasztoru paulinów w Częstochowie, dzielny organizator obrony klasztoru jasnogórskiego podczas „potopu" szwedzkiego w 1655 r. W swoim pamiętniku oblężenia Częstochowy roku 1655 pisał tak:
Bądźmy więc tego przekonania, że niepodległość Królestwa Polskiego, publiczne i prywatne mienie Rzeczypospolitej, kościołów, cześć Boga i dawne wolności, jedynie za pomocą Maryi Jasnogórskiej zachowane i przywrócone zostały tak, iż bardzo słusznie wyrzec możemy, że Bogurodzica tarczą jest Królestwa Polskiego.

Atak wojsk szwedzkich na klasztor Jasnogórski (scena z filmu „Potop")

paulinów. Müller po zapoznaniu się z listem Kordeckiego wydał rozkaz ostrzelania klasztoru ogniem z dział. Na dachy i ściany zabudowań Jasnej Góry posypały się artyleryjskie kule, napełnione prochem bomby i kłęby konopnych kłaków oblane smołą. Ale obrońcy umiejętnie gasili powstające pożary i na ostrzał nieprzyjaciela odpowiedzieli ogniem ze swoich dział. Pierwszy szturm trwał trzy dni i trzy noce, nie pozwalając zmrużyć oka zmordowanej załodze. Kiedy jednak atak ustał, nie przynosząc Szwedom żadnego rezultatu, czwartej nocy obrońcy urządzili niespodziewany wypad za mury i zniszczyli dwa największe działa. Kiedy Szwedzi otrzymali posiłki i dostarczono jeszcze większe działa, nocny atak załogi znów zniszczył dwa z nich. Wśród najsilniejszego ataku artyleryjskiego Szwedzi mogli oglądać procesję z chorągwiami przechodzącą ponad murami klasztoru. Tymczasem rozeszła się wśród oblegających i oblężonych wieść, że Jan Kazimierz wraca do Polski, a lud bije Szwedów i idzie na odsiecz Jasnej Górze. Müller przypuścił największy z dotychczasowych szturm, który wypadł w sam dzień Bożego Narodzenia. Kiedy szturm został odparty, zażądał już tylko pieniężnego okupu. Na to przeor posłał mu dwa obrazki Matki Boskiej Częstochowskiej pisząc, że klasztor jest biedny, bo Szwedzi ograbili jego posiadłości... W drugi dzień świąt, nocą, po czterdziestodniowym oblężeniu, Szwedzi odeszli spod klasztoru. Jego bohaterska obrona odbiła się głośnym echem w całej Polsce, szerząc wolę walki z najeźdźcą szwedzkim.

Stefan Czarniecki. Bohaterem ogólnonarodowym powstania przeciw Szwedom stał się **Stefan Czarniecki (1599–1665),** doskonały wódz i gorący patriota. Mawiał on o sobie: *Ja nie z soli ani z roli, tylko z tego, co mnie boli, wyrosłem*. Oznaczało to, że swego stanowiska w wojsku Czarniecki nie zawdzięczał ani dochodom z kopalni soli, ani wielkim posiadłościom ziemskim, tylko ranom odniesionym w walkach dla ojczyzny. Czarniecki prowadził tzw. w o j n ę p o d j a z d o w ą, polegającą na nieustannym nękaniu przeciwnika niespodziewanymi wypadami. Walkę tę nazwalibyśmy dziś wojną partyzancką.

Czarniecki wsławił się zwłaszcza zwycięstwem odniesionym pod Warką nad rzeką Pilicą. Aby skutecznie zaatakować wroga, rzucił się wraz z wojskiem w rzekę i przepłynąwszy ją pobił Szwedów z kretesem. Innym razem sam król Karol Gustaw z trudem wyrwał mu się z osaczenia w widłach rzek Wisły i Sanu. Tak jak pod Warką, przepłynął później cieśninę morską, kiedy wysłany na pomoc Duńczykom walczącym ze Szwedami rzucił się do morza, aby zdobyć pewną wyspę i znajdujące się na niej szwedzkie twierdze.

Stefan Czarniecki z buławą w ręku, oznaką władzy hetmańskiej
Buława była krótką laską zakończoną ozdobną gałką, często zdobioną drogimi kamieniami. Podobnie jak berło i korona symbolizowały władzę królewską tak buława była symbolem najwyższej władzy wojskowej w dawnej Rzeczypospolitej.

Walka Polaków z najazdem szwedzkim w połowie XVII w.

Mapa: Potop szwedzki 1655–1657

Legenda:

- ▨ ziemie lenne Rzeczypospolitej
- ━ granice Rzeczypospolitej w 1655 r.
- ⋯ najdalszy zasięg szwedzkich zdobyczy
- ➡ główne kierunki działań Szwedów
- ➡ główne kierunki działań Polaków
- 2 IX 1655 ✗ daty i miejsca bitew
- ● Szwedzi otoczeni w widłach Wisły i Sanu
- ▨ obszary działania oddziałów partyzanckich
- • miejscowości wyzwolone przez partyzantów
- ⊙ twierdze zdobyte przez Szwedów
- ⊙ twierdze nie zdobyte przez Szwedów
- ⊙ twierdze zdobyte przez Polaków

Państwa i regiony: SZWECJA, Gotlandia, Olandia, Skania (duń.), MORZE BAŁTYCKIE, Bornholm (duń.), BRANDENBURGIA, (szw.), Inflanty (szw.), ROSJA, Inflanty Polskie, Kurlandia, Prusy Książęce, Wielkie Księstwo Litewskie, SAKSONIA, Śląsk, KRAJE HABSBURSKIE, Czechy, Morawy, Austria, Węgry, Spisz, Siedmiogród, Mołdawia, IMPERIUM OSMAŃSKIE, Korona

Miejscowości i bitwy: Ryga, Kirchholm 1605, Dyneburg, Dźwina, Birże, Wornie, Kiejdany, Kowno, Wilno, Wilia, Niemen, Mińsk, Grodno, Pińsk, Prypeć, Brześć Lit., Królewiec, Pregoła, Filipów 1656, Prostki 8 X 1656, Tykocin, Narew, Oliwa 1627, Gdańsk 1655-56, Elbląg, Grudziądz, Bydgoszcz, Toruń, Ujście VII 1655, Noteć, Klecko 7 V 1656, Poznań, Kościan, Warta, Konin, Kalisz, Piątek 2 IX 1655, Piotrków Tryb., Wieluń, Sochaczew, WARSZAWA 28-30 VII 1656, Bug, Warka 7 IV 1656, Gołąb 18 II 1656, Lublin, Żarnów 16 IX 1655, Kielce, Sandomierz, Zamość, Tyszowce, Częstochowa XI-XII 1655, Wisła, San, Kraków IX 1655 VI-VIII 1657, Wojnicz 1655, Rzeszów, Łańcut, Lwów, Oświęcim, Wiśnicz, Nowy Sącz, Biecz, Jasło, Krosno XII 1655, Przemyśl 1656, Żywiec, Dniestr, Kamieniec Podolski, Łaba, Odra

Skala: 0 – 100 – 200 km

Zbroja i broń polska z okresu wojen ze Szwecją

Wojsko szwedzkie z okresu „potopu"
▼

Wyparcie Szwedów i udział w tym chłopów. Ofiarą gwałtów szwedzkich padali przede wszystkim chłopi i mieszczanie. Nic też dziwnego, że właśnie te warstwy społeczne podjęły pierwsze próby walki z najeźdźcą. Na Podhalu, w Wielkopolsce i w innych częściach kraju chłopi zbiegali do lasów i tworzyli gromady, które atakowały mniejsze oddziały szwedzkie. Chłopom pomagali mieszczanie. Walka rozszerzyła się na cały kraj. Do ruchu zbrojnego przeciw Szwedom zaczęła przystępować również szlachta.

Zachęcony sukcesami Czarnieckiego i tworzącą się walką partyzancką Jan Kazimierz wydał odezwę nawołującą szlachtę do organizowania powstania z udziałem chłopów. Wkrótce sytuacja tak dalece zmieniła się na korzyść Polski, że król mógł powrócić do kraju. W katedrze lwowskiej monarcha przyrzekł uroczyście, że poprawi dolę ludu wiejskiego. Szala zwycięstwa zaczęła stopniowo przechylać się na stronę Polski. W lecie **1656 r.** P o l a c y   z d o b y l i   W a r s z a w ę.

Utrata lenna pruskiego. Karol Gustaw, widząc, że nie uda się mu utrzymać ziem polskich, nawiązał porozumienie z władcą Brandenburgii, który był także księciem pruskim, a więc l e n n i k i e m króla polskiego. Do porozumienia wciągnął również władcę Siedmiogrodu. Władcy Brandenburgii dążyli do oderwania Prus Książęcych od Polski. W czasie najazdu szwedzkiego zamiast udzielić Polsce pomocy, do której był zobowiązany z tytułu zależności lennej, elektor brandenburski wszedł w porozumienie z Karolem Gustawem i zbrojnie najechał ziemie polskie. Aby położyć kres tej nowej napaści, Polska musiała się zgodzić **(1657 r.)** na z w o l e n i e n i e z z a l e ż n o ś c i l e n n e j P r u s K s i ą ż ę c y c h i o d e r w a n i e i c h o d P o l s k i.

Skutki wojny. Zmagania wojenne trwały jeszcze kilka lat i zakończyły się przystąpieniem Szwedów do rokowań. W **1660 r.** został podpisany p o k ó j między Polską i Szwecją w **Oliwie** koło Gdańska. Będąca w stanie wojny z Rosją Polska musiała zgodzić się na jego warunki. Szwedzi zatrzymali większą część Inflant i wymusili na Janie Kazimierzu zrzeczenie się pretensji do tronu szwedzkiego.

Pokój w Oliwie zakończył długotrwałe wojny polsko-szwedzkie, zapoczątkowane jeszcze za Zygmunta III Wazy. Spowodowały one ogromne zniszczenia na ziemiach polskich. Wsie były w większości spalone, a miasta zrujnowane. Wojny te stały się jedną z przyczyn zahamowania rozwoju gospodarczego Polski.

Moździerz z połowy XVII w. Było to działo o krótkiej lufie, strzelające stromym torem, używane od XV do drugiej połowy XIX w. Ładowane było początkowo pociskami kamiennymi, później zapalającymi i rozpryskowymi (bomby).

Ćwiczenia
1. Jakie były przyczyny konfliktu polsko-szwedzkiego?
2. Opowiedz o bitwie pod Kircholmem.
3. Dlaczego Szwedzi najechali na Polskę za panowania Karola Gustawa?
4. W jaki sposób udało się im opanować ziemie polskie?
5. Opowiedz o obronie Jasnej Góry.
6. Kto pierwszy wystąpił do walki ze Szwedami?
7. Jaką rolę w walce z najazdem szwedzkim odegrał Stefan Czarniecki?
8. Jakich sprzymierzeńców mieli Szwedzi?
9. Kiedy i na jakich warunkach zakończyły się wojny polsko--szwedzkie?
10. Wskaż na mapie: a) kierunki marszu wojsk szwedzkich na Polskę, b) tereny, na których chłopi masowo występowali przeciw Szwedom, c) Oliwę.
11. Czy znasz książkę Henryka Sienkiewicza pt. *Potop*?

Zapamiętaj datę **1660**

Antoni Czajkowski: *Śmierć Stefana Czarnieckiego*

W Sokołówce przed chatą u proga
Pachołkowie i ludu czerń mnoga;
Stoi stępak u żłobu powolny,
A w świetlicy leży hetman polny.
Hetman głowę pochylił na łoże
Krzepkim ciałem już władnąć nie może,
Złożył ręce jakby do modlitwy,
Ale wojak ciągle marzył bitwy [...]
Świętym krzyżem maże ziemskie grzechy,
Prosi Boga w pokorze i skrusze
By do raju przyjął starca duszę:
A lud słowa powtarza kapłana
„Sługę Twego zbaw Panie Stefana".
   Zarżał stępak u żłobu powolny,
   Wzniósł na łożu głowę hetman polny,
   Bielmem zaszłe otworzył źrenice
   I popatrzył na smutną gromnicę [...]
   Witał księdza jak ze snu powstały,
   I znów słuchał, jak rży jego Biały
„Wprowadźcie go!" – skinął na husarzy,
I wnet Biały po izbie się waży.
Na pierś starca kładzie łeb swój suchy
(A obadwaj biali, jak dwa duchy);
Śmiał się hetman, jako dziecko szczęśliwy,
Tuląc ręce między śniegiem grzywy
„O mój Biały!" A Biały spokojnie
Zda się z panem rozprawiać o wojnie;
Raz po razie miękką grzywą ruszy,
A starcowi coraz tęskniej w duszy,
Wzniósł buławę, spojrzał w koło groźno
I rzekł „królu, dałeś ją za późno!"
   Potem opadł na łoże bez siły.
   Znowu rzesze pacierze mówiły,
   Znowu, stępak u żłobu powolny,
   A w świetlicy leży hetman polny;
   Pan kijowski nie daje rozkazów
   Twardych z ust nie ciska wyrazów,
   Ani rżeniem nie budzi go Siwy,
   Bo wódz wielki już leży nieżywy.
A twarz jego szlachetna, uczciwa,
Jeszcze jakimś przestrachem przeszywa,
Jeszcze ze śmiercią nawet walczy samą
I szeroką odzywa się szramą:
„Jam nie z soli, ani z roli
Ale z tego co mnie boli".

4. Wojny z Turcją w drugiej połowie XVII w.

Jak doszło do bitwy pod Cecorą i podpisania pokoju w Chocimiu?
Przypomnij znaczenie słowa: haracz.

Wznowienie konfliktu. Pokój zawarty z Turcją w Chocimiu nie usunął przyczyn zatargów polsko-tureckich. W drugiej połowie XVII w. Turcy zachęceni osłabieniem Rzeczypospolitej w wyniku wojen polsko-kozackich i polsko-moskiewskich podjęli nową wyprawę na Polskę. Panował wtedy w Polsce **Michał Korybut Wiśniowiecki (1669–1673),** wybrany królem po zrzeczeniu się tronu przez Jana Kazimierza. Nowy król był nieudolnym władcą. W 1672 r. Turcy złupili Podole i zajęli ważną twierdzę na południu kraju, Kamieniec Podolski. Oddziały tatarskie w służbie tureckiej dotarły nawet na Lubelszczyznę. Zaczęli też domagać się od Polski haraczu. Rzeczpospolita była tak wyczerpana wojnami, że musiała przystać na żądania Turcji.

Dopiero po roku wystawiono większą liczbę wojska, na którego czele stanął hetman Jan Sobieski, jeden z najwybitniejszych wodzów polskich w XVII w. Zasłużył się zwłaszcza w walkach z Turkami i Tatarami. Pochodził z rodziny spokrewnionej ze Stanisławem Żółkiewskim i w odróżnieniu od wielu ówczesnych panów polskich otrzymał staranne wykształcenie. Mówił biegle kilkoma obcymi językami, a przebywając w młodości we Francji przyjrzał się też zachodniemu sposobowi wojowania.

Sułtan Murat IV wśród oddziału janczarów
Ta doborowa piechota turecka brała udział w oblężeniu Wiednia w 1683 r. Wychowywani w fanatyzmie religijnym i ślepym posłuszeństwie byli od XVI w. trzonem armii tureckiej. Początkowo uzbrojeniem janczarów były łuki, później zaś (jak na ilustracji) broń palna i mocno zagięte szable.
Zwróć uwagę na charakterystyczny ubiór janczarów, niezwykle kolorowy z wysoką czapką i tzw. łyżką na czole i spadającym długim pióropuszem.
Czy wiesz, która postać na ilustracji to sułtan?
Co go wyróżnia wśród innych żołnierzy?

Zwycięska bitwa wojsk Jana Sobieskiego z wojskami tureckimi pod Chocimiem, 10 listopada 1673 r.
Chocim był starą twierdzą Rzeczypospolitej, wybudowaną w XV w. i służył do obrony południowo-wschodnich rubieży kraju. Ten obóz warowny, położony nad Dniestrem, często był świadkiem walk toczonych z wojskami tureckimi.

Jesienią 1673 r. Sobieski ruszył pod Chocim, zajęty od niedawna przez Turków. Przez całą noc oba wojska stały naprzeciw siebie. Rankiem piechota polska uderzyła na obóz turecki, a za nią jazda. Pierwsze szeregi prowadził z szablą w ręku sam Sobieski.

Bitwa zakończyła się wielkim zwycięstwem wojsk polskich. Zdobyto 400 sztandarów i przeszło 60 armat. Odtąd imię Sobieskiego budziło postrach i szacunek wśród Turków, choć zwycięstwo nie zostało przez Polaków wykorzystane w należyty sposób. Gdy wkrótce po zwycięstwie pod Chocimiem zmarł król Michał Korybut, szlachta zgromadzona na elekcji jednomyślnie obrała królem pogromcę Turków – hetmana Sobieskiego. W 1674 r. Sobieski objął rządy jako **Jan III (1674–1696)**.

Zwycięstwo Jana III Sobieskiego pod Wiedniem (1683). W 1683 r. ogromna armia turecka ruszyła na Austrię. Ponad 100 tys. Turków i Tatarów oblegało stolicę Austrii – Wiedeń. Zgromadzonymi wojskami dowodził w i e l k i w e z y r **Kara Mustafa.**

Tytuł *wezyra* posiadał najwyższy dostojnik w dawnej Turcji sułtańskiej. Wielki wezyr był szefem rządu i głównym dowódcą armii.

Wiedeń bronił się resztkami sił, brakowało w nim żywności i amunicji, toteż cesarz zwrócił się o pomoc do króla polskiego. W zakończeniu listu do Jana III cesarz pisał: *Wiemy, że z powodu wielkiego* oddalenia jest rzeczą niemożliwą, aby Wasza Królewska Mość mógł się na czas zjawić ze swym wojskiem i przyczynić się do uratowania miasta, zagrożonego ostatecznym niebezpieczeństwem. Nie czekamy też wojsk Waszej Królewskiej Mości, tylko obecności samego Majestatu. I jesteśmy święcie przekonani, że jeżeli tylko Wasza Królewska Osoba zechciałaby stanąć na czele naszych wojsk, to choćby one nie były liczne, Wasze samo imię, tak straszne dla naszego wspólnego nieprzyjaciela, z pewnością sprowadzi jego klęskę.*

List z prośbą o pomoc dla Austrii przysłał również papież.

Trasa marszu wojsk polskich pod Wiedeń w 1683 r.

Sobieski począł więc szykować wielką wyprawę wojenną. Przygotowania do wymarszu trwały krótko i w niedługim czasie 30-tysięczna armia polska ruszyła na odsiecz Wiednia. Posuwano się w niezwykle szybkim tempie, przebywając po 70 km dziennie. W pobliżu Wiednia nastąpiło spotkanie z wojskiem cesarskim. Dowódcy austriaccy bez wahania oddali się pod komendę Sobieskiego.

12 września 1683 r. połączone siły polskie i austriackie starły się z Turkami.

O świcie zagrzmiało pięć wystrzałów armatnich – znak rozpoczęcia bitwy. Pierwsza ruszyła do ataku piechota polska i niemiecka. Wyparto Turków ze zboczy gór przyległych do miasta, a następnie gęsto zalesione stoki zostały oczyszczone od nieprzyjaciela. Teraz dopiero mogła wystąpić jazda polska. Zająwszy dogodne pozycje na niewielkich wzgórzach na północny zachód od miasta dokładnie naprzeciw tureckiego obozu, czekała na rozkaz rozpoczęcia ataku.

Wreszcie na znak dany przez Sobieskiego 7 tys. husarzy runęło na szeregi tureckie. Husaria przeszła jak burza i wdarła się w sam środek tureckiego obozu. Pierwsi rzucili się do ucieczki Tatarzy, a za

Ciężkozbrojni żołnierze tureccy uczestniczący w bitwie wiedeńskiej
Zwróć uwagę na ubiór i szczegóły dotyczące uzbrojenia.

Atak wojsk sprzymierzonych na obóz turecki

Jan III Sobieski pod Wiedniem

nimi Turcy. Uciekł też sam Kara Mustafa. Ogromny obóz turecki stał się łupem zwycięzców. Znaleziono w nim nieprzebrane bogactwa: działa, proch, żywność, konie, a także piękne tkaniny i różne kosztowności. Królowi dostały się namioty Kara Mustafy, które były tak obszerne, że zawierały nawet łaźnie i zwierzyniec. Następnego dnia Jan III odbył uroczysty wjazd do Wiednia.

Ogólnej radości z powodu zwycięstwa nie podzielali tylko cesarz i książęta niemieccy. Gdy niebezpieczeństwo minęło, zaczęli zazdrościć Sobieskiemu sławy i myśleć tylko o tym, jak pozbyć się Polaków. Jednak wieść o wielkim wiedeńskim zwycięstwie rozeszła się po całej Europie, budząc podziw dla oręża polskiego.

Odtąd Turcy przestali być groźni dla państw europejskich. Było to również ostatnie wspaniałe zwycięstwo chylącej się ku upadkowi Rzeczypospolitej szlacheckiej. W kilkanaście lat później, już po śmierci Jana Sobieskiego, Turcja zwróciła Polsce Kamieniec Podolski i wycofała się z Ukrainy.

Wielki wezyr turecki Kara Mustafa w uroczystym stroju ▶
i turbanie

Zapamiętaj datę **1683**

Ćwiczenia
1. Dlaczego doszło do wojen Polski z Turcją?
2. Czym wyróżniał się Jan Sobieski spośród innych panów polskich?
3. Jakie było znaczenie bitwy pod Chocimem w 1673 r.?
4. Dlaczego Sobieski wyruszył pod Wiedeń?
5. Opowiedz o przebiegu i znaczeniu bitwy wiedeńskiej.
6. Wskaż na mapie Cecorę, Chocim, Kamieniec Podolski i Wiedeń.

Żart historyczny:

> Powiadają, że przed bitwą pod Wiedniem Kara Mustafa posłał królowi Janowi Sobieskiemu kwartę maku i kazał powiedzieć, że jak trudno policzyć ten mak, tak trudno zwyciężyć jego wojska. Na to Jan Sobieski posłał mu kwartę pieprzu i kazał powiedzieć: – Te ziarna, podobnie jak wojsko moje, nietrudno policzyć, ale spróbuj zgryźć kwartę pieprzu. A jak zjeść ten pieprz trudno, tak trudno zwyciężyć moje wojska.

Więcej interesujących wiadomości o wyprawie wiedeńskiej możesz znaleźć w książce Marka Hryniewicza *Bitwa pod Wiedniem*.

Polska i państwa sąsiednie w pierwszej połowie XVIII w.

1. Wzrost znaczenia państw sąsiednich

Jak zakończył się okres zamętu w Rosji na początku XVII w.?
Jaki rodzaj zależności łączył Prusy Książęce z Polską po 1525 r.?
Co w stosunkach Polski z elektorem brandenburskim nastąpiło w drugiej połowie XVII w.?

Austria. W początkach XVIII w. na jedno z pierwszych miejsc wśród mocarstw europejskich wysunęło się cesarstwo Habsburgów. Habsburgowie rządzili nie tylko w dziedzicznych krajach austriackich (Austria, Czechy, Słowacja i Węgry), ale także w Belgii i części Włoch. Ludność cesarstwa, którą tworzyli Niemcy, Czesi, Słowacy, Polacy, Serbowie, Chorwaci, Węgrzy, Rumuni, Belgowie i Włosi, stanowiła istny zlepek narodowości. Stopniowo cesarstwo stawało się państwem austriacko-czesko-węgierskim, te bowiem kraje zaczęły stanowić główną część składową monarchii. W celu wzmocnienia państwa jego władcy podjęli szereg reform.

◀ Cesarzowa Maria Teresa (1717–1780) i książę Eugeniusz II z dziećmi
Maria Teresa w polityce zagranicznej dążyła do odzyskania Śląska. W krajach, którymi rządziła (Austria, Czechy, Węgry, Bawaria i Śląsk) przeprowadziła reformy w duchu absolutyzmu oświeconego. Zreformowała administrację, skarb, wojsko. Dużą jej zasługą dla większej części społeczeństwa było utworzenie szkół ludowych. Uczestniczyła w I rozbiorze Polski.

◀ Józef II
Należał do wybitniejszych władców epoki Oświecenia. Jako przedstawiciel absolutyzmu oświeconego dążył do zespolenia krajów korony habsburskiej w jednolity organizm państwowy. Przyczynił się, poprzez przeprowadzone reformy, do rozwoju gospodarczego kraju, podporządkowania państwu Kościoła katolickiego, a w 1781 r. zniósł poddaństwo osobiste chłopów, zwiększając jednocześnie obciążenia podatkowe warstw uprzywilejowanych. Porównując prawa ustanawiane przez Józefa II i Katarzynę II w swoich krajach, zastanów się czy rzeczywiście o Katarzynie II możemy powiedzieć, że była ona w Rosji przedstawicielką absolutyzmu oświeconego?

W połowie XVIII w. cesarzowa **Maria Teresa** ograniczyła uprawnienia samorządów miejskich i odebrała przedstawicielom stanów prawo do decydowania o podatkach. W ten sposób wzrosły dochody państwowe, które pozwoliły na zreformowanie i powiększenie armii. Syn Marii Teresy – **Józef II (1780–1790)** – przeprowadził zmiany idące jeszcze dalej. Wprowadził mnóstwo nowych zarządzeń w dziedzinie gospodarki, administracji, skarbu, sądownictwa i Kościoła. Zakazał sprowadzania obcych towarów, żeby rozwinąć rodzinny przemysł. Ograniczył pańszczyznę i oddał chłopów pod opiekę rządu, do którego mogli wnosić skargi na swych właścicieli. Zamknął wiele klasztorów, a majątek ich wziął w zarząd państwowy. Celem tej reformy było podporządkowanie Kościoła państwu. To podporządkowanie wynikało nie tylko z chęci włączenia do skarbu państwa wielkiej części majątków kościelnych, ale i wykorzystania Kościoła do wychowania młodzieży w duchu interesów państwowych. Józef II wnikał w takie na przykład szczegóły życia publicznego, że zarządził, ile świec powinno się palić na ołtarzu.

Podzielił państwo na większe i mniejsze obwody oraz na powiaty. W sądownictwie zniósł karę śmierci, a łacinę zastąpił językiem niemieckim. Rozbudował szkolnictwo, a w Wiedniu w czasie jego panowania powstało wiele okazałych budowli i pałaców.

Zniesienie porządków jezuickich
Na ilustracji widzimy Józefa II w otoczeniu swoich urzędników, którzy wykonują zarządzenia cesarskie, dotyczące ograniczenia działalności zakonów jezuickich.
Jezuici przedstawieni jako bestie, odciągani są od owieczek (ludu Bożego). Od tej pory mają podporządkować swoją działalność interesom państwa.

Rosja. W ciągu XVII w. państwo rosyjskie zaczęło stopniowo dźwigać się z upadku gospodarczego i kulturalnego. Odbudowywały się spalone w licznych wojnach miasta i wsie, znów, jak dawniej, zaczął rozkwitać handel. Jednak na przeszkodzie dalszemu rozwojowi Rosji stał brak dostępu do Morza Bałtyckiego i znaczne jeszcze zacofanie kraju, przejawiające się w wielu dziedzinach życia. Rosja potrzebowała reform. Zostały one przeprowadzone za panowania **Piotra I (1689–1725).**

Wkrótce po objęciu władzy wyprawił się Piotr I w długą podróż do państw zachodnioeuropejskich. Przez Królewiec i państwo elektora brandenburskiego dotarł do Holandii, gdzie przez kilka miesięcy pracował jako zwykły cieśla. Zwiedził też Anglię i Austrię. Wszystko to robił w tym celu, aby dobrze poznać gospodarkę i urządzenia innych państw. Po powrocie do Moskwy przystąpił do wprowadzania r e f o r m, które miały na celu upodobnienie Rosji do państw zachodnioeuropejskich. Przy pomocy cudzoziemców specjalnie sprowadzonych z zagranicy uruchomił wiele przedsiębiorstw przemysłowych, zwłaszcza tkackich i metalurgicznych. Powstały nowe kopalnie, budowano mosty, wytyczano drogi i kanały. Jednak te reformy przeobraziły Rosję tylko powierzchownie i służyły przede wszystkim wzmocnieniu siły militarnej.

Piotr I dążył również do podniesienia na wyższy poziom oświaty. Założył wiele nowych szkół, a wśród nich specjalne szkoły dla żeglarzy, artylerzystów, lekarzy, inżynierów. Chcąc upodobnić Rosjan do mieszkańców krajów zachodnich, także i pod względem wyglądu zewnętrznego i obyczajów, Piotr I kazał im nosić europejskie stroje i golić brody. W swych rządach opierał się na szlachcie i bogatych kupcach.

Za panowania Piotra I nastąpił wzrost ucisku chłopów. Szlachta nakładała na nich nowe obowiązki. Ponadto byli oni powoływani do służby wojskowej, która w armii zorganizowanej przez Piotra I trwała 25 lat. Dlatego też w Rosji często dochodziło do buntów i powstań chłopskich, które były krwawo tłumione.

Celem polityki Piotra I stało się zdobycie dla Rosji dostępu do Bałtyku. Nie było to łatwe zadanie, gdyż wybrzeże bałtyckie, sięgające od Inflant po Zatokę Fińską, znajdowało się w rękach szwedzkich. W 1700 r. Rosja sprzymierzona z Danią

Piotr I, car rosyjski i cesarz od 1721 r.

Pomnik Piotra I w Petersburgu

Karol XII (1682–1718)

i Saksonią wystąpiła przeciw Szwecji. Wojnę tę, która trwała 21 lat, nazwano w o j n ą p ó ł n o c n ą. W pewnych okresach toczyła się ona na ziemiach polskich.

W Polsce rządził wówczas elektor saski **August II (1697–1733),** który objął tron po śmierci Jana III. Licząc na zdobycze w Inflantach, August II, jako władca Saksonii, zawarł sojusz z Piotrem i udzielił mu pomocy przeciwko Szwecji, pomimo iż Rzeczpospolita udziału w tej wojnie nie brała.

Niespodziewanie jednak Szwecja okazała się silniejsza niż przypuszczano. Król szwedzki **Karol XII** rozbił armię duńską, wtargnął do Polski i Saksonii, rozgromił wojska Augusta i skierował swe główne siły przeciwko Rosji. Pod **Narwą (1700 r.)** zadał ciężką klęskę wojskom rosyjskim.

Dopiero po kilku latach zmagań udało się Rosji pokonać wojska szwedzkie w bitwie pod **Połtawą (1709 r.).** Wojna zakończyła się przegraną Szwecji. Rosja uzyskała pas wybrzeża bałtyckiego od Dźwiny do Zatoki Fińskiej. Na zdobytym terytorium u ujścia rzeki Newy car polecił zbudować miasto, które od imienia Piotra nazwano Petersburgiem. P e t e r s b u r g stał się nowoczesnym portem, a także n o w ą s t o l i c ą R o s j i.

Po zawarciu pokoju ze Szwecją (w **Nysztadzie, w 1721 r.**) Piotr I przyjął tytuł c e s a r z a W s z e c h r o s j i. Na wschodzie Europy wyrosło mocarstwo, posiadające potężną armię i silną flotę na Bałtyku.

Powstanie Królestwa Pruskiego. Po wymarciu rodu Albrechta Hohenzollerna (co nastąpiło w początkach XVII w.) dziedzicznymi władcami Prus

Widok na Petersburg i twierdzę Pietropawłowską
Budowę twierdzy Pietropawłowskiej nakazał w roku 1703 car Rosji Piotr I. ▶ Miała ona chronić terytoria Rosji od strony Morza Bałtyckiego. Car zapoczątkował tym samym budowę pięknego miasta Petersburga, nowej stolicy Rosji. W późniejszych czasach twierdza Pietropawłowska pełniła funkcję więzienia, w którym przebywało wielu polskich patriotów po upadku Insurekcji Kościuszkowskiej, m.in. Tadeusz Kościuszko i Julian Ursyn Niemcewicz.

Książęcych zostali za zgodą króla polskiego **Hohenzollernowie** z B r a n d e n b u r g i i. Dążyli oni do całkowitego uniezależnienia Prus Książęcych od Polski. Królowie polscy, zajęci walką z Rosją, Szwecją i Turcją, nie interesowali się zanadto sprawami pruskimi. Dzięki temu elektorzy brandenburscy mogli wzmocnić swoje panowanie w Prusach, tłumiąc opór ludności, pragnącej połączenia Prus z Polską. W czasie najazdu szwedzkiego na Polskę elektorzy brandenburscy osiągnęli swój cel – Prusy Książęce uniezależniły się od Polski.

W **1701 r.** elektor brandenburski koronował się na „króla w Prusach", jako **Fryderyk I (1688–1713)**. W skład jego państwa weszły Brandenburgia, Prusy Książęce oraz drobne posiadłości w Niemczech. Powstanie Królestwa Pruskiego stanowiło wielkie zagrożenie dla Polski, ponieważ polskie Pomorze znajdowało się między posiadłościami brandenburskimi a Prusami Książęcymi. Nietrudno było odgadnąć, że królowie pruscy będą chcieli połączyć swe terytoria kosztem ziem polskich. Świadczyło o tym chociażby przyjęcie przez Fryderyka I tytułu k r ó l a p r u s k i e g o.

Królowie pruscy mieli silną władzę. Panowali, opierając swe rządy na bogatych właścicielach ziemskich zajmujących najwyższe stanowiska w państwie i w armii. Jednak szlachta pruska była tak samo zobowiązana do płacenia wysokich podatków jak chłopi i mieszczanie. Dzięki temu Prusy mogły utrzymywać bardzo liczne wojsko. W pierwszej połowie XVIII w., za panowania **Fryderyka Wilhelma I (1713–1740)** nazwanego w ł a d c ą - s i e r ż a n t e m liczebność armii pruskiej wzrosła do 90 tys. żołnierzy. W tym samym czasie Polska miała trudności z wystawieniem zaledwie 12-tysięcznej armii. Armia pruska była dobrze wyćwiczona i zdyscyplinowana.

Królowie pruscy prowadzili liczne i zwycięskie wojny, powiększając w ten sposób obszar swego państwa. Dla osiągnięcia tego celu posługiwali się również umiejętnie zdradą i podstępem.

Wybitnym władcą Prus był **Fryderyk II (1740–1787)**, wnuk założyciela królestwa Fryderyka I. Objął on rządy w 1740 r. W czasie jego

Fryderyk II

panowania Prusy stały się wielką potęgą militarną w Europie.

Wkrótce po objęciu władzy Fryderyk II wtargnął na Śląsk, będący wówczas pod panowaniem Austrii. Wojna o Śląsk ciągnęła się przez kilka lat. Austria zmuszona była wreszcie zrzec się Śląska na korzyść Prus. Zdobycie Śląska umocniło pozycję Prus w Europie. Prusy powiększyły swoje terytorium i zyskały wielkie bogactwa naturalne. Posiadłości pruskie otoczyły zatem granice Polski od strony zachodniej i północnej.

Rozwój terytorialny północno-wschodniej Brandenburgii i Królestwa Pruskiego w XVII i XVIII w.

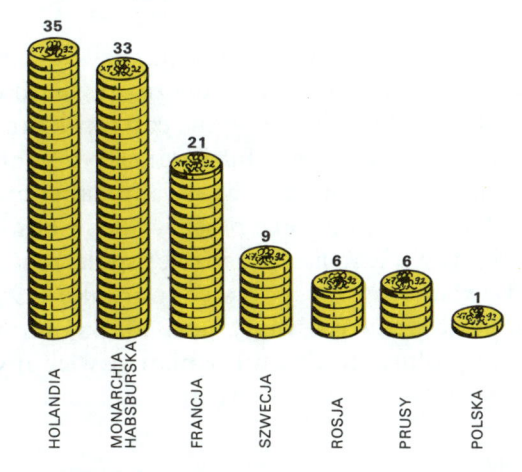

Struktura podatków przypadających na jednego mieszkańca w niektórych państwach europejskich, w latach osiemdziesiątych XVIII w.
Czy wiesz czemu służy płacenie podatków w państwie? Na podstawie diagramu, spróbuj powiedzieć, które z przedstawionych państw było najsilniejsze ekonomicznie, a które najsłabsze.

Fryderyk II był zawziętym wrogiem Rzeczypospolitej i korzystał z każdej okazji, aby działać na jej szkodę. Kazał fałszować u siebie monetę polską, którą następnie rozpowszechniał na ziemiach polskich. Na jego rozkaz porywano w Polsce młodych mężczyzn i siłą wcielano do armii pruskiej.

Polityka państw ościennych. Austria, Rosja i Prusy w ciągu XVIII w. wzmocniły znacznie władzę monarszą, przeprowadzały reformę administracji, skarbu i wojska. Kiedy w Polsce władza królewska słabła, w krajach sąsiednich we wszystkich prawie dziedzinach życia decydowała wola panującego. Cały zarząd państwem spoczywał bezpośrednio w rękach monarchy i jego ministrów. Natomiast wielcy panowie zostali odsunięci od władzy. Odtąd jedynym ich zajęciem był pobyt na dworze królewskim lub cesarskim, gdzie co najwyżej sprawowali honorowe funkcje bez żadnego praktycznego znaczenia. Urzędnicy z racji pełnienia swych stanowisk stawali się s z l a c h t ą u r z ę d n i c z ą. Władcy w celu wzmocnienia władzy i autorytetu państwa dążyli do stworzenia silnej i licznej, a przede wszystkim stałej, zawodowej armii. Na to z kolei potrzeb-

Szlachcice i magnat z XVIII w.

ne były pieniądze, które próbowano uzyskać, przeprowadzając reformy ekonomiczne i skarbowe. Taki ustrój, w którym występuje całkowite skupienie władzy w rękach króla lub cesarza, bez kontroli ze strony społeczeństwa, nazywamy **absolutyzmem**. Jeżeli podejmowane przez władców absolutnych reformy przyspieszają rozwój społeczeństwa, na przykład poprzez poprawę warunków życia społecznego, rozwój oświaty, gospodarki, nazywamy ich absolutyzm **absolutyzmem oświeconym**. Taki absolutyzm istniał w Austrii.

Ćwiczenia
1. Dlaczego w Austrii potrzebne były reformy?
2. Jak Maria Teresa i Józef II chcieli wzmocnić państwo?
3. Jakie reformy przeprowadził Piotr I?
4. Dlaczego Rosja walczyła ze Szwecją?
5. Jakie miasto założył Piotr I?
6. Jakie znaczenie dla Polski miało powstanie silnego państwa rosyjskiego?
7. Wskaż na mapie: a) Połtawę, b) Dźwinę i Zatokę Fińską, c) Petersburg.
8. Czym groziło Polsce powstanie Królestwa Pruskiego?
9. Opowiedz o rządach Fryderyka II.
10. Wskaż na mapie: a) Królestwo Polskie, b) Brandenburgię i Prusy Książęce, c) Śląsk.

Królowie pruscy wydawali przepisy, które regulowały życie w najdrobniejszych szczegółach. Oto jedno z takich zarządzeń:

„Kto nie wystawi na noc wiadra z wodą, płaci 12 koron grzywny, kto przechodzi przez ulicę z fajką w ustach, płaci 10 koron, kto nie posiada latarni w stajni – 1 koronę, kto przelazł przez płot koło ogrodu – 20 koron, kto kupuje lub sprzedaje w niedzielę i święta – 30 koron, kto w te dni śpiewa lub hałasuje w oberżach – 15 koron. Kto spośród młodych ludzi w niedzielę lub w święta w czasie nabożeństwa widziany będzie za miastem lub w parku – 10 koron".

2. Polska pod rządami Sasów

Jakie były przyczyny osłabienia władzy królewskiej w Rzeczypospolitej?
Przypomnij znaczenie określenia „wolna elekcja".

Osłabienie państwa. W pierwszej połowie XVIII w. państwo polskie przeżywało okres poważnego kryzysu politycznego. Były to czasy, kiedy w Polsce rządzili królowie z dynastii saskiej, **August II**

August II Mocny

(1697–1733) i **August III (1733–1763).** Ponieważ władza królewska była bardzo słaba, w rzeczywistości krajem rządzili magnaci, którzy uzależnili od siebie szlachtę, posiadającą formalnie te same prawa polityczne, co magnaci. Oprócz olbrzymich posiadłości i wspaniałych pałaców posiadali oni własne oddziały wojskowe, a szlachta na sejmach i sejmikach głosowała zgodnie z ich życzeniami.

W drugiej połowie XVII w. ustalił się zwyczaj, że gdy poseł na sejmie zawołał *veto* (*veto*, wyraz łaciński, – *nie pozwalam*), sejm był nieważny i musiał zakończyć swoje obrady. Nawet uchwały podjęte jeszcze przed zerwaniem sejmu były unieważniane. Decyzje na sejmie musiały zapadać jednomyślnie. Sposobem tym często posługiwali się magnaci, aby nie dopuścić do reform, które mogłyby zmniejszyć ich władzę.

Do pierwszego *liberum veto* doszło w **1652 r.**, kiedy za namową magnatów poseł Władysław Siciński nie dopuścił do przedłużenia obrad. Dawniej takiego posła wyrzucono by z sali, ale od połowy XVII w. *liberum veto* było prawem nienaruszalnym. Pewien żyjący w tamtym okresie holenderski aktor pokazał raz na przedstawieniu w teatrze jak wygląda polski sejm: rozwiązał obszerny wór pełen drobnego ptactwa, które poświergotało szukając wyjścia z sali, aż wreszcie drzwiami i oknami rozleciało się na wszystkie strony. Tak i sejm polski, pogadawszy na sesji, rozjeżdżał się do domu, a kraj daremnie oczekiwał reform.

Za Augusta II zrywany był mniej więcej co drugi sejm. Najczęściej zrywali sejmy posłowie należący do drobnej szlachty, przekupieni przez magnatów lub przez obce państwo.

Gdy szlachcie nie odpowiadała polityka króla, buntowała się ona przeciw jego władzy i tworzyła związki zbrojne, zwane r o k o s z a m i i k o n f e d e r a c j a m i. Ponieważ w kraju nie było silnej władzy, królowi zatem i centralnym urzędnikom było bardzo trudno czuwać nad całością państwa. W poszczególnych województwach rządziły sejmiki, które troszczyły się tylko o potrzeby szlachty z danej okolicy, a nie interesowały się sprawami całego państwa.

Typ rębacza sejmikowego
Na sejmach walnych, ale także na sejmikach prowincjonalnych, dochodziło często do nieporozumień, kończących się niejednokrotnie krwawą bójką i łapaniem się za szable i [...] *aby nie był rozsiekany szlachcic [...] pozbył się bez nagrody sukni, szabli, czasem jeszcze do tego ręki, ucha lub kawała szczęki wyciętej albo wcale i życia.*

Liberum veto w języku łacińskim „wolne nie pozwalam". Prawo zezwalające jednemu posłowi na zerwanie sejmu i unieważnienie wszystkich jego uchwał.

Rokosz Zbrojne wystąpienie szlachty przeciw królowi.

Konfederacja Związek zbrojny organizowany w dawnej Polsce przez rycerstwo, szlachtę lub wojsko w celu wywalczenia ważnych celów politycznych.

133

▲

Szlachta polska i litewska w mundurach wojewódzkich
Zwróć uwagę na chorągwie z godłem Korony i Litwy.
Spróbuj opisać szczegóły ubioru szlachcica.

Ten stan rzeczy szlachta nazywała „złotą wolnością". Była dumna z tej wolności i uważała, że Polska spośród wszystkich państw ma najlepsze prawa. Szlachta przekonana była, że państwu nic nie zagraża poza dążeniem władców do absolutyzmu, do ograniczenia jej swobód i przywilejów. Dlatego państwo nie miało również zapewnionej obrony. Stała armia wciąż była nieliczna. Ponieważ szlachta nie płaciła podatków, brak było pieniędzy na utrzymywanie wojsk najemnych. W pierwszej połowie XVIII w. liczba wojska stałego nie przekraczała 12 tys. W tym czasie np. armia pruska liczyła ponad 100 tys. żołnierzy.

Upadek gospodarki, kultury i oświaty. Także pod względem gospodarczym wystąpiły niekorzystne zmiany. W drugiej połowie XVII i w początkach XVIII w. gospodarka rolna w Polsce chyliła się ku upadkowi. W czasie wojen wiele wsi zostało spalonych. Znaczna część ziem leżała przez długie lata odłogiem, a gospodarstwa chłopskie często nie miały inwentarza koniecznego do uprawy ziemi. Dużo gruntów chłopskich zagarnęła szlachta, powiększając swoje folwarki, przez co wzrosła liczba chłopów bezrolnych i małorolnych.

Powiększenie folwarków spowodowało podwyższenie pańszczyzny. Chłopi uprawiali swą ziemię w dni wolne od pańszczyzny, a zdarzało się, że pracowali na własnej ziemi tylko wieczorami lub w dni świąteczne. Bezrolni i małorolni chłopi zmuszani byli do pracy, za którą otrzymywali niskie wynagrodzenie. Aby zapobiec próbom oporu ze strony chłopów, stosowano surowe kary za najmniejsze przewinienie. Kara śmierci groziła na przykład za takie przestępstwo, jak kradzież siana lub łowienie ryb w pańskim stawie.

Tak więc podstawowa gałąź ówczesnej gospodarki polskiej – rolnictwo – znajdowała się w stanie ruiny. Niesłychanie wolno podnosiło się ono z upadku, ponieważ szlachta wszystkie dochody z majątków wydawała na przyjemne życie, a chłopi nie mieli pieniędzy na inwestycje i nie byli nimi zainteresowani. Szlachta i tak zabrałaby w jakiś sposób zarobione przez nich pieniądze. Chłop, przygnieciony obowiązkami pańszczyźnianymi, pracował na folwarku niechętnie i mało wydajnie. Źle uprawiana ziemia dawała coraz gorsze plony. Zniszczeń i grabieży dokonywały obce wojska, ale i własne nie mniej pustoszyły kraj. Trzeba było je żywić, gdyż w przeciwnym razie żołnierze siłą zabierali żywność. Ciężar żywienia wojsk spadał przede wszystkim na chłopów i mieszczan. Chłopi, broniąc się przed uciskiem, coraz częściej odmawiali pracy na pańs-

Chłop zakuty w dyby
Od Średniowiecza było to narzędzie kary stosowane zwłaszcza wobec chłopów nie wypełniających obowiązków wobec swoich panów, bądź popełniających pospolite przestępstwa.

Chłopi pańszczyźniani przed dworem pańskim i odrabiający pańszczyznę w polu

Miasto polskie po najeździe szwedzkim

A oto jak wspominał najazd szwedzki świadek tamtych wydarzeń:
Część żołnierzy szwedzkich, która została do obrony zamku i miasta, gdy król z wojskiem dalej po całym Królestwie grasował, zajęła prawie wszystkie domy. Musieliśmy, choć niechętnie żywić ich i konie. Broń wszystkim odebrali, niektórych wypędzili z domów, innym zabrali wszystkie sprzęty i co miesiąc z każdego domu brali podatki nie do zniesienia.

Portret dominikanina

kim. Jednakże jakiekolwiek próby chłopskiego oporu były zawsze krwawo tłumione.

Ciężka sytuacja wsi odbiła się niekorzystnie również i na sytuacji miast. Chłopi nie kupowali wyrobów rzemieślniczych, bo nie mieli pieniędzy, a szlachta też ich nie kupowała, ponieważ sprowadzała potrzebne jej towary przeważnie z zagranicy. Poza tym już od XVI w. sejmy uchwaliły wiele ustaw szkodliwych dla mieszczan. Wojny XVII w., zwłaszcza wojny szwedzkie, do reszty wyniszczyły miasta. Wieś musiała stać się samowystarczalna pod względem gospodarczym. Miasta, świetnie rozwijające się jeszcze w XVI w., zaczęły się wyludniać. W wielu miastach liczba ludności zmniejszyła się o połowę.

Warszawa liczyła w końcu XVII w. zaledwie 6 tys. mieszkańców, a na przykład w Oświęcimiu z 500 domów po wojnach szwedzkich ocalało tylko 21. Odbudowa wielu miast trwała prawie sto lat.

Czasy saskie były okresem ciemnoty. Szkoły polskie w połowie XVIII w. znajdowały się przeważnie w rękach zakonu jezuitów. Nie uczono w nich języka polskiego, historii ani geografii ojczystego kraju, dbano tylko o naukę łaciny. Ze szkół tych wychodzili ludzie niedouczeni, lubujący się w wygłaszaniu przemówień na sejmikach i przy różnych innych okazjach. Nie interesowali się literaturą ani nauką. Obok modlitewników jedyną ich lekturą były kalendarze. Zawierały one informacje o urzędach, sądach, jarmarkach itd., a ponadto takie osobliwości, jak uwagi o wpływie gwiazd na życie człowieka, wiadomości, które dni w roku będą nieszczęśliwe, a które pomyślne, *z której strony świat jest okrąglejszy, jak daleko jest do piekła* itp.

136

Zacofanie i ciemnota występowały także w sprawach religijnych. Większość społeczeństwa polskiego w epoce saskiej tłumaczyła sobie wszelkie wydarzenia i zjawiska jako *zrządzenia boskie,* lub też jako *diabelskie praktyki, uroki* i *czary.* Dochodziło czasem do procesów przeciw rzekomym ,,czarownicom". W procesach tych niewinne kobiety skazywano na tortury i śmierć. Różnowierców poddawano ostrej krytyce.

Fragment Petersburga z XVIII w.

Uzależnienie Rzeczypospolitej od państw ościennych. Rody magnackie często prowadziły między sobą spory i waśnie o przewagę na dworze królewskim i w Rzeczypospolitej. Wysługiwały się państwom sąsiednim, a często były nawet przez nie opłacane. Czasem nawet wzywały na pomoc sąsiednie mocarstwa. W XVIII w. Rosja, Prusy i Austria chętnie tej pomocy udzielały. Państwa obce uważnie śledziły sytuację w Polsce. Nieraz też mieszały się w jej wewnętrzne sprawy.

Kiedy w początkach XVIII w. w czasie wojny północnej wojska szwedzkie wkroczyły do Polski, król szwedzki Karol XII polecił wybrać królem **Stanisława Leszczyńskiego,** wojewodę poznańskiego. Część szlachty poparła Leszczyńskiego, a część Augusta II. Dlatego mówiono wówczas ,,jedni do Sasa, drudzy do Lasa".

Po klęsce Szwedów pod Połtawą rządy objął ponownie August II. Chciał on wzmocnić swą władzę w Polsce i uzyskać dziedziczność polskiej korony dla swego rodu. Szlachta broniąc w o l n e j e l e k c j i podjęła walkę przeciwko Augustowi II. Wtedy w roli pośrednika wystąpił car Piotr I. **W 1717 r.** zwołano sejm, na którym August II musiał wyrzec się swoich planów. Ustalono, że armia polska nie będzie liczyła więcej niż 24 tys. żołnierzy. W ten sposób Piotr I chciał zapewnić sobie bezbronność Rzeczypospolitej i możność wtrącania się w jej wewnętrzne sprawy. Owe 24 tys. żołnierzy, to i tak było więcej wojska, aniżeli Polska miała go w rzeczywistości. Ponieważ żadnego z posłów nie dopuszczono do głosu, **sejm** t e n n a z w a n o **niemym.**

Po śmierci Augusta II ogromna większość szlachty po raz drugi wybrała królem Stanisława Leszczyń-

137

◄ Stanisław Leszczyński (1677–1766), był jednym z bardziej światłych polskich monarchów. Dwukrotnie zasiadał na tronie polskim, w latach 1704–1709 i 1733–1736. W 1705 r. zawarł niefortunny traktat ze Szwecją, uzależniając od niej Polskę. Po klęsce Karola XII zmuszony był abdykować w 1709 r. Jego drugie bardzo krótkie panowanie wiązało się z rywalizacją z Augustem II Sasem o polski tron. Augusta II poparła Rosja i Stanisław Leszczyński ostatecznie wyemigrował do Francji. Był ojcem królowej francuskiej Marii Leszczyńskiej.

Stanisław Leszczyński był gorącym wielbicielem sztuki i wielkim mecenasem artystów. Był także postępowym pisarzem politycznym. Sprzeciwiał się *liberum veto*, był zwolennikiem wzmocnienia władzy królewskiej i innych ważnych instytucji w kraju. Nie akceptował poddaństwa osobistego chłopów, z szacunkiem pisał o ich pracy: [...] *co czyni fortuny i utrzymanie nasze? jeżeli nie plebci* [chłopi] *prawdziwi nasi chlebodawcy, kiedy grzebią dla nas ustawicznie w ziemi, i skarbów dobywając, z ich roboty nasze dostatki, z ich pracy obfitość państwa, z ich handlów commercia* [rozwój handlu] *z ich roboty nasze wygody. Oni ciężar podatków znoszą, oni wojska rekrutem zasilają, oni nas na ostatek we wszystkich pracach zastępują, tak dalece, że gdyby chłopstwa nie było, musielibyśmy się stać rolnikami, i jeżeli kogo wynosząc mówimy: pan z panów, słuszniej by mówić: pan z chłopów* [...]

skiego. Przeciw Leszczyńskiemu wystąpiły jednak zgodnie: Rosja, Austria i Prusy. Te trzy państwa nie życzyły sobie wprowadzenia w Polsce żadnych reform, chciały więc na tronie polskim widzieć takiego króla, który byłby im całkowicie posłuszny. Królem został więc zgodnie z ich wolą syn Augusta II, August III. Rosja, Austria i Prusy jeszcze przed elekcją Augusta III zawarły między sobą porozumienie zwane traktatem **trzech czarnych orłów,** w którym zobowiązały się ustalać wspólnie każdorazowego kandydata na polski tron. Nazwa tego traktatu pochodziła stąd, że każde z tych państw miało w swym herbie czarnego orła. W taki oto sposób Polska stopniowo traciła swoją niezależność. Obce wojska swobodnie wkraczały na teren Rzeczypospolitej, grabiły i plądrowały kraj.

Ksiądz Stanisław Konarski i jego działania na rzecz wychowania światłych obywateli. W czasach saskich mimo powszechnej ciemnoty nie bra-

August III

kowało ludzi myślących o tym, jak podźwignąć kraj z upadku. Już w początkach XVIII w. pojawiły się pierwsze głosy wzywające do przeprowadzenia reform. Domagano się zwłaszcza ograniczenia *liberum veto* i wolnej elekcji. Do najbardziej światłych ludzi należał ksiądz **Stanisław Konarski (1700–1773)**. Rozwinął on ożywioną działalność na polu oświatowym, dążył również do realizacji projektów reform politycznych, które wzmocniłyby państwo. Konarski chciał wydźwignąć kraj z upadku przez wychowanie dobrych obywateli. Dlatego w **1740 r.** założył w Warszawie szkołę nie podobną do innych szkół istniejących w tym okresie. Nazywała się ona po łacinie *Collegium Nobilium* [czyt. Kolegium Nobilium], co znaczy: *szkoła dla szlachty*. Zgodnie z tą nazwą uczyły się w niej dzieci magnackie i szlacheckie. W programie szkoły znalazły się nauki przyrodnicze, oparte na najnowszych zdobyczach wiedzy, geografia, historia powszechna i Polski. Językiem wykładowym pozostała nadal łacina, ale nauczyciele zwracali także wielką uwagę na naukę języka polskiego. Na lekcjach geografii w *Collegium Nobilium* zastosowano po raz pierwszy w Polsce globus i mapy, uczono tam ponadto tańca, śpiewu, rysunków, jazdy konnej, słowem wszystkiego, co mogło się przydać wszechstronnie wykształconemu szlachcicowi. Z *Collegium Nobilium* wyszło wielu światłych obywateli rozumiejących potrzebę reform w kraju.

Uwagę Stanisława Konarskiego zajmowało nie tylko wychowanie młodzieży. W swoich licznych książkach omawiał różne bolączki nękające społeczeństwo. Największą sławę przyniosło mu dzieło *O skutecznym rad sposobie*.

W innych książkach ksiądz Konarski stawał w obronie mieszczan i chłopów. Dzieła Konarskiego wywołały wielkie poruszenie wśród szlachty. Znaczna jej część domagała się na sejmach publicznego spalenia książek Konarskiego, ale coraz więcej Polaków zaczynało rozumieć, że wprowadzenie w czyn myśli księdza Konarskiego może być bardzo pożyteczne dla kraju.

Stanisław Konarski był wybitnym reformatorem szkolnictwa w Rzeczypospolitej XVIII w. Jemu zawdzięczała młodzież szkolna nowe podręczniki i oświeceniowe programy szkolne. W swym najwybitniejszym dziele *O skutecznym rad sposobie* walczył o reformę sejmowania w Polsce.

Karta tytułowa *Głosu wolnego* Stanisława Leszczyńskiego

Ćwiczenia
1. Wyjaśnij znaczenie słów: *liberum veto*, „rokosz", „konfederacja". Co te pojęcia oznaczały w systemie państwowym Rzeczypospolitej?
2. Co szlachta nazywała „złotą wolnością"?
3. Jakie były przyczyny upadku gospodarki rolnej w Polsce w końcu XVII i w początkach XVIII w.?
4. Dlaczego położenie chłopów uległo pogorszeniu?
5. Jakie były przyczyny upadku miast?
6. Dlaczego w czasach saskich upadła oświata i kultura?
7. Dlaczego państwa sąsiednie chciały ograniczyć liczbę wojska stałego w Polsce?
8. W jakim celu Stanisław Konarski założył *Collegium Nobilium*?
9. O co walczył Konarski w książce *O skutecznym rad sposobie*?

„Rady praktyczne" pochodzące z książki napisanej w czasach saskich:

> „Kość z uda żaby wyjąć, tą kością zębów dotykać, przestaną boleć".
> „Oko jaskółcze włożywszy do pościeli czyjej, snu mu odbierzesz [...] dobry sposób na śpiochów".
> „Chmurze gradowej pokazać wielkie zwierciadło i przeciw niej wystawić, kędy inędy obróci się".

Próby reformy Rzeczypospolitej. Pierwszy rozbiór Polski

1. Ostatnia elekcja w Polsce

Przypomnij, jaką politykę wobec Rzeczypospolitej prowadziły: Rosja, Prusy i Austria?

Elekcja Stanisława Poniatowskiego. Jeszcze za życia Augusta III Sasa powstały w Polsce dwa wrogie sobie stronnictwa magnackie. Na czele jednego z nich stała rodzina Czartoryskich, która dążyła do przeprowadzenia pewnych reform w państwie. Chciała ona uporządkować sprawy związane z dochodami skarbu państwa i wydatkami państwowymi, zwiększyć liczbę wojska, znieść *liberum veto*. Drugie stronnictwo, które miało poparcie najbardziej zacofanych mas szlacheckich, dążyło do zachowania „złotej wolności".

Oba stronnictwa starały się pozyskać sobie szlachtę i zdobyć przychylność obcych państw. Walka między tymi stronnictwami rozgorzała z całą zaciętością po śmierci Augusta III. W związku z mającą się odbyć elekcją Czartoryscy poparli jako kandydata na króla Stanisława Poniatowskiego, wysuniętego przez carową rosyjską Katarzynę II. Katarzyna sądziła, że przez osobę swojego protegowanego będzie miała wpływ na sprawy polskie.

Stanisław Poniatowski pochodził z niedawno wzbogaconej rodziny szlacheckiej. Na ostatniej w dziejach Rzeczypospolitej wolnej elekcji jego właśnie wybrano królem Polski. Podczas ceremonii koronacji przybrał imię August i jako **Stanisław August Poniatowski** panował w latach **(1764–1795)**. Nowy król był człowiekiem wszechstronnie wykształconym i przekonanym o potrzebie

Stanisław August Poniatowski w stroju koronacyjnym. Portret namalowany przez jednego z najwybitniejszych malarzy polskiego Oświecenia Marcello Bacciarellego. A oto jak oceniał króla Franciszek Karpiński, pisarz oświeceniowy. Czy zgodzisz się z tą opinią?
Król miał oblicze szanowne, serce najlepsze, wiadomości rzeczy wielkie, grzeczność w obcowaniu nadzwyczajną, wymowę niepospolitą, ale razem w czynnościach tak słaby, że sam sobie prawie nigdy nie wierzył i dlatego radząc się drugich, każdy według interesu swego przeciągnął go w stronę, gdzie zdążał.

Katarzyna II (1729–1796)
W latach 1765–1767 wydała ukazy zabraniające chłopom wnoszenia skarg na swoich panów. Szlachcie potwierdziła prawa do zsyłania swych poddanych bez sądu na katorgę. Uczestniczyła we wszystkich trzech rozbiorach Polski.

Książę Adam Kazimierz Czartoryski (1734–1823), przedstawiciel oświeconej magnaterii, krzewiciel oświaty, wybitny mecenas sztuki, miłośnik książek.

przeprowadzenia wielu reform, koniecznych do wzmocnienia państwa. Popierał więc wysiłki zmierzające do zniesienia *liberum veto,* zwiększenia dochodów skarbu i podniesienia liczebności wojska. Jednakże bardzo niewiele z tych zamierzeń udało się mu zrealizować, zarówno wskutek działań Katarzyny II, jak i niepopularności programu reform wśród szlachty. Nawet ta część społeczności szlacheckiej, która była związana z Czartoryskimi i od nich uzależniona, niechętnym okiem spoglądała na przeprowadzane reformy.

Obce mocarstwa, zwłaszcza zaś Prusy i Rosja, wrogo odnosiły się do zamierzeń króla i Czartoryskich. Państwa te obawiały się, że po przeprowadzeniu reform Polska może uzyskać znaczną niezależność. Postanowiły one czynnie wmieszać się w wewnętrzne sprawy Polski, aby obalić przeprowadzone już niewielkie reformy i doprowadzić do takiego stanu, jaki istniał za panowania Sasów. Aby mieć pretekst do wmieszania się w wewnętrzne sprawy Rzeczypospolitej, Rosja i Prusy zażądały równouprawnienia r ó ż n o w i e r c ó w.

Stanisław August i Czartoryscy nie byli temu przeciwni, lecz z obawy przed wzburzeniem ciemnej i zaślepionej fałszywą pobożnością szlachty katolickiej odrzucili to żądanie.

Na sejmie w **1767 r.** szlachta pod wpływem Rosji i Prus obaliła dotychczasowe reformy. Natomiast wysunięte przez te państwa żądanie równouprawnienia różnowierców wywołało gwałtowny sprzeciw. Wtedy senatorowie, którzy najmocniej przeciwko temu protestowali, zostali porwani i wywiezieni w głąb Rosji. Stosując tego rodzaju metody Rosja i Prusy osiągnęły swój cel. Dotychczasowe przywileje szlacheckie, będące źródłem słabości Polski, zostały utrzymane, a Katarzyna II czuwała nad tym, aby ich nie naruszano.

Konfederacja barska. Brutalne mieszanie się carowej Katarzyny w wewnętrzne sprawy Polski, zwłaszcza zaś, porwanie i wywiezienie opornych senatorów, doprowadziło do wzburzenia części szlachty. W **1768 r.** w miasteczku **Bar** n a P o d o l u zawiązała ona k o n f e d e r a c j ę skierowaną przeciwko Rosji i królowi. Konfederaci chcieli zachować przywileje szlacheckie, nie zgadzali się jednak na mieszanie się Rosji w sprawy polskie. Występowali w obronie niepodległości państwa, jednocześnie chcieli pozbawić Stanisława Augusta korony, a nawet próbowali porwać króla. Mimo, iż konfederaci bronili starego, przeżytego już, ustroju wskazywali jednocześnie społeczeństwu, że trzeba i można walczyć z mieszaniem się obcych państw w sprawy kraju i bronić jego niepodległości.

Walki konfederatów trwały cztery lata. Przedłużanie się wojny z konfederatami barskimi zaczęło niepokoić Katarzynę II. W tych warunkach zdecydowała się ona na dokonanie rozbioru Polski, którego plany wysuwały już wcześniej Prusy. Porozumienie między zaborczymi państwami sprawiło, że opór konfederatów załamał się.

Oddział konfederatów barskich składa kapitulację przed oficerem austriackim

Pierwszy rozbiór Polski (1772). Na mocy zawartego układu między Rosją, Austrią i Prusami w 1772 r. dokonano pierwszego rozbioru Polski. Prusy zagarnęły Pomorze bez Gdańska i Torunia, Warmię i część Wielkopolski. Rosja zajęła ziemie białoruskie nad górną Dźwiną i górnym Dnieprem, Austrii zaś przypadła duża część Małopolski i ziemie ukraińskie aż po rzekę Zbrucz.

W wyniku rozbioru Polska utraciła prawie 1/3 swego obszaru i 2/5 ludności. Pod panowaniem pruskim znalazła się przeważnie ludność polska, pod austriackim – polska i ukraińska, pod rosyjskim – białoruska.

Najcenniejsze dla Polski ziemie zagarnęły Prusy i Austria. Prusy opanowały dolną Wisłę, ale bez Gdańska, odcinając Polskę od morza, a Austriacy zagarnęli kopalnie soli w Wieliczce i Bochni.

Szlachta, która znalazła się pod obcym panowaniem, bez protestów składała przysięgę na wierność nowym władcom. Pod naciskiem państw zaborczych został zwołany w **1773 r.** sejm, który miał zatwierdzić rozbiór ziem polskich. Większość posłów była przekupiona przez zaborców i nie wahała się złożyć swego podpisu pod haniebnym dokumentem. Tylko nieliczni posłowie protestowali przeciwko przygotowywaniu rozbioru kraju. Wśród nich najbardziej odważnie i patriotycznie wystąpił poseł ziemi nowogródzkiej **Tadeusz Rejtan.**

Cło Opłata pobierana przez państwo od przywozu i wywozu towarów przez jego granice.

Opór garstki posłów nie zdał się na nic, ponieważ sejm był skonfederowany, co znaczyło, że uchwały na nim zapadały większością głosów, nie można więc było go zerwać, wykorzystując *liberum veto*. Rozbiór został zatwierdzony.

Na tymże sejmie podjęto jednak kilka pożytecznych postanowień. Powołano do życia tzw. **Radę Nieustającą** – pierwszy po wielu latach w miarę sprawnie działający organ władzy wykonawczej, związany z sejmem, choć podporządkowany Rosji. Podjęto również kilka uchwał w sprawach gospodarczych oraz oświatowych. Liczbę wojska podniesiono do 30 tys. W celu zapewnienia środków na jego utrzymanie zreformowano cła i poda-

Rzeczpospolita po I rozbiorze

tki. Pozwoliło to na podwyżkę dochodów skarbu, ale nadal był to dochód niewystarczający na potrzeby państwa. Utworzono także Komisję Edukacji Narodowej, jako odrębny organ kierujący szkolnictwem w całym kraju.

Ćwiczenia
1. Dlaczego Czartoryskim nie udało się przeprowadzić reform w Polsce?
2. Do czego dążyli konfederaci barscy?
3. Jak doszło do pierwszego rozbioru Polski?
4. W jaki sposób został zatwierdzony układ rozbiorowy?
5. Jakie korzystne dla kraju postanowienia podjęto na sejmie porozbiorowym?
6. Wskaż na mapie ziemie, które Polska utraciła w pierwszym rozbiorze.

Maria Konopnicka: *O Panu Tadeuszu Rejtanie*. Wiersz jest poetyckim przedstawieniem wydarzeń związanych z zatwiedzeniem postanowień rozbiorowych, jak gdyby poetycką ilustracją obrazu Matejki. Za rozbiorem byli nie tylko senatorowie, ale i niektórzy inni magnaci.

W kwietniowy poranek	Wstydno było Moskwie,
Świat się łuną pali –	że ją rozbiór plami.
Idą pany senatory,	Dalej pany senatory,
Stronniki Moskali.	Podpisujcie sami!

▲ Tadeusz Rejtan (1741–1780) na sejmie warszawskim 1773 r. Poseł ziemi nowogródzkiej mężnie opierał się hańbiącemu zatwierdzeniu aktu rozbiorowego. Trwogę Rejtana w pełni oddaje tekst pieśni, która była popularna w czasach stanisławowskich:

Przebóg, kto czuje, niechaj ratuje,
Matkę Ojczyznę, widząc Jej bliznę
Gdy wolność, prawa, wiara i sława
Są Jej odjęte – Czasy przeklęte!

Zapamiętaj datę **1772**

▲
Rozbiór Rzeczypospolitej
Karykatura na I rozbiór Polski 1772 r. Współczesna wydarzeniom ilustracja przedstawia: na lewo – Katarzyna II, naprzeciw niej Fryderyk Wielki i Józef II. Jak zachowują się władcy? Obok Katarzyny II król Stanisław August akceptujący akt rozbiorowy.
Czy chciał dzięki temu uratować koronę?

Podpisujcie sami,
Pieczętujcie znakiem
Że z was pany senatory,
Nikt nie jest Polakiem!

Idą kupą całą
Do sejmowej sali,
Podpisują rozbiór Polski,
Stronniki Moskali.

Pan Tadeusz Rejtan,
Hańbą się nie splami,
On nie uzna krzywdy kraju,
Razem ze zdrajcami.

Pan Tadeusz Rejtan
W progu się położy,
Pozwie pany senatory
Na wielki sąd Boży.

Położył się w progu
Szablę w ręku gniecie:
,,Chyba, że po moim trupie
Do zdrady dojdziecie!

Zaklinam Was, Pany,
Na Chrysutsa rany,
Pamiętajcie na Ojczyznę,
Na ten kraj kochany!"

Leży Rejtan w progu,
Cisza trwa na sali
Bledną pany senatory,
Stronniki Moskali.

Wtem Poniński zdrajca
Pierwszy ruszył krokiem,
Za nim pany senatory
Ze spuszczonym wzrokiem.

I przez pierś Rejtana,
Wolności anioła,
Przeszły pany senatory
Wytartego czoła.

Aż Bibikow Moskal
Westchnie w mowie swojej
,,Na leżącym tym Polaku
Cała Polska stoi!"

W I rozbiorze Polska utraciła:
na rzecz Austrii – 83 tys. km^2 – 2 650 tys. ludności,
na rzecz Prus – 36 tys. km^2 – 580 tys. ludności,
na rzecz Rosji – 92 tys. km^2 – 1 300 tys. ludności.

2. Ożywienie gospodarcze w czasach stanisławowskich

Przypomnij, jak wyglądała sytuacja gospodarcza w pierwszej połowie XVIII w.
Co oznacza słowo „czynsz", „pańszczyzna"?

Przemiany w gospodarce szlacheckiej. Rozwój manufaktur. W drugiej połowie XVIII w. w Polsce zaznaczyło się ożywienie gospodarcze zarówno na wsi, jak i w mieście. Dotychczasowe sposoby gospodarowania stosowane w rolnictwie okazały się mało korzystne i niewydajne. Niektórzy właściciele ziemscy zaczęli więc unowocześniać swoje folwarki. Powszechnie dotąd obowiązującą p a ń s z c z y z - n ę zamieniali na c z y n s z, a ponadto wprowadzali uprawy dotychczas rzadko spotykanych roślin, jak ziemniaki, koniczyna, bób, groch itp. Chłopów pracujących w swych dobrach zaopatrywali w nowoczesne jak na owe czasy narzędzia: kosy, pługi z żelaznym lemieszem, żelazne brony.

Choć zmiany te w nieznacznym tylko stopniu poprawiły dolę chłopa i nie objęły większości gospodarstw, przyczyniły się jednak do wzrostu produkcji rolnej i zwiększenia hodowli.

Nastąpiło też znaczne ożywienie handlu. Ulepszono komunikację naprawiając drogi, budując nowe trakty i przekopując kanały. Zboże polskie płynęło Wisłą do Gdańska, skąd wywożono je do krajów zachodnioeuropejskich. Kiedy Prusy po

Zebranie w karczmie. Rysunek J.P. Norblina, rysownika i dokumentalisty życia prostych ludzi osiemnastowiecznej Rzeczypospolitej.

Widok na lewobrzeżną część Warszawy z Zamkiem Królewskim

Portret rodziny Sieniawskich z początku XVIII w. Magnateria polska już w czasach saskich włączyła się aktywnie w rozwój licznych manufaktur, które dawały zatrudnienie rzemieślnikom, a także chłopom pańszczyźnianym. Znane były Radziwiłłowskie huty szklane w Nalibokach i Urzeczu czy manufaktura sukiennicza w Nieświeżu. Ród Sieniawskich natomiast uruchomił kopalnie ołowiu koło Krzeszowic w 1721 r.
Zwróć uwagę, jakie przedmioty świadczące o sprawowanych urzędach trzymają w rękach – pierwszy od lewej – Stanisław Ernest Denhoff i Adam Mikołaj Sieniawski.

zaborze Pomorza w 1772 r. obłożyły handel wiślany wysokimi cłami, wykorzystywano szlaki lądowe oraz szlaki wodne prowadzące do Morza Czarnego.

Polskie zboże wysyłano nie tylko za granicę. Zapotrzebowanie na artykuły rolne istniało również w miastach polskich, które w drugiej połowie XVIII w. zaczęły dźwigać się z upadku. Rozwijał się w nich handel, rzemiosło i przemysł manufakturowy, wzrastała liczba mieszkańców.

M a n u f a k t u r y produkowały przede wszystkim wyroby żelazne, włókiennicze, skórzane, ceramiczne, szklane i papiernicze. Wiele z nich istniało bardzo krótko, zwłaszcza krótki był żywot manufaktur magnackich, zatrudniających chłopów pańszczyźnianych, a produkujących przedmioty zbytku, jak powozy, dywany, porcelanę. Trwalsze były manufaktury mieszczańskie, wytwarzające głównie artykuły codziennego użytku.

Przekupka gdańska z XVIII w.

Przekupnie na placu Zamkowym w Warszawie

Wzrost znaczenia mieszczaństwa. W drugiej połowie XVIII w. zaczęły się odradzać również miasta. Jedną z przyczyn tego stanu rzeczy było powstanie przemysłu manufakturowego, co spowodowało zwiększone towarowo-pieniężne kontakty między miastem a wsią.

Do tej pory większość miast miała charakter rolniczy, a niektóre liczyły mniej mieszkańców niż przeciętna wieś. Teraz w wielu miastach rozwijały się manufaktury, głównie sukiennicze i skórzane, a stosowano w nich zwykle pracę najemną. Fachowców sprowadzano z zagranicy. W państwie starano się stworzyć warunki sprzyjające wymianie handlowej. Służyło temu przede wszystkim wprowadzenie jednolitej opłaty celnej przy likwidacji dotychczas istniejących prywatnych ceł i m y t.

Budowano nowe drogi i połączenia wodne. Wielką rolę odgrywały zwłaszcza dwa kanały: **im. Ogińskiego**, łączący Niemen z Prypecią i Dnieprem oraz **Królewski**, łączący Bug z Prypecią. Ułatwiały one transport artykułów rolnych i innych ze wschodnich ziem Rzeczypospolitej. Na tle tego ożywienia gospodarczego dało się zauważyć podniesienie roli mieszczaństwa zarówno w życiu samych miast, jak i w życiu politycznym kraju. Pisarze pochodzenia mieszczańskiego zaczęli głosić hasła zmierzające do zrównania w prawach mieszczan ze szlachtą. Trzeba jednak powiedzieć, że wzrost znaczenia miast i mieszczaństwa nie wszędzie postępował w jednakowym tempie. Najlepiej przedstawiała się sytuacja w W i e l k o p o l s c e, gdzie np. w województwie poznańskim mieszczaństwo stanowiło 30% ludności. Dobrze rozwijała się W a r s z a w a, natomiast słabiej miasta wschodnich ziem Rzeczypospolitej, a jeszcze słabiej – miasta w zaborze austriackim. Istniejące prawa w dużym stopniu hamowały wzmacnianie się miast i mieszczaństwa.

Rozwój Warszawy. Wszechstronny rozwój miast w czasach stanisławowskich ogarnął zwłaszcza Warszawę. Poza licznymi manufakturami powstały tu również mieszczańskie d o m y b a n k o w e. Bankierzy udzielali pożyczek przedsiębiorcom, królowi i magnatom, a także inwestowali sami w przemysł i handel. Powiększyła się znacznie liczba mieszkań-

Sprzedawca mioteł
Zwróć uwagę na to, jak ubierali się w XVIII w. ludzie pochodzący z niższych stanów, czyli tzw. pospólstwo.

Myto Opłata uiszczana za przejazd przez rogatki miasta.

Fragment ulicy Długiej w Warszawie. Wiek XVIII

Ulica Miodowa w Warszawie. Obraz Bernardo Belotto zwanego Canalettem
Pisano o niej że [...] *należy* [...] *do najlepszych i zawiera oprócz pałaców sześciu wiele kościołów i klasztorów.*

ców. Jeszcze w połowie XVIII w. liczono w stolicy od 20 do 30 tys. ludności, w 1787 r. – 89 tys. (bez Pragi), a w 1792 r. ponad 110 tys. W mieście powstawały okazałe budynki: kościoły, pałace i kamienice mieszczańskie. Ulice brukowano i ustawiano na nich latarnie. Największą jednak ozdobą Warszawy był Z a m e k   K r ó l e w s k i, z przepychem urządzony przez ostatniego monarchę.

Ćwiczenia
1. W czym przejawiało się ożywienie gospodarki szlacheckiej w drugiej połowie XVIII w.?
2. Co produkowały manufaktury magnackie, a co mieszczańskie?
3. W jaki sposób państwo starało się stworzyć warunki sprzyjające rozwojowi handlu i przemysłu?
4. Jakie było znaczenie kanałów zbudowanych w czasach stanisławowskich?
5. Opowiedz o rozwoju Warszawy w drugiej połowie XVIII w.
6. Wskaż na mapie: a) szlak Wisłą do Gdańska (Wytłumacz, dlaczego władze pruskie mogły ściągać cło od kupców polskich)
   b) Kanały Ogińskiego i Królewski.

Fragment pamiętnika cudzoziemca rodem z Inflant F. Schulza, który odwiedził Polskę w drugiej połowie XVIII w.

„Budownictwo znakomite uczyniło postępy. Ze wszystkich sztuk ono za panowania teraźniejszego króla najczynniej (go) zajmowało. Wszystko, co uderza w oczy odnowieniem, nowością w pałacach, kościołach, domach Warszawy od lat dopiero trzydziestu się wzniosło. Król sam po spaleniu się pięknej, podwórze otaczającej części zamku, z gruntu ją odbudował; pałacyk w Łazienkach ze wszystkim, co go otacza, nowa część Ujazdowa i inne gmachy, odznaczające się smakiem, są jego dziełami [...] Wiele majętnych rodzin wystawiło pałace lub zrestaurowało [odnowiło], a prawie na każdej ulicy stoją pojedyncze domy prywatne, które najpiękniejszym w Wiedniu, Berlinie i Monachium nie ustępują".

O uczestnikach „obiadów czwartkowych" możesz dowiedzieć się więcej z książki H. Winnickiej *Wizerunki Oświeconych*.

3. Kultura polskiego Oświecenia

Przypomnij najważniejsze osiągnięcia polskiej nauki i kultury, o których pisano wcześniej w podręczniku.

Szkoła Rycerska. W 1765 r. król Stanisław August Poniatowski założył w Warszawie S z k o ł ę R y - c e r s k ą. Większą część uczącej się w niej młodzieży utrzymywało państwo. Dzięki temu możność kształcenia się w niej uzyskała także biedniejsza młodzież szlachecka. Wychowankowie Szkoły Rycerskiej nosili mundury i odbywali ćwiczenia wojskowe, nie oznaczało to jednak wcale, że wszyscy w przyszłości musieli zostać oficerami. Właściwym jej celem było wychowanie uczniów na oświeconych obywateli i dobrych patriotów. Była to pierwsza w dziejach Polski szkoła świecka; nie było w niej nauczycieli duchownych, a liczbę lekcji religii i łaciny zmniejszono na rzecz języka polskiego, francuskiego, niemieckiego i innych przedmiotów, mających znaczenie praktyczne. Szkoła Rycerska mogła pochlu-

Szkoła Rycerska

bić się wielu wychowankami, którzy przynieśli jej zaszczyt swoją późniejszą działalnością. Należeli do nich między innymi Tadeusz Kościuszko, generał i przywódca powstania, Julian Ursyn Niemcewicz, pisarz i polityk, oraz generał, rewolucjonista i poeta – Jakub Jasiński.

Komisja Edukacji Narodowej (1773 r.). W tym czasie gdy Rosja, Prusy i Austria dokonały rozbioru Polski, papież rozwiązał zakon jezuitów. Ponieważ zakon ten prowadził większość szkół w Polsce, trzeba było na nowo zorganizować szkolnictwo. W 1773 r. sejm postanowił, że sprawami oświaty i wychowania zajmie się specjalnie w tym celu powołana K o m i s j a E d u k a c j i N a r o d o w e j, zwana też w skrócie Komisją Edukacyjną.

Sieć szkół Komisji Edukacji Narodowej

Była ona jakby pierwszym ministerstwem oświaty w Polsce, także jednym z pierwszych w Europie.

Komisja Edukacyjna przeprowadziła wielką reformę nauczania. Na oświatę przeznaczono dochody uzyskane ze sprzedaży dawnych dóbr jezuickich. Za pieniądze te utrzymywano szkoły, wydawano podręczniki i pokrywano inne wydatki szkolnictwa. Komisji podlegało całe polskie szkolnictwo, od Akademii Krakowskiej do szkół parafialnych.

Wprowadzono jednolitą organizację szkolnictwa. Szkołami wyższymi były: Akademia Krakowska i Wileńska, które nazwano Szkołami Głównymi. Podlegały im szkoły wydziałowe, które były szkołami średnimi wyższego typu, oraz szkoły podwydziałowe, zaliczane do szkół średnich niższego typu. Szkoły wydziałowe i podwydziałowe pełniły nadzór nad szkołami najniższego stopnia – parafialnymi.

Nauka we wszystkich szkołach miała odbywać się w języku polskim. W szkołach średnich uczono wprawdzie nadal łaciny, ale obok niej wprowadzono lekcje innych obcych języków, jak niemiecki i francuski. Uczono również matematyki, fizyki i botaniki, a także historii, geografii i higieny, a w szkołach parafialnych – rolnictwa i ogrodnictwa. Każdy uczeń miał poznać i zrozumieć swoje przyszłe obywatelskie obowiązki, i nauczyć się żyć tak, aby *jemu było dobrze i z nim było dobrze*.

Komisja zaleciła, aby w szkołach jednakowo traktowano dzieci mieszczańskie, szlacheckie i chłopskie. Dotyczyło to szkół parafialnych, w których stykali się z sobą uczniowie różnych stanów.

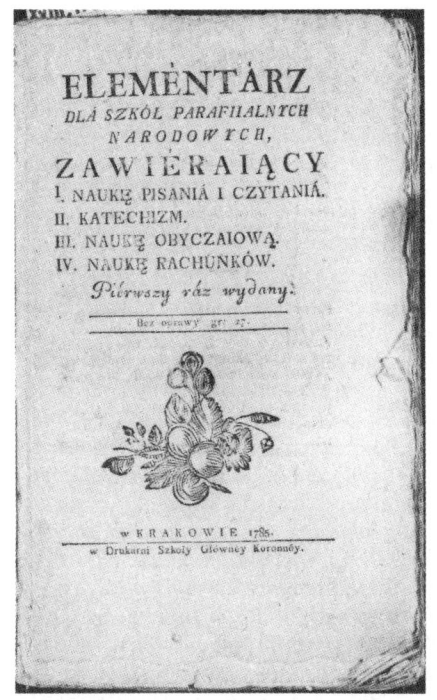

Elementarz dla szkół parafialnych narodowych

Prezesem Towarzystwa, które zapisało jedną z piękniejszych kart w dziejach książki polskiej był Ignacy Potocki. Zasługą działaczy polskiego Oświecenia, w tym także wydawców, drukarzy i księgarzy, było stworzenie silnej tradycji kulturalnej, która nawet w czasach niewoli podtrzymywała odrębność narodową Polaków i kształtowała ich kulturę.

Projekt szkoły dla nauczycieli parafialnych

Gmach Biblioteki Załuskich
Bibliotekę Załuskich zebrał głównie wymieniony już uczony wielki referendarz koronny; jest to ogromny zbiór przeszło 200 tys., a teraz nawet 400 tys. tomów; zatem jedna z dwóch lub trzech największych książnic w Europie. Były wielki kanclerz i biskup krakowski hr. Andrzej Stanisław Kostka Załuski, brat hr. Józefa Andrzeja, także wiele się do tego przyczynił, szczególnie przez darowanie Daniłowiczowskiego letniego pałacu na pomieszczenie książek i przekazanie znacznego, na dziedzicznych jego dobrach zabezpieczonego funduszu na utrzymanie i powiększenie biblioteki. Wzrosła ona tak znacznie przez częste włączanie prywatnych bibliotek, jak na przykład Sobieskich [...], lotaryńskiej Załuskich, którą wielki referendarz koronny podczas pobytu swego w Lotaryngii zebrał [...] Najznakomitsza sala, a także jedyna zarazem i ozdobna i przepyszna, zawiera francuskie, a także inne dzieła odznaczające się miedziorytami lub zewnętrzną pięknością.

Ignacy Potocki (1750–1809)

Komisja zdawała sobie sprawę, że w celu zapewnienia odpowiedniego poziomu nauki w szkole potrzebne są odpowiednie podręczniki. Dlatego utworzono **Towarzystwo do Ksiąg Elementarnych,** wchodzące w skład Komisji Edukacyjnej i zajmujące się wydawaniem podręczników szkolnych. Sekretarzem Towarzystwa został wybitny pedagog **ksiądz Grzegorz Piramowicz (1735– 1801).** W ciągu kilkunastu lat Towarzystwo wydało 27 typów podręczników do różnych przedmiotów nauczania. Niektóre z książek, które wydrukowano staraniem Towarzystwa uzyskały opinię n a j l e p - s z y c h p o d r ę c z n i k ó w s z k o l n y c h w ó w - c z e s n e j E u r o p i e.

Wielką zasługą Komisji Edukacji Narodowej było uwolnienie oświaty spod wpływów Kościoła. Dotychczas szkoły organizowali i prowadzili duchowni, teraz zakładało je państwo. Podlegały one władzom państwowym, a nie, jak poprzednio, kościelnym. Zaczęli w nich uczyć świeccy nauczyciele. To wszystko było wielkim krokiem naprzód w porównaniu ze szkolnictwem czasów saskich. Duża część zacofanej szlachty nie uznawała nowych szkół i domagała się ich zniesienia. Komisja Edukacyjna przetrwała do 1794 r. W czasie swego istnienia przyczyniła się do wychowania wielu tysięcy Polaków na dobrych obywateli kraju.

Teatr narodowy. Za Stanisława Augusta nastąpił rozkwit teatru narodowego. Staraniem króla w **1765 r.** rozpoczęto w Warszawie wystawianie sztuk polskich w stałym teatrze. Początki teatru

◀ **Teatr Narodowy na placu Krasińskich**
Wspomniany teatr zbudowany był ze szkatuły królewskiej i z tego już wnioskować łatwo, że mu na wygodzie, smaku i piękności nie zbywa [...] Jest to piękny owal mający cztery rzędy lóż w czterech piętrach, a urządzenie jego uderza prostotą i dobrym smakiem. Parter do połowy ławkami zajęty, a pół bez ławek. Scena sama obszerna, pięknie przyozdobiona, ma urozmaiconą i sprawną maszynerię.

narodowego wiążą się z nazwiskiem **Wojciecha Bogusławskiego,** który w chwilach przełomowych dla Polski wystawiał najcelniejsze, patriotyczne sztuki. Dążył do wyparcia teatru obcego, wiążąc swój teatr zawsze z życiem narodu. Opracował i wystawił pierwszą polską operę.

Wojciech Bogusławski był m.in. autorem sztuki pt. *Cud mniemany, czyli Krakowiacy i Górale.* Przedstawił w niej obraz pojednania stanów dla dobra ojczyzny. W sztuce *Powrót posła* Juliana Ursyna Niemcewicza autor ośmieszał przeciwników reform w Polsce. W komedii Franciszka Zabłockiego pt. *Sarmatyzm* ośmieszone zostały przywary społeczeństwa szlacheckiego. Teatr poprzez treść swoich sztuk stawał się coraz bliższy szerokiej publiczności, nie tylko dostarczał rozrywki, ale i uczył patriotyzmu.

Sztuka czasów stanisławowskich. Za panowania Stanisława Augusta nastąpiło w Polsce ożywienie życia kulturalnego. Król sprowadzał wielu zagranicznych malarzy, rzeźbiarzy i architektów, opiekował się także artystami polskimi. Wśród malarzy obcego pochodzenia wielką sławę w Polsce zdobył **Bernardo Belotto** zwany **Canaletto** [czyt. Kanaletto] i **Marceli Bacciarelli** [czyt. Bacziarelli].

Zamek Królewski w Warszawie został odnowiony i ozdobiony obrazami i rzeźbami. Ulubioną siedzibą króla był pałacyk w warszawskich Łazien-

Strona tytułowa „Gazety Warszawskiej", pisma codziennego ukazującego się w osiemnastowiecznej Warszawie

155

Pałac Na Wodzie i teatr Na Wyspie, stanowią część pięknego kompleksu z parkiem i innymi budowlami, tworzącymi Łazienki Królewskie, które zbudowane zostały na miejscu dawnej łazienki usytuowanej na terenie zwierzyńca przy zamku Ujazdowskim. Kompleks pałacowy Łazienek zaczęto budować w końcu XVII w. na zlecenie ks. Lubomirskiego. Ale dopiero nowy właściciel Ujazdowa Stanisław August Poniatowski w XVIII w. wybudował tu swoją letnią rezydencję. To właśnie w pałacu Na Wodzie odbywały się słynne „obiady czwartkowe".

Pałac w Łańcucie. Salon zimowy. W głębi fajansowy piec, na ścianach wiszą portrety Artura Potockiego i Adama Potockiego. W salonie umieszczono także wazy chińskie.

kach, którego budowa i urządzanie trwały prawie 30 lat. Znalazły w nim swoje miejsce zbiory dzieł sztuki, a także pokaźna biblioteka.

W architekturze okresu stanisławowskiego rozwijane były różne style, ale dominował styl zwany k l a s y c y z m e m. Nawiązywał on silnie do sztuki starożytnej, cechował go nie natłok różnych form architektonicznych, ale spokój i harmonia. Za przykładem króla szli magnaci i szlachta, przyozdabiając swe siedziby klasycystycznymi kolumnami, a także mieszczanie upodabniając swe kamienice do klasycystycznych pałaców. Zostały rozbudowane pałace magnackie m.in. Branickich w Białymstoku, a także zbudowane pałace klasycystyczne w Radzyniu Podlaskim, Opolu lubelskim i Szczekocinach. W stylu klasycystycznym powstało także wiele kościołów.

Osiemnastowieczny dwór szlachecki w Żyrzynie z charakterystycznymi klasycystycznymi kolumnami

Dużą rolę w życiu kulturalnym odgrywały słynne „obiady czwartkowe". We czwartki Stanisław August zapraszał artystów i ludzi pióra. Przy skromnie zastawionym stole toczyły się rozmowy na różne tematy. Mówiono o wszystkim: o Komisji Edukacyjnej i o potrzebie reform, o literaturze, sztuce i malarstwie, a także o bieżących wydarzeniach w Polsce i na świecie. Niektórych spośród swych gości król prosił o odczytanie nowych utworów. Często czytał swoje utwory poeta **Ignacy Krasicki (1735–1801).** Były to przeważnie satyry piętnujące wady i śmiesznostki ludzkie. Do najbardziej znanych utworów Krasickiego należą: *Myszeida, Monachomachia, Satyry* i *Bajki.* Uczestnikiem „obiadów czwartkowych" bywał znany historyk Adam Naruszewicz. W swoich dziełach starał się on przedstawić dzieje Polski w sposób krytyczny, odrzucający niektóre poglądy średniowiecznych kronikarzy.

Na obiadach u króla bywali także: Grzegorz Piramowicz, działacz Komisji Edukacji Narodowej, komediopisarz Franciszek Zabłocki, poeta Stanisław Trembecki i wielu innych.

Ćwiczenia
1. Jak przebiegało wychowanie w Szkole Rycerskiej?
2. Jakie szkoły założyła Komisja Edukacji Narodowej?
3. Jakiego obywatela chciała wychować Komisja?
4. Kto wydawał pierwsze polskie podręczniki?

5. Kto i jak tworzył polski teatr narodowy?
6. Jak rozwijała się architektura i malarstwo za panowania Stanisława Augusta?
7. Co to były „obiady czwartkowe"?

Wyjątek z podręcznika nauki religii o moralności, wydanego na zamówienie Komisji dla potrzeb jej szkół:

> „Dobry syn szanuje w domu i między ludźmi rodziców: nie czyni ani mówi, co by ich serca zakrwawiło, co by ich zasmuciło. Wszędzie w uczynkach pokazuje to, że ich kocha, cieszy się z ich dobra, kiedy się im co przykrego trafi, smuci się i trapi. Mówi o nich dobrze i z uszanowaniem, rozkazy ich chętnie i pilnie wykonywa. Nauczyciel jest na miejscu rodziców twoich. Łoży prace swoje, aby ci oświecił rozum, aby cię nakłaniał do dobrego. Każdemu z nas dobrze będzie, kiedy powszechnie kraj, miasto lub wieś rodzinna stanie się szczęśliwa. Niechaj dzieci wcześnie zabierają [osiągają] tę miłość, to przywiązanie do miejsca, w którym się urodzili, które jest ich Ojczyzną".

Powstanie Stanów Zjednoczonych Ameryki Północnej

1. Wojna o niepodległość kolonii angielskich w Ameryce Północnej

Przypomnij znaczenie słowa: „kolonia".

Konflikt między Anglią i jej koloniami amerykańskimi. Już w XVI w. zaczęli przybywać do Ameryki Północnej pierwsi osadnicy. Od początków XVII w. byli to zazwyczaj przybysze z Anglii. Część z nich podążała za ocean w nadziei szybkiego wzbogacenia się, inni opuszczali kraj z powodu ucisku społecznego lub prześladowań religijnych. Osiedleńcy zaczęli wypierać Indian – prawowitych mieszkańców Ameryki – z ich siedzib. Niszczyli ich orężem lub starali się zmusić do niewolniczej pracy.

W XVIII w. istniało w Ameryce Północnej 13 kolonii angielskich. Oprócz Anglików mieszkali w nich Szwedzi, Holendrzy, Francuzi, Niemcy i przedstawiciele innych narodowości. W koloniach położonych na południu rozwinęło się rolnictwo. Na ogromnych plantacjach uprawiano głównie ryż,

Filadelfia, rok 1731

Indianin – rdzenny mieszkaniec Ameryki
Wraz z przybyciem kolonizatorów wypierany był z ziemi, na której od wieków zamieszkiwał wraz ze swoimi współplemieńcami. Często za przejmowanie ziemi płacono Indianom narzędziami, bronią i alkoholem.

Kolonie angielskie w Ameryce Północnej w drugiej połowie XVIII w.

tytoń i trzcinę cukrową. Siłą roboczą byli sprowadzani z Afryki Murzyni, często traktowani w nieludzki sposób przez swych panów. W koloniach północnych ziemia nie była tak urodzajna, natomiast było tam dużo bogactw naturalnych, takich jak węgiel, ruda żelaza i rudy innych metali.

Nabrzeże portowe w Londynie należące do Kompanii Wschodnioindyjskiej. Zarezerwowane ono było do przeładunku towarów z kolonii wschodnich. W prawej części obrazu widoczny jest budynek spichlerza i żuraw, który był wprowadzany w ruch kieratem. W głębi widać szereg wielkich żaglowców.
Opisz scenę z pierwszego planu.

Z czasem w koloniach leżących na północy zaczął rozwijać się przemysł. Powstawały manufaktury wytwarzające różne towary niezbędne dla osadników. Dotychczas wiele wyrobów przemysłowych przywożono z Anglii. Rząd angielski, chcąc utrzymać kolonie w zależności gospodarczej (gdyż z handlu z nimi czerpał wielkie zyski) dążył do zahamowania rozwoju przemysłu w koloniach angielskich w Ameryce. Dlatego zabronił budowania hut żelaza i wyrabiania jakichkolwiek tkanin.

Polecił przywozić gotowe tkaniny z Anglii. Zażądał również dodatkowych opłat za przywożone do Ameryki towary. Wywołało to wielkie oburzenie mieszkańców kolonii. Kiedy kupcy angielscy przywieźli do portu Boston transport herbaty obłożonej podatkiem, bostończycy przebrani za Indian napadli na statki i wrzucili skrzynie z herbatą do morza. Był to początek powstania zbuntowanych kolonii przeciw Anglii. Mieszkańcy 13 kolonii zwrócili się jeszcze do króla angielskiego z prośbą, aby nie nakładano na nich podatków bez ich zgody. Król w odpowiedzi zażądał od nich pełnego posłuszeństwa i wysłał wojsko w celu stłumienia buntu.

Kompania Stowarzyszenie kupców powstałe zwykle w celu prowadzenia handlu zagranicznego.

Nowy Amsterdam, widok z połowy XVII w.
Nowy Amsterdam, z którego wyrósł Nowy Jork, założyli jako faktorię handlową Holendrzy w 1625 r.

Topienie herbaty w porcie bostońskim

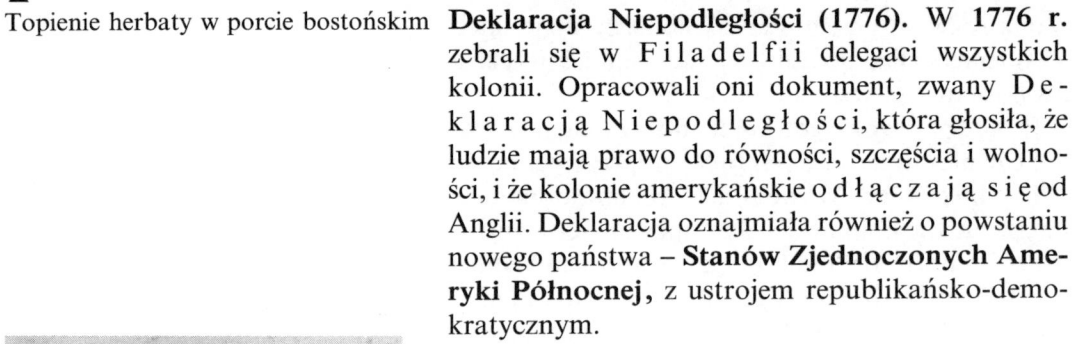

Deklaracja Niepodległości (1776). W 1776 r. zebrali się w F i l a d e l f i i delegaci wszystkich kolonii. Opracowali oni dokument, zwany D e k l a r a c j ą N i e p o d l e g ł o ś c i, która głosiła, że ludzie mają prawo do równości, szczęścia i wolności, i że kolonie amerykańskie o d ł ą c z a j ą s i ę od Anglii. Deklaracja oznajmiała również o powstaniu nowego państwa – **Stanów Zjednoczonych Ameryki Północnej,** z ustrojem republikańsko-demokratycznym.

Wojna o niezawisłość. Na czele wojsk powstańczych stanął dzielny wódz i doskonały organizator **Jerzy Waszyngton (1732–1799).** Miał on trudne zadanie do spełnienia. Powstańcy byli źle uzbrojeni i niekarni, a musieli walczyć z dobrze wyćwiczonym i zdyscyplinowanym wojskiem królewskim.

◄ Independence Hall (Gmach Niepodległości) w Filadelfii, gdzie 4 lipca 1776 r. uchwalono Deklarację Niepodległości, której twórcy uważali za niezbite i oczywiste prawdy, że: *ludzie stworzeni zostali równymi sobie, że Stwórca udzielił im pewnych praw niezbywalnych, w rzędzie których na pierwszym miejscu postawić należy prawo do życia, do wolności i do poszukiwania szczęścia, że w celu zapewnienia sobie tych praw ludzie ustanowili między sobą rządy, których władza wypływa z woli rządzonych.*

Jerzy Waszyngton szybko jednak zaprowadził ład w szeregach amerykańskich. Do wyrobu kul rozkazał wykorzystywać nawet ołowiane płyty z dachów. Walkę z Anglikami prowadził sposobem partyzanckim, działając często z ukrycia i przez zaskoczenie.

Walka kolonistów o niepodległość cieszyła się sympatią wśród wielu ludzi w Europie. Niektórzy z nich z bronią w ręku wzięli udział w tej wojnie. Wydatnej pomocy walczącym udzieliła również Francja, która w ten sposób chciała osłabić potęgę Anglii. Początkowo powstańcy nie odnosili sukcesów. Kiedy jednak pokonali przybyłe z Kanady wojska angielskie w bitwie pod **Saratogą** w **1777 r.**, szala zwycięstwa przechylać się zaczęła na stronę Amerykanów.

Ćwiczenia
1. Jak postępowali koloniści z Indianami i Murzynami?
2. W jaki sposób i dlaczego Anglicy nie chcieli dopuścić do rozwoju przemysłu w koloniach?
3. Co głosiła Deklaracja Niepodległości?
4. Kto udzielał pomocy powstańcom angielskim w Ameryce?

Wyjątek z Deklaracji Niepodległości:

„ [...] Uważamy za oczywiste [...] my, przedstawiciele Stanów Zjednoczonych Ameryki, zebrani na powszechnym Kongresie [...], w imieniu i z upoważnienia ludu tych kolonii, uroczyście ogłaszamy i oznajmiamy, że te Zjednoczone Kolonie są i na mocy prawa mają być wolnymi i niepodległymi Stanami, że Stany te są uwolnione od wszelkiego posłuszeństwa Brytyjskiej Koronie, że wszystkie polityczne związki między nimi a państwem Wielkiej Brytanii są i mają być zupełnie rozwiązane, że jako wolne i niepodległe Stany mają pełną władzę prowadzić wojnę, decydować o pokoju, zawierać przymierza, prowadzić handel i czynić wszystkie inne rzeczy i akty, które mają prawo czynić niepodległe państwa [...]".

◀ Jerzy Waszyngton z żoną Martą Waszyngton był wodzem naczelnym w wojnie amerykańskiej o niepodległość. Był także pierwszym prezydentem Stanów Zjednoczonych. Przy pomocy cudzoziemskich oficerów, wśród których był Tadeusz Kościuszko i Kazimierz Pułaski, przekształcał luźne oddziały kolonistów w karną i zdyscyplinowaną armię. W Stanach Zjednoczonych nazywany jest Ojcem Ojczyzny.

Dom Jerzego Waszyngtona w Mount Vernon w Wirginii [czyt.: Wirdżinii]. Majątek ziemski Jerzego Waszyngtona, zwłaszcza po tym jak się ożenił, był ogromny. Marta uchodziła bowiem do czasu poślubienia Jerzego Waszyngtona za najbogatszą wdowę w stanie Wirginia. Do 5 tys. akrów ziemi (akr = około 4 tys. m^2), które posiadał Jerzy Waszyngton i 49 niewolników, wniosła ona 17 tys. akrów ziemi i... 300 niewolników. Prowadząc wielką plantację tytoniu, był jednym z najbogatszych ludzi w Wirginii.

Czy wiesz może, które stany w Ameryce (Północne czy Południowe) nazywano „stanami niewolniczymi"?

Zapamiętaj datę **1776**

Benjamin Franklin (1706–1790), najwybitniejszy przedstawiciel Oświecenia amerykańskiego. Uczony, wynalazca, filozof i polityk, był członkiem komisji, która opracowała tekst Deklaracji Niepodległości.

2. Konstytucja Stanów Zjednoczonych

Uchwalenie Konstytucji. Po zwycięskim zakończeniu wojny z Anglią ostatecznie uformowało się na drugiej półkuli nowe państwo noszące nazwę: S t a n y Z j e d n o c z o n e A m e r y k i P ó ł n o c n e j. Na jego czele stał p r e z y d e n t, wybierany przez ludność na okres czterech lat. Pierwszym prezydentem został **Jerzy Waszyngton (1789–1797).** Prezydent dowodził armią i flotą, powoływał urzędników, posiadał więc dużą władzę. Prawa mieli ustanawiać wybrani przez mieszkańców przedstawiciele s t a n ó w (czyli dawnych kolonii), tworzący zgromadzenie zwane **Kongresem.**

Obywatele Stanów Zjednoczonych posiadali zapewnioną swobodę wyznania, wolność słowa, nietykalność osobistą. Te wszystkie prawa dotyczyły jednak tylko ludzi białych, nie obejmowały one ani Indian, ani niewolników murzyńskich. Główną rolę w państwie odgrywali właściciele manufaktur i plantatorzy.

Jerzy Waszyngton jako przewodniczący konwencji konstytucyjnej (czyli zespołu ludzi mających opracować projekt konstytucji)

Podstawowe postanowienia Konstytucji Stanów Zjednoczonych, uchwalonej w 1787 r., obowiązują po dzień dzisiejszy.

Udział Polaków w walce o niepodległość Ameryki. Kazimierz Pułaski. Wśród ochotników spieszących na pomoc Stanom Zjednoczonym w ich walce o niepodległość nie zabrakło i Polaków. Za ocean podążył także trzydziestoletni Kazimierz Pułaski, najgłośniejszy z wodzów niedawnej konfederacji barskiej. Na drugiej półkuli został mianowany generałem i otrzymał dowództwo nad całą amerykańską kawalerią, składającą się zresztą zaledwie z paru pułków, źle uzbrojonych i słabo wyćwiczonych. Tę oto jazdę próbował Pułaski zamienić w pełnowartościowe wojsko, tropiąc na jej czele wroga i stosując taktykę wojny podjazdowej, którą w czasie konfederacji bardziej skutecznie prowadził wobec liczniejszego nieprzyjaciela. Aby zaznaczyć, że jest ochotnikiem, a nie żołnierzem najemnym, nie przyjmował nawet pensji generalskiej. Wkrótce pozwolono mu utworzyć z ochotników własny legion, złożony z piechoty i jazdy. I chociaż członków legionu było niewielu, wkrótce pod komendą Pułaskiego zasłynął on w walkach. W październiku 1779 r. legion skierowano pod Savannah, gdzie

Generał Kazimierz Pułaski (1747– –1779)
Odważny partyzant, uczestnik konfederacji barskiej, bił się na Litwie, Ukrainie, w Wielkopolsce, na Podlasiu. W latach 1777–1779 walczył jako dowódca brygady kawalerii o wolność Stanów Zjednoczonych. Poległ w przedstawionej na ilustracji bitwie pod Savannah.
▼

otoczonych było kilka tysięcy doskonale uzbrojonych Anglików. Wojska angielskie oblegali Amerykanie i Francuzi. Ich atak Anglicy przyjęli ulewą armatnich pocisków. Zginął dowódca francuski i szeregi Francuzów w morderczym ogniu przerzedziły się. Widząc to Pułaski z jednym tylko kapitanem pędzi do bitwy. Była to już niestety jego bitwa ostatnia. Został ciężko ranny, a wyniesiony z pola walki trzeciego dnia zmarł. W 130 lat po jego śmierci, prezydent Stanów Zjednoczonych, odsłaniając pomnik Pułaskiego w stolicy Stanów Zjednoczonych, Waszyngtonie, powiedział: *Był to rycerz z krwi i kości, syn rycerskiego narodu, rycerski w postawie i zwyczajach, mężny i nieustraszony* [...].

Tadeusz Kościuszko. Tadeusz Kościuszko przybył do Ameryki jako jeden z pierwszych ochotników europejskich. Wstąpiwszy do armii amerykańskiej uzyskał stopień pułkownika. Wykształcony w Polsce i we Francji, posiadał dużą wiedzę wojskową, zwłaszcza w dziedzinie fortyfikowania (umacniania) pozycji obronnych. Zaplanowane przez niego szańce i okopy wytrzymywały wszystkie szturmy angielskie. Kościuszko walczył również mężnie z bronią w ręku. Mimo wielkiej wiedzy wojskowej i wybitnych zdolności był skromnym człowiekiem i nie robił nic na pokaz, nie myślał ani o zaszczytach, ani o nagrodach. Przebywał w Ameryce przez 8 lat, aż do chwili zakończenia wojny. Za wybitne zasługi Kongres Stanów Zjednoczonych przyznał mu obywatelstwo Stanów Zjednoczonych, rangę generała, pensję i ziemię pod uprawę.

Tadeusz Kościuszko mógł zostać w nowej ojczyźnie i wieść spokojne, dostatnie życie. Otaczał go przecież powszechny szacunek, miał wielu przyjaciół i towarzyszy broni. Nie uczynił jednak tego i w 1784 r. powrócił do kraju.

Tadeusz Kościuszko
W latach 1775–1783 uczestniczył w wojnie o niepodległość Stanów Zjednoczonych. Był wybitnym specjalistą z zakresu inżynierii wojskowej, a zwłaszcza fortyfikacji. Odznaczył się talentami wojskowymi podczas oblężenia Saratogi w 1777 r. Uchwałą Kongresu amerykańskiego z dnia 13 października 1783 r. przyznano *pułkownikowi Kościuszce patent* [awans] *na szarżę generała-brygadiera i oświadczono temu oficerowi, że Kongres jest przejęty wysokim uznaniem dla jego długich, wiernych i cennych wielce zasług.*

Ćwiczenia
1. Jak zakończyła się wojna kolonii angielskich w Ameryce o niepodległość?
2. Jakie prawa posiadali obywatele amerykańscy? Kogo one dotyczyły?
3. Wskaż na mapie: a) kolonie południowe i północne, b) Boston i Saratogę.

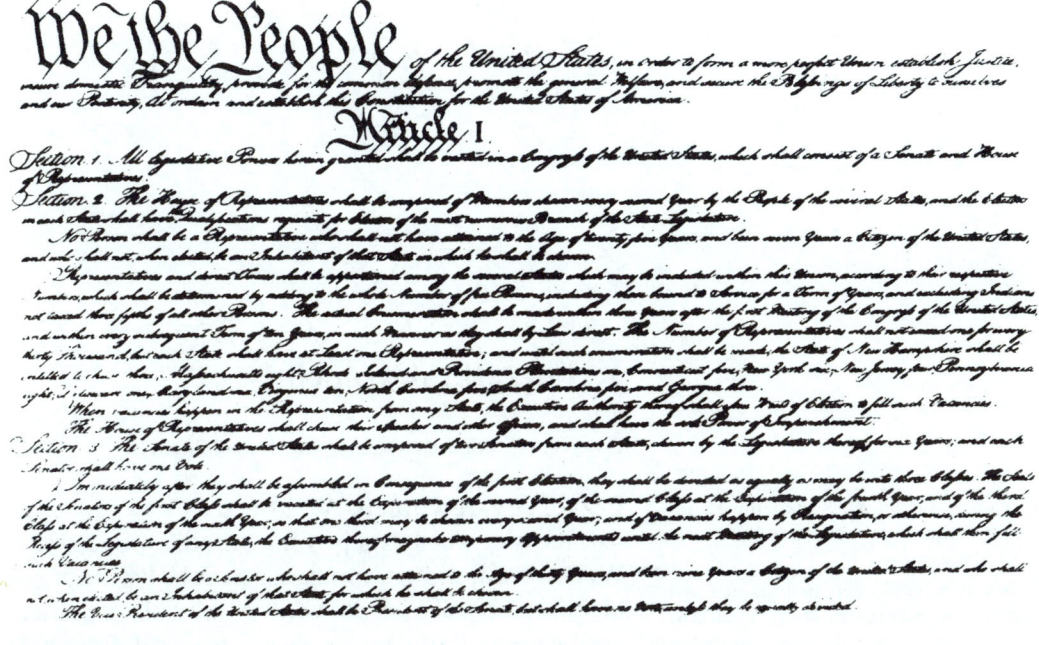

▲ Początek Konstytucji amerykańskiej uchwalonej 17 października 1787 r.

4. Opowiedz o udziale Pułaskiego i Kościuszki w walce o niepodległość Stanów Zjednoczonych.
5. Dlaczego Pułaskiego i Kościuszkę możemy nazwać bohaterami dwóch kontynentów?
6. Znajdź na mapie Savannah.

Fragment pamiętnika jednego z przyjaciół Pułaskiego w Ameryce:

„Zdarzyła się nam pociecha. Tadeusz Kościuszko, będący w obowiązkach inżyniera, przyjechał do nas w gościnę. Nie miał zawiesistej miny, jak pan Kazimierz, ale widać było na jego twarzy poczciwość i otwartość szlachecką, a przy tem był człowiek niezmiernie słodki [uprzejmy] i pełen wiadomości. Choć równego wieku z Pułaskim, nie znali się z sobą w kraju, ale tu oto pokochali się mocno, przyjaźń dozgonną sobie obiecując. Po dziesięciu dniach zabawy, podczas których, mimo biedy, wysadziliśmy się na traktament [gościnę] staropolski, odjechał Kościuszko do swego korpusu".

Rewolucja we Francji (1789–1794)

1. Początki rewolucji

Przypomnij, kogo nazywamy panem feudalnym?

Rewolucja Gwałtowne obalenie za pomocą siły rządów w państwie lub próba takiego obalenia.

Stan Grupa społeczeństwa mająca osobne prawa. Istniały cztery stany: rycerstwo (szlachta), duchowieństwo, mieszczaństwo i chłopstwo.

Przyczyny rewolucji. W końcu XV w. ukształtowała się we Francji silna władza królewska. Wzrosły stopniowo, zwłaszcza w XVII w., uprawnienia monarchy, jego władza stawała się nieograniczona. Panujący w XVII w. król francuski **Ludwik XIV** mawiał: *Państwo to ja,* co miało oznaczać, że w królestwie o wszystkich sprawach publicznych decyduje wola panującego.

Były to **rządy absolutne.** Dlatego też wiek XVII i prawie cały wiek XVIII we Francji nazywany jest epoką absolutyzmu.

Cała ludność Francji dzieliła się na stany. „Stan pierwszy" tworzyło duchowieństwo, „stan drugi" – szlachta. Pozostała ludność tworzyła najliczniejszy „stan trzeci". Przeważali w nim chłopi, których było 20 mln na 25 mln ludności całej Francji. Do stanu trzeciego należeli też rzemieślnicy, robotnicy manufaktur i biedota miejska. Największą rolę odgrywali w nim jednak bogaci mieszczanie. Nazywano ich burżuazją od francuskiego słowa *bourgeois* [czyt. burżua] – mieszczanie. Byli to przeważnie kupcy i właściciele manufaktur. W skład stanu trzeciego wchodziła także znaczna część inteligencji (dziennikarze, adwokaci, lekarze, urzędnicy).

Największymi przywilejami w kraju cieszyła się szlachta i duchowieństwo. Choć stanowiły one niewiele ponad 1% ogółu ludności, należało do nich przeszło 2/3 całej własności ziemskiej. Szlachta i duchowieństwo były prawie całkowicie wolne od

Karykatura z 1789 r. obrazująca ucisk stanu trzeciego przez szlachtę i duchowieństwo

Francja przed 1789 r.

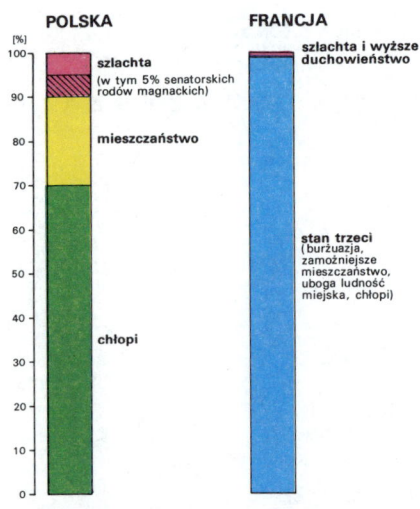

Struktura stanów w Rzeczypospolitej i porównawczo we Francji w XVIII w.

Młodziutki Mozart koncertujący dla Marii Antoniny w Paryżu z ojcem i siostrą
Kim był Wolfgang Amadeus Mozart? Czy znasz może jakiś z jego słynnych utworów?
Czy pamiętasz, kim była Maria Antonina?

podatków na rzecz państwa. Na ich utrzymanie pracowała uboga ludność chłopska, zmuszona do dawania danin i płacenia czynszów na rzecz pana feudalnego i Kościoła. Życie bogatej szlachty i wyższego duchowieństwa było próżniacze i wystawne. Wypełniały je zabawy, uczty, polowania i pojedynki. Przykładem takiego życia był dwór królewski, gdzie myślano przede wszystkim o przyjemnościach, a nie o sprawach państwa. Na utrzymanie dworu, którego siedzibą był Wersal pod Paryżem, szły ogromne sumy. Zużywano je na zaspokajanie wszystkich kaprysów króla i jego rodziny oraz licznej dworskiej szlachty.

Natomiast przeważająca część stanu trzeciego zarówno w mieście, jak i na wsi żyła w ciężkich warunkach. Dzień roboczy w rzemiośle i manufakturach trwał od wczesnego rana aż do zmierzchu, a zarobki nie wystarczały na zaspokojenie najniezbędniejszych potrzeb.

Najcięższe jednak było położenie chłopów. Wprawdzie chłopi francuscy w XVIII w. w większości byli wolni, ale ziemia, którą uprawiali, należała w większej części do panów. Byli we Francji tacy chłopi, którzy posiadali ziemię na własność, nie podlegali panom feudalnym, płacili tylko podatki królowi i składali daniny duchowieństwu. Większość jednak zobowiązana była do uciążliwych powinności na rzecz swoich panów.

Za użytkowanie ziemi chłop oddawał panu czwartą część zbiorów. Składał również opłaty pieniężne,

Chłopi francuscy z XVIII w.

na przykład za przemiał zboża w pańskim młynie czy za przejazd przez pański most. Most i młyn mogły już dawno nie istnieć, ale opłaty za przewóz i przemiał pan ściągał nadal regularnie. Gdy pan wyjeżdżał na polowanie, konie i sfory psów tratowały bezkarnie chłopskie pola. Zasiewy chłopskie niszczyła również zwierzyna łowna, której nie wolno było chłopom płoszyć. Nędzę chłopów zwiększały podatki ściągane na rzecz króla i różnego rodzaju opłaty i daniny składane duchowieństwu.

Natomiast burżuazja francuska od kilku już wieków coraz bardziej się bogaciła i rosła w siłę. W XVIII w. odgrywała wielką rolę w wielu dziedzinach życia gospodarczego. Kupcy prowadzili rozległy handel z krajami europejskimi i zamorskimi, zaopatrując je w wyroby francuskiego przemysłu. W manufakturach i warsztatach rzemieślniczych wytwarzano broń, amunicję, sukno, obuwie, jedwabie i przedmioty zbytku, jak porcelanę, koronki, ozdoby z brązu i drogie meble.

Dalszy rozwój przemysłu i handlu napotykał jednak liczne przeszkody. I tak na przykład wciąż jeszcze obowiązywały dawne zarządzenia cechowe, nie sprzyjające rozwojowi manufaktur. Handel między miastami utrudniały cła, które trzeba było opłacać przy przejeździe z jednej miejscowości do drugiej. Urzędnicy królewscy nakładali na kupców

Typ szlachcica francuskiego

Osiemnastowieczna manufaktura paryska wytwarzająca strzelby
Zwróć uwagę, jakimi narzędziami posługują się zatrudnieni w niej robotnicy.
▼

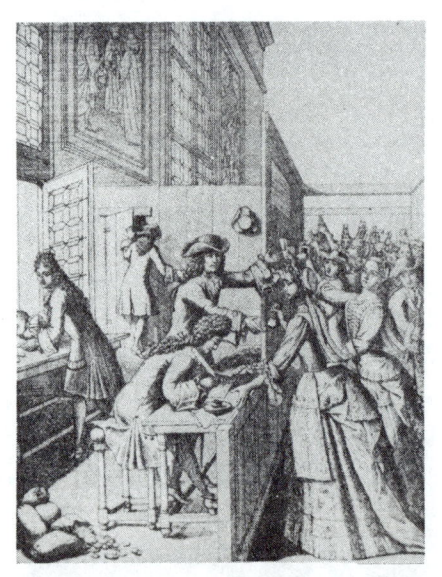

i przedsiębiorców wysokie podatki. Dlatego burżuazja była niezadowolona z istniejących we Francji praw i stosunków.

Mimo swej rosnącej zamożności i siły, mimo że król ciągle potrzebował od niej pieniędzy, burżuazja była całkowicie odsunięta od udziału w rządach. Szlachta traktowała mieszczan z lekceważeniem i pogardą, chociaż ci przewyższali ją niejednokrotnie majątkiem, a często wykształceniem. Z tych wszystkich przyczyn rosnąca w potęgę burżuazja francuska dążyła do obalenia absolutnych rządów króla i przewagi szlachty, do uchwycenia władzy politycznej w swoje ręce. Występującą przeciwko absolutyzmowi i feudalizmowi burżuazję popierała reszta stanu trzeciego.

Obywatele francuscy płacący podatki

Zdobycie Bastylii (14 VII 1789). W 1774 r. panowanie we Francji objął **Ludwik XVI.** Podobnie jak jego poprzednicy był władcą absolutnym i swoje panowanie opierał na szlachcie i duchowieństwie. Pomimo że dochody państwa wskutek złej gospodarki były coraz mniejsze, wydatki dworu królewskiego nie tylko nie malały, ale nawet rosły. Skarb państwa był pusty, powiększały się natomiast długi państwowe. Jednocześnie wskutek nieurodzaju wzrastało niezadowolenie na wsi i w pozbawionych chleba wielkich miastach, zwłaszcza w Paryżu.

Powszechne było żądanie reform. Domagano się od króla zwołania **Stanów Generalnych,** zgromadzenia, obejmującego przedstawicieli szlachty, duchowieństwa i bogatych mieszczan, reprezentu-

◀ Król Francji, Ludwik XVI (1774–1792)
Za jego rządów niezadowolenie społeczne przybrało potężne rozmiary i przekształciło się w powszechną francuską rewolucję 1789 r. Nieliczenie się ze społeczeństwem i konserwatywna postawa króla, ulegającego we wszystkim nielubianej powszechnie Marii Antoninie doprowadziła ostatecznie do jego detronizacji i w konsekwencji ścięcia króla w 1793 r. O poglądach Ludwika XVI świadczą jego słowa wypowiedziane podczas otwarcia Stanów Generalnych 5 maja 1789 r. w Wersalu: *Ogólne zaniepokojenie, przesadne pragnienie nowości, które opanowały umysły, sprowadzą wszelką myśl na manowce, jeżeli nie położy im się kresu przez połączenie i wspólne wystąpienie rozumnych i umiarkowanych sądów.*

Uroczyste otwarcie Stanów Generalnych w Wersalu
Ponad zgromadzeniem zasiada król. Po prawej stronie – przedstawiciele szlachty, którzy mają kapelusze przyozdobione strusimi piórami, trzymają je na kolanach. Na lewo – duchowieństwo, w środku – posłowie stanu trzeciego. W czwartym rzędzie siedzi zamyślony Maksymilian Robespierre.

jących stan trzeci. Zgromadzenie to nie było zwoływane we Francji od 1614 r. Zwolennicy reform liczyli, że Stany Generalne przeprowadzą zmiany ustrojowe i obalą absolutyzm, król natomiast miał nadzieję, że Stany, uchwalając nowe podatki, uratują skarb państwa. Dlatego Ludwik XVI w maju **1789 r.** zwołał **Stany Generalne** do Wersalu pod Paryżem.

Stan pierwszy i drugi przysłał po 300 przedstawicieli, trzeci – zaś 600. Liczba ta nie miała jednak istotnego znaczenia, gdyż każdy stan obradował oddzielnie, a przy podejmowaniu decyzji głos każdego z trzech stanów, niezależnie od liczby jego przedstawicieli, liczył się jako jeden. W ten sposób stan trzeci mógł być zawsze przegłosowany.

W tej sytuacji na początku obrad delegaci stanu trzeciego zażądali, aby wszystkie stany obradowały razem. Wówczas w głosowaniu liczyłby się głos każdego posła i stan trzeci mógłby uzyskać więk-

Przedstawiciel radykalnej części społeczeństwa francuskiego ze sztandarem rewolucyjnej Francji

szość, gdyż niektórzy przedstawiciele stanów uprzywilejowanych popierali żądania stanu trzeciego. Do tych, którzy pragnęli przeprowadzenia głębokich reform społecznych i państwowych, należała również część szlachty i znaczny odłam duchowieństwa.

Na wspólne obrady trzech stanów król jednak nie wyraził zgody. Rozpoczęły się na ten temat spory, które trwały kilka tygodni. Wreszcie delegaci stanu trzeciego ogłosili się **Zgromadzeniem Narodowym,** czyli przedstawicielstwem całego narodu.

Król początkowo nie chciał uznać Zgromadzenia Narodowego i nie dopuścił przedstawicieli stanu trzeciego do sali obrad. Wówczas zebrali się w sali do gry w piłkę, gdzie złożyli uroczystą przysięgę, że nie rozejdą się dopóki nie uchwalą konstytucji, która w przyszłości stanie się podstawą rządzenia państwem.

W obliczu takiej sytuacji król pozornie pogodził się z istnieniem Zgromadzenia Narodowego, ale po kryjomu ściągał wojsko pod Wersal i Paryż, aby siłą rozpędzić Zgromadzenie. Na wieść o tym w Paryżu wybuchły zamieszki. W wielu miejscach doszło do starć między ludnością a gwardią królewską. Rozruchy przybierały coraz bardziej na sile.

14 lipca 1789 r. olbrzymie tłumy ludu paryskiego skierowały się na **Bastylię,** twierdzę znajdującą się na jednym z przedmieść Paryża, aby zdobyć tam broń niezbędną do dalszej walki.

Deputowani stanu trzeciego zebrani w sali do gry w piłkę. W dniu 17 czerwca 1789 r. złożyli przysięgę, że będą obradować w imieniu całego narodu, aż do uchwalenia konstytucji.

Szturm ludu Paryża na Bastylię, więzienie polityczne, symbol absolutyzmu i tyranii, w dniu 14 lipca 1789 r. *Był wtorek 14 VII 1789 r., cały ranek przeszedł na zbrojeniu się. Gdy zaopatrzono się w broń, ruszono na Bastylię. Komendant zaskoczony widokiem 100 000 muszkietów w ręku paryżan [...] musiał być bardzo zaniepokojony. [...] Bastylia wzięta przez mieszczan i żołnierzy bez wodza, bez żadnego oficera [...] Po południu powieszono na latarniach, na placu de la Gréve, wziętą do niewoli załogę Bastylii.*

Po czterogodzinnej walce została zdobyta Bastylia. Od wieków więziono w niej przeciwników króla i dlatego dla ludu Paryża była symbolem znienawidzonej absolutnej władzy. W chwili ataku znajdowało się w niej jednak tylko 7 więźniów, z których żaden nie był więźniem politycznym, a bronili jej w większości inwalidzi. Wkrótce potem Bastylia została doszczętnie zburzona.

Na wieść o zdobyciu Bastylii ruch rewolucyjny ogarnął całą Francję. Chłopi francuscy wystąpili przeciw szlachcie, uderzyli na pałace i zamki panów feudalnych oraz na klasztory. Palono dokumenty zawierające wykazy powinności chłopskich. Stan trzeci, w którym główną rolę nadal odgrywała burżuazja, utworzył własną siłę zbrojną – G w a r d i ę N a r o d o w ą. Oznaczało to upadek wszechwładzy króla oraz przewagi szlachty i duchowieństwa. Rządy we Francji przeszły w ręce b u r ż u a z j i. Wydarzenia te spowodowały we Francji zasadnicze zmiany. Obalone zostały siłą absolutyzm królewski i przywileje właścicieli ziemskich. Dlatego wydarzenia, które miały miejsce we Francji w 1789 r. i w latach następnych, nazywamy r e w o l u c j ą. Dla uczczenia zwycięstwa rewolucji dzień **14 lipca** stał się świętem narodowym Francji i jest nim do chwili obecnej, a obchodzony jest bardzo uroczyście.

Deklaracja Praw Człowieka i Obywatela. W sierpniu 1789 r. Zgromadzenie Narodowe ustaliło ogólne zasady, które miały obowiązywać przy uchwaleniu nowych praw i konstytucji. Zasady te otrzymały nazwę **Deklaracji Praw Człowieka i**

Marsz biedoty paryskiej z przedmieścia Świętego Antoniego protestującej przeciwko nędzy i głodowi

Tablica Deklaracji Praw Człowieka ▶
i Obywatela
Artykuł 1. Deklaracji Praw Człowieka
i Obywatela głosił, że: *Ludzie rodzą się
i żyją wolnymi i równymi wobec prawa.
Różnice społeczne mogą być jedynie
potrzebą publiczną uzasadnione.*
Artykuł 3. *Źródłem każdej władzy suwerennej jest naród. Żadna instytucja ani osoba nie może mieć władzy, która by nie pochodziła od narodu.*
Porównaj Deklarację Praw Człowieka i Obywatela z wcześniejszą Deklaracją Niepodległości Stanów Zjednoczonych. Jakie znajdujesz podobieństwa? Czy idee zawarte w obu tych Deklaracjach są według Ciebie nadal aktualne?

Obywatela. Deklaracja głosiła r ó w n o ś ć i w o l n o ś ć wszystkich obywateli, swobodę myśli i słowa, nietykalność osobistą i zniesienie podziału na stany. Deklaracja głosiła również, że dostęp do godności i stanowisk państwowych mają wszyscy obywatele. Stwierdziła ponadto, że jedynym źródłem władzy jest n a r ó d.

Naczelne hasło Deklaracji brzmiało: ,,wolność, równość, braterstwo". Głosząc równość wszystkich stanów, Deklaracja zapowiadała zniesienie przywilejów szlacheckich i kościelnych. Król pozostał głową państwa, z dość rozległą władzą, ale przestawał być władcą absolutnym.

Ćwiczenia
1. Jaką rolę odgrywały we Francji szlachta i duchowieństwo?
2. Jakie było położenie chłopów i uboższych warstw w mieście?
3. Dlaczego burżuazja dążyła do obalenia rządów króla i przewagi szlachty?

4. Dlaczego Ludwik XVI zwołał przedstawicieli trzech stanów?
5. Jakie znaczenie miało zdobycie Bastylii?
6. Co głosiła Deklaracja Praw Człowieka i Obywatela?
7. Wskaż na mapie Paryż.

Fragment pamiętnika arystokraty francuskiego markiza de Bouille z drugiej połowy XVIII w.

Zapamiętaj datę **1789**

„[...] W Paryżu i wielkich miastach burżuazja stała wyżej od szlachty pod względem bogactw, talentu i walorów osobistych. W miastach prowincjonalnych istaniała taka sama przewaga nad szlachtą wiejską. Burżuazja zdawała sobie sprawę z tej wyższości, a jednak była wszędzie poniżana i przez przepisy wojskowe odsunięta od zajmowania stanowisk w armii. Niedostępne do pewnego stopnia były dla niej również wysokie stanowiska kościelne, ponieważ biskupów wybierano z zasady spośród arystokracji, a wielkich wikariuszy [urząd kościelny] spośród szlachty [...] Na wysokie stanowiska również jej nie przyjmowano, większość zaś dworów [...] dopuszczała do swego towarzystwa tylko szlachtę [...]".

2. Od monarchii konstytucyjnej do wprowadzenia republiki

Obalenie monarchii. W **1791 r.** uchwalona została **konstytucja.** Konstytucja ta określiła nowe zasady, na których miała się oprzeć władza państwowa. Francja pozostawała wprawdzie monarchią, ale była to m o n a r c h i a k o n s t y t u c y j n a, nie zaś – jak przed rewolucją – absolutna. Zgromadzenie Narodowe upoważnione było do kontrolowania wydatków państwowych i do uchwalania praw. Deputowani (posłowie) do Zgromadzenia nie mogli

◀ Zniesienie zakonów
Jednym z przejawów Rewolucji Francuskiej było zlikwidowanie ogromnego wpływu Kościoła katolickiego na życie społeczne i polityczne we Francji oraz odebranie ogromnych majątków, należących do niego.

Maria Antonina, córka Marii Teresy, żona Ludwika XVI. Była bardzo niepopularną we Francji królową, znana była z rozrzutności i wrogiego stosunku do przemian społecznych. Próbowała rozprawić się z rewolucją przy pomocy obcych wojsk. W 1792 r. osadzona została wraz z królem w więzieniu, a następnie ścięta w 1793 r.

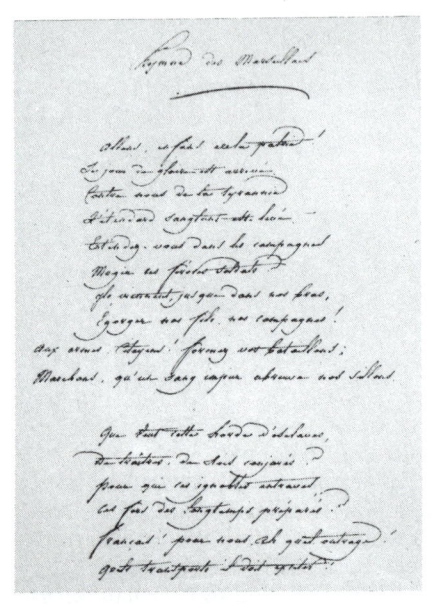

Autograf *Marsylianki*

być jednak wybierani przez wszystkich obywateli, lecz tylko przez obywateli zamożnych, płacących większe podatki.

Postanowienia Konstytucji przewidywały również konfiskatę majątków kościelnych, rozwiązanie zakonów i podporządkowanie duchowieństwa władzom świeckim, co potępił papież.

Tymczasem Ludwik XVI zdecydował się uciec za granicę, by z bezpiecznej odległości móc kierować działalnością, zmierzającą do przywrócenia we Francji dawnej formy rządów. Ucieczka króla z rodziną nie powiodła się jednak, zostali oni rozpoznani w drodze i zmuszeni do powrotu do Paryża.

Ludwik XVI pozornie pogodził się z rewolucją i uznał nową konstytucję, liczył jednak wciąż na jej zduszenie w porozumieniu z władcami feudalnej Europy. Wielu spośród arystokracji i szlachty schroniło się za granicą, gdzie organizowało siły przeciwko rewolucji. Znaleźli oni poparcie u władców państw sąsiednich, a przede wszystkim Austrii i Prus. Wieści, że król potajemnie spiskuje z wrogami spowodowały jego aresztowanie.

Cesarzem Austrii był wówczas Leopold II, brat Marii Antoniny, żony Ludwika XVI. Zaczął on wraz z królem pruskim gromadzić wojska na granicy z Francją. Jednak przede wszystkim parł do wojny rząd francuski, który wypowiedział ją Austrii. Po stronie Austrii stanęły Prusy.

Wojna zaczęła się dla Francji niepomyślnie, gdyż wojska nieprzyjacielskie szybkim marszem posuwały się na Paryż. W tym decydującym momencie w całym kraju zaczęły się formować oddziały ochotnicze. Przybyli również do stolicy mieszkańcy portowego miasta francuskiego Marsylii. Ich ulubioną pieśnią o patriotycznych słowach i porywającej melodii była pieśń nazwana później *Marsylianką*. Stała się ona francuskim hymnem narodowym i jest nim po dziś dzień.

O dalszych losach króla miało rozstrzygnąć nadzwyczajne rewolucyjne zgromadzenie przedstawicieli ludności, czyli Konwent Narodowy. Deputowani do Konwentu wybierani byli w powszechnych wyborach przez wszystkich obywateli. Na pierwszym swym posiedzeniu w 1792 r. Kon-

Uroczyste posiedzenie w klubie jakobinów zorganizowanych w Towarzystwo Przyjaciół Wolności i Równości. To właśnie z tego klubu wywodzili się najbardziej radykalni działacze rewolucji odpowiedzialni później za falę terroru, która ogarnęła Francję.

went ogłosił, że Francja będzie r e p u b l i k ą, a nie królestwem. Konwent oskarżył króla o zdradę i skazał go na karę śmierci (1793). Wkrótce podobny los spotkał i królową.

Rządy jakobinów. Wśród posłów wybranych do Konwentu wielką rolę odgrywali j a k o b i n i . Byli to najwięksi przeciwnicy przywilejów szlachty i duchowieństwa, którzy dążyli do przeprowadzenia we Francji dalszych demokratycznych reform. Jakobini, wywodzący się z drobnej i średniej burżuazji, cieszyli się dużym zaufaniem ludu, ponieważ występowali przeciwko wielkiej burżuazji, w obronie najbiedniejszej ludności. Nazwa ich pochodziła od

Maksymilian Robespierre (1758–1794) był jednym z głównych i radykalnych przywódców Wielkiej Rewolucji Francuskiej. Z wykształcenia był adwokatem. Należał do klubu jakobinów. Działalność Robespierre'a doprowadziła do całkowitego zniesienia ciężarów feudalnych na wsi i wprowadzenia powszechnego głosowania. Wprowadził rządy dyktatury i terroru, które przeraziły większą część społeczeństwa francuskiego. W lipcu 1794 r. został zgilotynowany. Stąd znane powiedzenie, że rewolucja pożera własne dzieci. A oto co sądził Robespierre o królu Ludwiku XVI:
Zdetronizowany król w republice nadaje się tylko do dwóch celów: do zakłócenia spokoju w państwie i podkopania wolności, albo do wzmocnienia jednego i drugiego [...] Jakiż więc wybór dyktuje rozumna polityka dla scementowania świeżo narodzonej republiki? Należy wyryć głęboko w sercach wzgardę dla władzy królewskiej i porazić strachem wszystkich stronników króla [...] Żądam, aby Konwencja Narodowa uznała Ludwika za winnego i zasługującego na karę śmierci!
Co sądzisz o wypowiedzi Robespierre'a?

Danton (1759–1794) był wspaniałym mówcą i jednym z najwybitniejszych przywódców Rewolucji Francuskiej 1789 r. Od 1792 r. był faktycznym przywódcą Komitetu Ocalenia Publicznego i Trybunału Rewolucyjnego, który sądził prawdziwych i rzekomych przeciwników rewolucji, sprzeciwiał się jednak szerzeniu terroru. W roku 1794 sam został oskarżony o zdradę kraju i rewolucji, i ścięty na gilotynie.

paryskiego klasztoru św. Jakuba, w którym odbywali swe narady. Sami siebie nazywali „przyjaciółmi ludu". Najwybitniejszymi przywódcami jakobinów byli: adwokat **Maksymilian Robespierre** [czyt. Robespier] oraz **Jan Paweł Marat** [czyt. Mara].

Wiosną 1793 r. udało się jakobinom wydrzeć władzę w kraju z rąk średniej burżuazji. Był to okres, w którym rewolucji francuskiej zagrażało wiele niebezpieczeństw. Do wojny z Francją przystąpiły nowe państwa europejskie: Anglia, Holandia i Hiszpania. Obce wojska znalazły się znów w granicach Francji. Ponadto w niektórych częściach kraju wybuchały zbrojne ruchy skierowane przeciw rządom rewolucyjnym, czyli k o n t r r e w o l u c j a, organizowana przez szlachtę, część duchowieństwa i bogatej burżuazji. Jakobini zastosowali środki nadzwyczajne – t e r r o r. Ustanowili silną, skupioną w Paryżu, władzę rewolucyjną i bezlitośnie rozprawiali się z wrogami rewolucji. Sądzili ich surowo i najczęściej skazywali na karę śmierci.

Jakobini przeprowadzili wiele reform. Znieśli wszystkie świadczenia chłopów na rzecz panów, ziemia użytkowana przez chłopów stała się odtąd ich własnością.

Uczynili również zadość wielu żądaniom ludu wiejskiego. Ogłosili stałe ceny na żywność i surowo karali za ich przekroczenie. Ludność bogata musiała płacić wysokie podatki. Zasługą jakobinów było także wprowadzenie uchwalonego przez Konwent nowego systemu miar i wag, zwanego s y s t e m e m

Stracenie Ludwika XVI
Od momentu wprowadzenia dyktatury jakobińskiej we Francji gilotyna była powszechnie używanym narzędziem likwidującym wszelkich przeciwników rewolucji, tych prawdziwych i tych fałszywie oskarżonych. Na szafot szli zwłaszcza feudałowie, bogaci mieszczanie i kler. O narastającej fali terroru świadczy fakt, że we wrześniu 1793 r. stracono 21 osób, w październiku 59, w listopadzie 61, w grudniu 68, w styczniu 1794 – 61, w lutym – 77 i w marcu – 121 osób. W sumie terror rewolucyjny pochłonął 40 tys. ofiar.

metrycznym, który stosowany jest do dziś prawie na całym świecie.

Wiele uwagi poświęcali jakobini organizacji armii. Wprowadzono nowe, ulepszone sposoby walki, polegające przede wszystkim na uderzaniu kolumnami masą wojsk na wybrany punkt. W wojsku między oficerami a żołnierzami panowały przyjacielskie stosunki. Zniesiono kary cielesne. W celu lepszego zaopatrzenia armii zakładano nowe manufaktury, które wytwarzały broń, amunicję, mundury i obuwie. Czasem jednak trudności w zaopatrzeniu wojska rozwiązywano w inny sposób. **Saint Just** [czyt. Sę Żist] jeden z przywódców jakobinów, przydzielony jako komisarz Konwentu do armii walczącej nad Renem, po stwierdzeniu, że 10 tys. żołnierzy nie ma butów, polecił zarekwirować buty u arystokratów i przesłać je natychmiast na front.

Działalność jakobinów przyniosła oczekiwane skutki. Armia rewolucyjna wyparła nieprzyjaciół z granic Francji i sama wkroczyła na ich ziemie.

Rządy jakobinów trwały tylko 14 miesięcy (1793–1794). Dzięki nim rewolucja została ocalona, a wrogowie odparci. Ale bezwzględność jakobinów przysporzyła im wielu wrogów i to nie tylko wśród szlachty i bogaczy, ale także wśród ludu, który musiał się podporządkować ich surowym zarządzeniom. W wyniku masowych wyroków śmierci stosowanych przez jakobinów ginęli najczęściej niewinni ludzie. Wielu nieprzyjaciół w społeczeństwie przysporzyła im walka z Kościołem i religią katolicką.

Karykatura – Robespierre wysławszy na gilotynę wszystkich Francuzów gilotynuje kata

Dyrektoriat. W lipcu 1794 r. umiarkowane odłamy burżuazji obaliły rządy jakobińskie. Były one przeciwne kontynuowaniu i dalszemu pogłębianiu rewolucji. Wielu jakobinów, a wśród nich również Robespierre'a i St. Justa, skazano na śmierć i stracono.

Utworzono **Dyrektoriat,** który od 1795 r. rządził Francją w interesie wielkiej burżuazji. Dyrektoriat składał się z 5 osób i zniósł wiele zarządzeń wydanych przez jakobinów.

Rządy Dyrektoriatu również budziły niezadowolenie. We Francji zapanował chaos gospodarczy, szerzyły się nędza i głód. Lud paryski próbował

Francja i kraje sąsiednie w latach 1789-1799

dwukrotnie wywołać powstanie, lecz próby te zostały stłumione przez wojsko. Również zwolennicy monarchii buntowali się przeciw Dyrektoriatowi. Chcieli oni przywrócenia we Francji monarchii i dawnych praw feudalnych. Trudności wewnętrzne zwiększała tocząca się wojna. Wprawdzie została zdobyta Holandia, a Hiszpania i Prusy wycofały się z wojny, ale najgroźniejsi przeciwnicy: Anglia i Austria nie myślały o zawarciu pokoju.

Rewolucja francuska miała wielkie znaczenie nie tylko dla Francji, ale także i dla innych krajów. Zniosła ona absolutyzm w jednym z najważniejszych państw Europy, jakim była Francja, obaliła przewagę szlachty i duchowieństwa, przede wszystkim zaś – uwolniła chłopów od uciążliwych powinności feudalnych i dała im ziemię na własność. Dzięki rewolucji francuskiej zwyciężyła – najpierw we Francji, później także w innych krajach – zasada równości wszystkich obywateli wobec prawa. Postępowe hasła rewolucji, głoszące wolność, równość i braterstwo, znalazły oddźwięk wszędzie tam, gdzie rozpoczynała się walka przeciw przestarzałym feudalnym porządkom: w Belgii, Niemczech, Szwajcarii, Włoszech, a także w Polsce i w wielu innych krajach.

Obywatel uginający się pod ciężarem rządów feudalnych...

...i po uwolnieniu się od niego

Ćwiczenia
1. Jakie były postanowienia Konstytucji francuskiej z 1791 r.?
2. Kiedy powstała *Marsylianka*?
3. W jaki sposób obalono we Francji monarchię i ustanowiono republikę?
4. Wyjaśnij znaczenie słowa „rewolucja".
5. Wskaż na mapie Austrię i państwa niemieckie.
6. Jakie reformy przeprowadzili jakobini?
7. Na czym polegał terror jakobinów?
8. Kto doszedł do władzy po upadku jakobinów?
9. Kto występował przeciwko Dyrektoriatowi?
10. Jakie było znaczenie rewolucji we Francji?
11. Wskaż na mapie Anglię, Holandię i Hiszpanię.

Początek *Marsylianki*:

„Do broni, hej, Ojczyzny dzieci,
Czas wieńcem chwały zdobić skroń.
Patrzcie jak krwią ten sztandar świeci,
Który tyranów trzyma dłoń,
Do broni, hej, ludu wstań,
Do walki gotuj broń!!"

Walka o ocalenie Rzeczypospolitej

1. Sejm Czteroletni. Konstytucja 3 maja

Przypomnij, jakie zmiany nastąpiły w gospodarce i kulturze Polski w drugiej połowie XVIII w.?

Sytuacja międzynarodowa. Pod koniec XVIII w. wszyscy światli ludzie w Polsce zdawali sobie sprawę z konieczności przeprowadzenia reform. Ze względu jednak na możliwy opór przeciw reformom państw sąsiednich, z ich zapoczątkowaniem musiano wstrzymać się aż do chwili powstania korzystnej sytuacji międzynarodowej. Sytuacja taka zaistniała w 1787 r. Rosja i Austria rozpoczęły wówczas wojnę z Turcją, której celem miał być podział europejskiej części tego państwa. W obronie Turcji wystąpiły Anglia i Prusy. Rozpoczęła się ożywiona działalność dyplomatyczna państw europejskich, w której Prusy chciały pozyskać Polskę dla swojej polityki, a przeciw Rosji i Austrii. Stanisław August był jednak przeciwny sojuszowi z Prusami. Pragnął za obietnicę wsparcia Rosji w wojnie z Turcją uzyskać od carycy Katarzyny II zgodę na przeprowadzenie reform w państwie. Jesienią **1788 r.** zwołał do Warszawy sejm, który miał zadecydować o tych sprawach.

Stronnictwa polityczne w sejmie. Sejm zebrał się w Warszawie na początku października **1788 r.** Obradował on do połowy **1792 r.** i dlatego nazwano go **Sejmem Czteroletnim**.

Ze względu na dużą wagę podjętych uchwał sejm ten nazwano również **Sejmem Wielkim**. Zwolennicy reform postanowili sejm ten wykorzystać dla

Stanisław Małachowski (1736–1809), marszałek Sejmu Czteroletniego, członek stronnictwa patriotycznego. W swoich dobrach zwolnił poddanych od niektórych ciężarów i wprowadził czynsz.

uchwalenia nowych, postępowych praw. Nie było to jednak rzeczą łatwą. Przeciw próbom reform występowało wielu przedstawicieli szlachty i magnaterii.

W sejmie rozwijały działalność głównie dwa stronnictwa: jedno postępowe i patriotyczne, pragnące przebudowy kraju, drugie zaś konserwatywne, występujące w obronie rządów magnackich i przywilejów szlacheckich. Pierwszemu stronnictwu przewodzili niektórzy przedstawiciele wielkich rodów, jak marszałek Sejmu Wielkiego **Stanisław Małachowski, Ignacy** i **Stanisław Potoccy, Adam Kazimierz Czartoryski,** a poza tym liczni reprezentanci średniej szlachty, między innymi: **Hugo Kołłątaj, Józef Wybicki** i poeta **Julian Ursyn Niemcewicz**. Drugim stronnictwem kierowali zaprzedani zaborcom wielcy panowie, którzy za cel postawili sobie niedopuszczenie do żadnych reform. Należeli do nich: **Ksawery Branicki** i **Seweryn Rzewuski** oraz **Szczęsny Potocki**. Stronnictwo to nazywano również

▲ Obrady Sejmu Wielkiego na Zamku Warszawskim. Ogłoszenie Konstytucji w dniu 3 maja 1791 r. było jedną z ostatnich prób ratowania Rzeczypospolitej przez światłych Polaków. Uchwalona przez Sejm Czteroletni postępowa Ustawa Rządowa była drugą po konstytucji Stanów Zjednoczonych nowoczesną ustawą zasadniczą, regulującą system ustrojowy Polski. Wkrótce po jej ogłoszeniu została obalona przez targowiczan.

Julian Ursyn Niemcewicz (1758–1841) był wybitną postacią epoki Oświecenia. Sercem angażował się w sprawy ojczyzny i społeczeństwa. Współcześni cenili go jako pisarza i publicystę. Był wychowankiem Szkoły Rycerskiej i aktywnym działaczem stronnictwa patriotycznego, także adiutantem Tadeusza Kościuszki podczas powstania 1794 r. Po klęsce maciejowickiej więziony był razem z Naczelnikiem w twierdzy Pietropawłowskiej. Julian Ursyn Niemcewicz był autorem pierwszej polskiej komedii politycznej, zatytułowanej *Powrót posła,* wystawionej w 1791 r., w której popularyzował idee stronnictwa patriotycznego. ▶

Stanisław Staszic, najżarliwszy bodaj pisarz polityczny XVIII w. uważał że: *Równość, wolność i własność są najpotrzebniejszym i najprostszym wnioskiem z praw człowieka. Nikt nie rodzi się ani z przywilejem nieoddzielnym próżnowania i bogactwa, ani z przeznaczeniem nieodmiennym pracy i ubóstwa.*
Wszelkie dla ludzi bogactwo znajduje się w ziemi. Nie można bez największego gwałtu zabronić któremukolwiek człowiekowi nabywania własności ziemi. Prawo, czyli podług praw używanie własności osobistych, sposobi każdemu człowiekowi własność gruntową.
Nikt nie rodzi się ze znamieniem poddaństwa, niepoczciwości, wzgardy i wstydu odebranego życia, jako nikt nie rodzi się z przywilejem szlachetności, panowania, szacunku i honoru. Tylko użyteczność stanowi między ludźmi różność.

Hugo Kołłątaj (1750–1812) ksiądz, podkanclerzy koronny, uczony i publicysta. Jeden z głównych przedstawicieli Oświecenia w Polsce. Aktywnie działał w Towarzystwie do Ksiąg Elementarnych i w Komisji Edukacji Narodowej, był wpółtwórcą Konstytucji 3 maja i gorącym zwolennikiem *oświecenia systematycznego narodu,* [...] *które by rozniecało światło po całym kraju* [...]

obozem hetmańskim, gdyż zarówno Branicki, jak i Rzewuski piastowali urząd hetmanów. Początkowo oba stronnictwa występowały razem przeciw polityce króla i Radzie Nieustającej, ale szybko ich drogi rozeszły się.

Zaczęły prowadzić ze sobą zaciekłą walkę, która toczyła się nie tylko podczas obrad sejmowych, ale i za pomocą wydawanych gazet, broszur, druków ulotnych itp.

Za stronnictwo trzecie można uważać zwolenników króla. Stanisław August zgromadził wokół siebie tych, którzy w oparciu o Radę Nieustającą i carat chcieli wzmocnić władzę króla i powiększyć armię. Ostatecznie w stronnictwie dworskim przewagę uzyskali zwolennicy reform. Do najwybitniejszych działaczy dążących do reform społecznych, ulepszenia gospodarki i wzmocnienia państwa polskiego należeli **Stanisław Staszic (1755–1826)** i **Hugo Kołłątaj (1750–1812).**

Stanisław Staszic domagał się zniesienia *liberum veto* i wolnej elekcji. W gorących słowach ukazywał nędzę chłopów i piętnował pogardę, z jaką szlachta odnosiła się do mieszczan. Najostrzej atakował jednak wielkich panów, pisząc: *Z samych panów zguba Polaków*. Oskarżał ich o dopuszczanie się zdrad, zrywanie sejmów, sprzedawanie przedstawicielom państw obcych swoich głosów na sejmach, zwłaszcza elekcyjnych. Magnatów czynił bezpośrednio odpowiedzialnymi za rozbiór Polski.

Podobne były poglądy Hugna Kołłątaja. Wzywał on do zniesienia poddaństwa chłopów, choć uważał, że ziemia powinna być nadal własnością szlachty. Podobnie jak Staszic, wielką rolę przyznawał miastom i domagał się, aby mieszczanie otrzymali równe prawa ze szlachtą oraz przedstawicielstwo w sejmie. Główny nacisk kładł Kołłątaj na reformę zarządzania państwem. Żądał wzmocnienia władzy królewskiej, zniesienia *liberum veto* i wprowadzenia dziedziczności tronu.

Reformy skarbu i wojska. Na wniosek posłów ze stronnictwa patriotycznego sejm uchwalił powiększenie wojska do 100 tys. ludzi. Jednak wprowadzenie tej uchwały w życie nie było możliwe bez równoczesnej reformy skarbowej. Dlatego postanowiono nałożyć na szlachtę podatek w wysokości 10% od dochodu, a na duchowieństwo 20%. Wykonanie tych decyzji mogło wzmocnić siły państwa, lecz stało się inaczej. Szlachta podawała fałszywe dane o swych dochodach i wpływy z nowych podatków były mniejsze, niż zaplanowano. Sejm musiał wyrazić zgodę na zmniejszenie liczby wojska do 65 tys., ale nawet i tyle żołnierzy nie zdołano wystawić.

Polityka zagraniczna. Przeprowadzając reformy nie można było utrzymywać złych stosunków jednocześnie z trzema sąsiadami. Początkowo planowano przymierze polsko-rosyjskie, ale za namową Prus król, licząc na ich poparcie dla reform, zdecydował się na sojusz polsko-pruski. Zdania w społeczeństwie były podzielone. Jedni wierzyli zapewnieniom pruskim, inni, jak Staszic, wskazywali na niebezpieczeństwo dla ziem północnych i zachodnich Polski, wypływające z tego sojuszu. Jednak, mając nadzieję na poparcie pruskie, podjęto pewne kroki przeciw Rosji i jej polskim poplecznikom, z n i e s i o n o Radę Nieustającą i zakazano pobierania pieniędzy od innych państw. Traktat podpisany z Prusami skierowany był przeciw Austrii. W razie wojny Prus z Austrią Polska miała odzyskać ziemie zaboru austriackiego, za cenę oddania Prusom Gdańska i Torunia. Na to jednak nie wyraziła zgody większość posłów. Tymczasem do spodziewanej wojny z Austrią nie doszło. Wpłynęło na to kilka przyczyn, m.in. słabość Polski, ale przede wszystkim zbliżenie Prus do Rosji. Nie było

POLSKA 65 tys.

ROSJA ponad 300 tys.

PRUSY 200 tys.

AUSTRIA 300 tys.

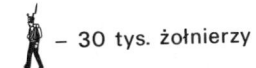

– 30 tys. żołnierzy

Stan liczebny wojsk Polski i jej sąsiadów w latach osiemdziesiątych XVIII stulecia

W obliczu niebezpieczeństwa Sejm Wielki uchwalił powiększenie wojska do 100 tys. ludzi. Jednak ze względu na fakt, iż nie można było zdobyć funduszy na powiększenie armii, Sejm musiał przyjąć liczbę 65 tys. jako górną granicę, w praktyce podczas wojny 1792 r. zdołano wystawić około 57 tys. żołnierzy.

już mowy o przyłączeniu do Polski ziem zaboru austriackiego. W nowej sytuacji sojusz z Polską stracił znaczenie dla Prus. Powróciły one do projektu porozumienia z Rosją, aby kosztem Polski uzyskać nowe zdobycze terytorialne.

Prawo o miastach. Po roku prac sejmowych napłynęły do Warszawy wieści o rewolucji francuskiej. Wtedy mieszczaństwo jeszcze energiczniej zaczęło domagać się praw dla siebie. Znaczną rolę w tej walce odegrał prezydent Warszawy **Jan Dekert**. Z inicjatywy Kołłątaja i Jana Dekerta w listopadzie **1789 r.** udali się delegaci 141 miast polskich w czarnych strojach na zamek i przedstawili królowi swoje żądania. Ta manifestacja polityczna mieszczan, zwana „c z a r n ą p r o c e s j ą" wzbudziła popłoch wśród magnatów i konserwatywnej szlachty. Obawiali się oni wybuchu rewolucji podobnej do rewolucji francuskiej.

Smolarz, reprezentant najuboższej warstwy plebejskiej

W rezultacie w połowie kwietnia **1791 r.** sejm przyjął p r a w o o m i a s t a c h. Mieszczanie z miast królewskich otrzymali prawo nabywania dóbr ziemskich i dostęp do urzędów. Mogli też wysyłać pewną liczbę swych przedstawicieli na sejm, ale bez prawa głosu. Zostali objęci prawem przewidującym zakaz trzymania w więzieniu bez wyroku sądowego. Ułatwiono im również zdobywanie szlachectwa i zniesiono przepisy zabraniające szlachcie trudnienie się handlem i rzemiosłem w miastach.

Uchwalenie Konstytucji 3 maja 1791 r. i jej znaczenie. Trzeciego maja 1791 r. stronnictwo patriotyczne osiągnęło wielkie zwycięstwo nad obrońcami starego porządku – mimo gwałtownych wystąpień przedstawicieli obozu hetmańskiego sejm uchwalił k o n s t y t u c j ę.

Tego dnia lud Warszawy od rana gromadnie wyległ na ulice. Na wieść o uchwaleniu konstytucji przed zamkiem odbyła się wielka patriotyczna manifestacja.

Konstytucja zniosła *liberum veto* i wolną elekcję. Tron w Polsce stał się dziedziczny. Uchwały sejmowe miały zapadać większością głosów i posłowie nie mogli już odtąd zrywać sejmów. Utworzono rząd nazwany **Strażą Praw** i nadano mu

Głosowanie nad Konstytucją 3 maja

▲ Twórcy Ustawy Rządowej niesieni na ramionach posłów i senatorów po uroczystym ogłoszeniu Konstytucji 3 maja

duży zakres władzy. Za swoją działalność rząd miał być odpowiedzialny przed sejmem. Włączono do konstytucji prawo o miastach.

W sprawie **chłopów** konstytucja głosiła, że **bierze ich pod opiekę prawa**. Można było się spodziewać, że na tej podstawie w przyszłości otrzymają oni nowe prawa.

Konstytucja 3 maja była dowodem, że Polska weszła na drogę postępu i reform, że Polacy sami znaleźli siły do wydobycia kraju z upadku. Stanowiła wyraz gorącego patriotyzmu i umiłowania wolności.

Mimo, że twórcy Ustawy Rządowej wykorzystali wzory francuskie, angielskie i amerykańskie, jej zasadnicze treści były oryginalne, polskie.

Ćwiczenia

1. Jakie stronnictwa istniały w czasie Sejmu Czteroletniego?
2. Dlaczego reformy skarbowe i wojskowe nie zostały w pełni zrealizowane?
3. Co zawierał traktat z Prusami i dlaczego nie doszło do jego realizacji?
4. Jakie postanowienia zawierało prawo o miastach?
5. Jak doszło do uchwalenia Konstytucji 3 maja?
6. Jakie zmiany wprowadziła Konstytucja: a) w sprawie zarządzania państwem, b) w sprawie mieszczan, c) w sprawie chłopów?

Zapamiętaj datę **3 V 1791 r.**

Wyjątki ze wstępu do Konstytucji 3 maja:

„Uznając, iż los nas wszystkich od ugruntowania i wydoskonalenia Konstytucji narodowej jedynie zawisł, długim doświadczeniem poznawszy zadawnione rządu naszego wady [...] wolni od hańbiącej obcej przemocy nakazów, ceniąc

O USTANOWIENIU
KONSTYTUCYI POLSKIEY
3go MAIA 1791.

Część I.

ROZDZIAŁ I.
Prawo Narodu i potrzeba ustanowienia nowey Konstytucyi.

Że każdy naród iest wolny i niepodległy, że sam iest panem ustanowić sobie taką formę rządu, iaka mu się naylepsza bydź zdaie, że żaden obcy naród nie ma prawa mieszać się w iego konstytucyą, iest to naypierwsza i naywaznieysza w prawie narodów maxyma, a przy świetle wieku dzisieyszego tak oczywista, iż żadnych nie potrzebuie dowodów. Naród nie maiący prawa rządzić się u siebie, nie iest narodem. Naród pod gwarancyą, któreyby mógł obcy przeciw niemu samemu

Pierwsza karta Konstytucji 3 maja

drożej nad życie, nad szczęśliwość osobistą – egzystencję polityczną, niepodległość zewnętrzną i wolność wewnętrzną narodu, którego los w nasze ręce jest powierzony [...] dla dobra powszechnego, dla ugruntowania wolności, dla ocalenia ojczyzny naszej i jej granic z największą stałością ducha niniejszą konstytucję uchwalamy i tę całkowicie za świętą, za niewzruszoną deklarujemy, dopóki by naród w czasie prawem przepisanym, wyraźną wolą swoją nie uznał potrzeby odmienienia w niej jakiego artykułu".

2. Wojna w obronie Konstytucji 3 maja. Drugi rozbiór Polski

Przypomnij, jaki związek nazywano w dawnej Polsce konfederacją.
Co wiesz o Tadeuszu Kościuszce?
Jakie były postanowienia I rozbioru Polski?

Konfederacja targowicka. Uchwalenie Konstytucji 3 maja zaniepokoiło przeciwników reform, zwłaszcza zaś wielu magnatów polskich. Postanowili oni uczynić wszystko, byle tylko nie utracić swej dotychczasowej władzy. Również państwa zaborcze były zainteresowane w tym, aby nie dopuścić do żadnych reform w Polsce. Na polecenie Katarzyny II główni przeciwnicy reform: Szczęsny Potocki, Seweryn Rzewuski i Ksawery Branicki, ogłosili w miasteczku ukraińskim **Targowica** zawiązanie konfederacji, której celem było obalenie postanowień Konstytucji 3 maja. Akt konfederacji był przygotowany w Petersburgu, a tylko ogłoszony w Targowicy. Targowiczanie nazwali konstytucję „gwałcicielką wolności szlacheckiej" i oświadczyli, że występują w obronie wiary katolickiej, *liberum veto,* wolnej elekcji i innych dawnych przywilejów. Katarzyna II udzieliła im pomocy.

Wojna polsko-rosyjska (1792). W 1792 r. armia carska licząca około 100 tys. ludzi przekroczyła granice Rzeczypospolitej. Do odparcia najazdu Polska była źle przygotowana. Mogła wystawić zaledwie 57 tys. żołnierzy. W dodatku niektórzy dowódcy tej nielicznej armii sprzyjali konfederacji targowickiej. W tej sytuacji niewiele pomógł zapał mieszczan, którzy byli gotowi wystąpić zbrojnie w obronie kraju.

Oficer regimentu (pułku) gwardii pieszej Wielkiego Księstwa Litewskiego w mundurze z roku 1792. Szeregowy regimentu gwardii pieszej Wielkiego Księstwa Litewskiego w mundurze z roku 1792. Umundurowanie gwardii pieszej litewskiej od koronnej różniło się haftami na spodniach, brakiem lampasów oraz kapeluszami. Towarzysz przedniej straży, prawdopodobnie pułku 3. Buławy Polnej Koronnej, w mundurze z roku 1792.

Mimo liczebnej przewagi armii rosyjskiej Polacy odnieśli kilka sukcesów. Pod Zieleńcami na Ukrainie pokonał wojska nieprzyjacielskie bratanek króla, książę Józef Poniatowski, a pod Dubienką nad Bugiem wstrzymał silniejsze oddziały wroga – Tadeusz Kościuszko. Jednak sytuacja była bardzo ciężka, tym bardziej, że Polska nie mogła liczyć na żadną pomoc.

Ostateczny cios nadziejom wszystkich patriotów zadał sam król Stanisław August. Od początku wojny nie wierzył on w jej powodzenie i po dwóch miesiącach walk wydał rozkaz zaprzestania działań wojennych, przechodząc jednocześnie na stronę konfederatów. Król łudził się, że zjedna tym sobie Katarzynę II i uchroni Polskę przed nowym rozbiorem. W odpowiedzi na ten krok króla wielu przywódców stronnictwa patriotycznego wyjechało za granicę, głównie do Saksonii. Około 200 oficerów wystąpiło z szeregów wojskowych. Wśród nich znajdowali się książę Józef Poniatowski i Tadeusz Kościuszko. Kraj zajęły wojska rosyjskie, a władza przeszła w ręce targowiczan.

Wojna polsko-rosyjska w 1792 r.

Drugi rozbiór Polski (1793). Odniósłszy zwycięstwo, targowiczanie przystąpili do burzenia wszystkiego co stworzył Sejm Czteroletni. Unieważniono większość postanowień Konstytucji 3 maja, zamknięto postępowe czasopisma, zwalczano wszelkie wpływy rewolucji francuskiej. Targowiczanie wykorzystywali swe rządy także do pomnażania osobistego bogactwa. Wyznaczali sobie wysokie pensje, zagarniali fundusze państwowe i majątki tych wszystkich, którzy zmuszeni byli opuścić kraj.

Tymczasem Prusy i Rosja doszły do porozumienia w sprawie **drugiego rozbioru** Polski. W **1793 r.** został podpisany nowy traktat rozbiorowy.

Rosja zajęła większość Białorusi i Ukrainy oraz Podola. Prusy – Gdańsk, Toruń, Wielkopolskę i część Mazowsza. Wkraczające do Gdańska i Torunia wojska pruskie mieszkańcy tych miast powitali kulami, ale ich opór został szybko stłumiony. Oba państwa zaborcze zażądały, aby sejm potwierdził traktat rozbiorowy.

Posłowie zjechali się do Grodna nad Niemnem, lecz nie chcieli uznać traktatu rozbiorowego. Pod przymusem podpisany został traktat rozbiorowy

Ziemie Rzeczypospolitej po II rozbiorze (1793 r.)

z Rosją. Przeciwko podpisaniu traktatu rozbiorowego z Prusami posłowie zaprotestowali milczeniem. Wówczas na salę wszedł generał dowodzący wojskami wysłanymi przez Katarzynę II. Usiadł na krześle obok tronu królewskiego i czekał. Wreszcie o czwartej nad ranem zagroził wprowadzeniem wojska na salę. Marszałek sejmu trzykrotnie zapytał, czy sejm pozwala podpisać traktat. Odpowiedziało tylko głuche milczenie.

Naraz jeden z posłów, płatny zdrajca Józef Ankwicz, oświadczył, że milczenie jest znakiem zgody. Posiedzenie sejmowe zostało zamknięte. Tak skończył się ostatni sejm w dziejach Rzeczypospolitej.

Ćwiczenia
1. Do czego dążyli przywódcy konfederacji targowickiej?
2. W jaki sposób targowiczanom udało się zdobyć władzę w Polsce?
3. Jakie były ich rządy?
4. Które państwa zaborcze wzięły udział w II rozbiorze?
5. Jak odbyło się zatwierdzenie traktatu rozbiorowego przez sejm?
6. Wskaż na mapie: a) Targowicę, Zieleńce i Dubienkę, b) Saksonię, c) ziemie utracone przez Polskę w I i II rozbiorze, d) Grodno.

W II rozbiorze Polska utraciła:
na rzecz Prus   – 58 tys. km^2 – 1 100 tys. ludności,
na rzecz Rosji – 250 tys. km^2 – 3 000 tys. ludności.

Zapamiętaj datę **1793**

Generał-lejtnant Antoni Madaliński (1739–1805) komendant 1. Wielkopolskiej Brygady Kawalerii Narodowej. Brał czynny udział w przygotowaniach powstańczych. 4 kwietnia brygada Madalińskiego wzięła udział w bitwie pod Racławicami.

3. Insurekcja Kościuszkowska

Wybuch powstania. Drugi rozbiór Polski i rządy targowiczan wywołały wielkie oburzenie wśród społeczeństwa. Zarówno w kraju, jak i za granicą grupa patriotów zaczęła przygotowywać insurekcję tj. zbrojne powstanie przeciw państwom zaborczym. Wodzem powstania miał zostać Tadeusz Kościuszko, który wsławił się w walce o niepodległość Stanów Zjednoczonych i w wojnie z Rosją w obronie Konstytucji 3 maja.

Tymczasem targowiczanie pod presją zaborców zaczęli zmniejszać liczbę wojska polskiego, która w krótkim czasie zmalała do 15 tys. Stało się to powodem przyspieszenia powstania. Hasło do wystąpienia dał generał Antoni Madaliński, który stał ze swoim oddziałem w Ostrołęce. Nie posłuchał on rozkazu o rozbrojeniu i 12 marca 1794 r. wymaszerował na czele ponad tysiąca żołnierzy z Ostrołęki do Krakowa.

Tadeusz Kościuszko naczelnikiem powstania.
W dniu 23 marca przybył do Krakowa Tadeusz Kościuszko, a już następnego dnia 24 marca 1794 r. na krakowskim Rynku zebrały się tłumy ludności. Wśród powszechnego zapału odczytany został *Akt powstania obywatelów, mieszkańców województwa krakowskiego*. Ogłaszał on walkę o przywrócenie wolności ojczyźnie i uznawał Kościuszkę *najwyższym i jedynym naczelnikiem i rządcą zbrojnego naszego powstania*. Żołnierze i oficerowie przysięgli wierność swojemu wodzowi, a Kościuszko złożył uroczyste ślubowanie, w którym przyrzekał iż: *powierzonej mi władzy na niczyj prywatny ucisk nie użyję, lecz jedynie dla obrony całości granic, odzyskania samowładności Narodu, ugruntowania powszechnej wolności używać będę*.

Chcąc rozszerzyć powstanie na inne części kraju, Kościuszko wyruszył z czterotysięcznym oddziałem ku Warszawie. Wraz z regularnym wojskiem maszerowało 2 tys. chłopów podkrakowskich uzbrojonych w kosy, czyli k o s y n i e r ó w.

Bitwa pod Racławicami. Do pierwszego spotkania z nieprzyjacielem doszło pod wsią R a c ł a w i c e **4 kwietnia 1794 r.** Oddziały rosyjskie

Trębacz 1. Wielkopolskiej Brygady Kawalerii Narodowej z 1794 r.

◀ Przysięga Tadeusza Kościuszki na Rynku krakowskim w dniu 24 marca 1794 r.
Przed Kościuszką czyta rotę przysięgi poseł szambelan, Aleksander Linowski. Obok stoi Józef Wodzicki, szef regimentu 2. pieszego koronnego. Na prawo od Kościuszki stoją: oficer z regimentu Wodzickiego, oficer artylerii i oficer nieokreślonego bliżej oddziału. Dalej na prawo – prawdopodobnie Hugo Kołłątaj, rozmawiający z dwoma szlachcicami. Pomnik przedstawiony na obrazie to alegoryczny wizerunek Polski.

▲ Atak chłopskich kosynierów w bitwie pod Racławicami

Zdobycie przez kosynierów armat pod Racławicami (4 kwietnia 1794 r.) było pierwszym militarnym sukcesem Powstania Kościuszkowskiego. Dzięki atakowi kosynierów Polacy odnieśli zwycięstwo nad wojskami rosyjskiego generała Aleksandra Tormasowa.

[...] *Polacy otrzymali plac bitwy i zyskali 12 armat obok 400 trupów przez nieprzyjaciela zostawionych. Z swojej zaś strony utracili zabitych 150 żołnierzy i 200 rannych mieli.*

Zapał W armatach z XVIII w. mały otwór w tylnej części działa, którędy iskra z lontu biegła do ładunku w lufie.

Terminator Uczeń jakiegoś zawodu, rzemiosła u mistrza rzemieślniczego.

zajęły korzystniejszą pozycję na wzgórzu, gdzie umieściły 12 armat. Początkowo obie strony ostrzeliwały się wzajemnie ogniem artyleryjskim i nikt nie rozpoczynał natarcia. Kiedy jednak doniesiono Kościuszce, że wojskom rosyjskim przybywają posiłki, rzucił do ataku większą część swoich sił, lecz uderzenie to nie przyniosło oczekiwanego rezultatu. Zwycięstwo zaczęło się już ważyć na stronę rosyjską. Wtedy Kościuszko sam poprowadził do ataku oddział złożony z 320 chłopów. Kosynierzy uderzyli na armaty rosyjskie, zdobywając większą część dział. Atak piechoty chłopskiej zadecydował o wygraniu bitwy.

Szczególnym bohaterstwem w czasie bitwy odznaczył się chłop Wojciech Bartos, który pierwszy skoczył na armaty i czapką zatkał zapał działa. Za ten czyn Bartos został mianowany oficerem i otrzymał nazwisko Głowacki. Na żądanie Kościuszki właściciel wsi, z której Bartos pochodził, dał mu na własność zagrodę. Po zwycięstwie racławickim Kościuszko na znak szacunku i sympatii dla bohaterstwa chłopów wdział na siebie sukmanę chłopską.

Insurekcja warszawska. Wieść o bitwie racławickiej szybko obiegła całą Polskę. Szczególnie wielkie wrażenie wywarła ona w Warszawie, gdzie od dawna panowały nastroje rewolucyjne. **17 kwietnia 1794 r.** wybuchło w stolicy p o w s t a n i e. Przy biciu w dzwony wystąpił na ulice lud warszawski, kierowany przez szewca **Jana Kilińskiego.** Byli to głównie czeladnicy i terminatorzy, uczniowie, służba domowa i wszelka biedota miejska. Wsparli oni nieliczne oddziały wojska polskiego. A tymczasem bogaci mieszczanie i szlachta zamykali się w swoich domach w obawie przed uzbrojoną ludnością. Po dwudniowej walce Warszawa była wolna.

W kilka dni po insurekcji warszawskiej wybuchło powstanie w **Wilnie.** Dowodził nim wybitny rewolucjonista i dzielny żołnierz – **Jakub Jasiński.**

Radykalni patrioci założyli w Warszawie na wzór francuski k l u b j a k o b i n ó w p o l s k i c h. Wybitną rolę odegrali wśród nich Jakub Jasiński i Hugo Kołłątaj.

Jakobini, przejęci ideami rewolucji francuskiej, byli wyrazicielami rewolucyjnych nastrojów ludu warszawskiego. Żądali opieki nad najbiedniejszą ludnością, obniżenia cen, karania kupców ciągnących z handlu nadmierne zyski. Domagali się uwięzienia i ukarania targowiczan. Za sprawą jakobinów oddano pod sąd zdrajców i targowiczan. Na Rynku Starego Miasta wykonano wyroki na zdrajcach ojczyzny. Wieszano publicznie targowiczan, a gdy ich nie można było ująć, wieszano portrety. Między straconymi znajdował się również poseł Ankwicz.

Tadeusz Kościuszko jako Najwyższy Naczelnik Siły Zbrojnej Narodowej
Na portrecie widzimy go w surducie cywilnym z oznaką Stowarzyszenia Cyncynatów na szyi i Orderem Virtuti Militari na piersi.
O tym, jak dobrą miał opinię Tadeusz Kościuszko u swoich współczesnych świadczy wypowiedź Józefa Wybickiego:
Każdy, co Polak, pójdzie na jego hasło, każdy składać będzie ofiary na jego zawołanie, on jak wsławiony w kraju i Ameryce żołnierz będzie umiał siłą zbrojną władać, a jako z skromności obyczajów i cnoty obywatelskiej powszechnie znany, potrafi dary na ołtarzu Ojczyzny złożone, ku jej tylko powstaniu poświęcić.

Wieszanie portretów targowiczan
Gdybym miał Twoją spokojność w duszy, a Twoją władzę w kraju, powiesiłbym 100 ludzi, zbawiłbym ich sześć milionów. Tak pisał jakobin Jakub Jasiński w raporcie z 16 września 1794 r. do Tadeusza Kościuszki.
Co sądzisz o tak radykalnych poglądach?

Przedstawiciel najbardziej radykalnej części społeczności warszawskiej, domagającej się krwawej rozprawy z targowiczanami podczas insurekcji

Uniwersał połaniecki. W celu zapewnienia zwycięstwa powstaniu niezbędny był udział w nim szerokich mas chłopskich. Kościuszko rozumiał to doskonale. Dlatego też **7 maja 1794 r.** wydał w **Połańcu** nad Wisłą nowe prawa dla chłopów, czyli Uniwersał połaniecki.

Kościuszko potępił w Uniwersale wrogą postawę szlachty wobec chłopów i zapowiedział, że ciemiężyciele chłopów, obrońców ojczyzny, będą karani jako zdrajcy.

Uniwersał znosił poddaństwo osobiste chłopów, co oznaczało, że mogli oni teraz swobodnie opuszczać swoich dziedziców. Chłopi, służący w wojsku, zostali uwolnieni od pańszczyzny, a dla wszystkich innych zmniejszono jej wymiar na czas trwania wojny od 25 do 50%.

Uniwersał połaniecki miał przyczynić się do polepszenia doli chłopskiej, choć nie znosił całkowicie pańszczyzny i nie dawał chłopom ziemi na własność. Większość szlachty przyjęła go niechętnie, a nawet wrogo. W wielu folwarkach nie realizowano postanowień Uniwersału i nawet zabroniono jego ogłoszenia. Chłopi pragnący zaciągnąć się do wojska niejednokrotnie napotykali duże trudności. Zamiar Kościuszki utworzenia trzystutysięcznej armii ludowej spełzł na niczym, a siły powstańcze były zbyt słabe, by odnieść zwycięstwo.

Chłopska milicja pospolitego ruszenia kościuszkowskiego. Na pierwszym planie – dwaj strzelcy i pikinier. Strzelcy mają ładownice z herbem – Pilawa – Potockich. Zielone gałązki na czapce i kapeluszu oznaczały rekrutów. W głębi widzimy rekruta konnego.

Obrona Warszawy. Tymczasem przeciwko powstańcom ruszyły połączone siły rosyjsko-pruskie. Do starcia doszło pod S z c z e k o c i n a m i w województwie kieleckim. Siłami nieprzyjaciela dowodził sam król pruski. Bitwa była zacięta. Wojska polskie straciły wielu ludzi. Wśród zabitych na placu boju znalazło się dwóch polskich generałów i Wojciech Bartos Głowacki.

W tej sytuacji Kościuszko zarządził marsz ku Warszawie, aby tam połączyć wszystkie siły powstania. Umiejętnie zorganizował obronę miasta, przygotowując liczne umocnienia. Tymczasem pod Warszawę podeszły połączone wojska rosyjskie i pruskie. Stolica została otoczona z trzech stron przez armie wroga.

Przez lipiec i sierpień 1794 r. toczyły się ciężkie walki pod Warszawą. Odznaczyły się w nich oddziały złożone z warszawskich mieszczan. Tymczasem nadeszła wiadomość, że w Wielkopolsce wybuchło powstanie przeciwko Prusakom, przygotowywane tam od pewnego czasu przez patriotów polskich na polecenie Kościuszki. Zmusiło to króla pruskiego do wycofania swych wojsk spod Warszawy. Jednocześnie odstąpiły również wojska rosyjskie.

Na pomoc walczącym Wielkopolanom wyruszył spod Warszawy oddział powstańczy, prowadzony przez generała **Jana Henryka Dąbrowskiego.**

Chorąży Wojciech Bartosz Głowacki i strzelec chłopskiego pospolitego ruszenia

Potyczka kawalerii narodowej z piechotą rosyjską

Kosynier z 1794 r.

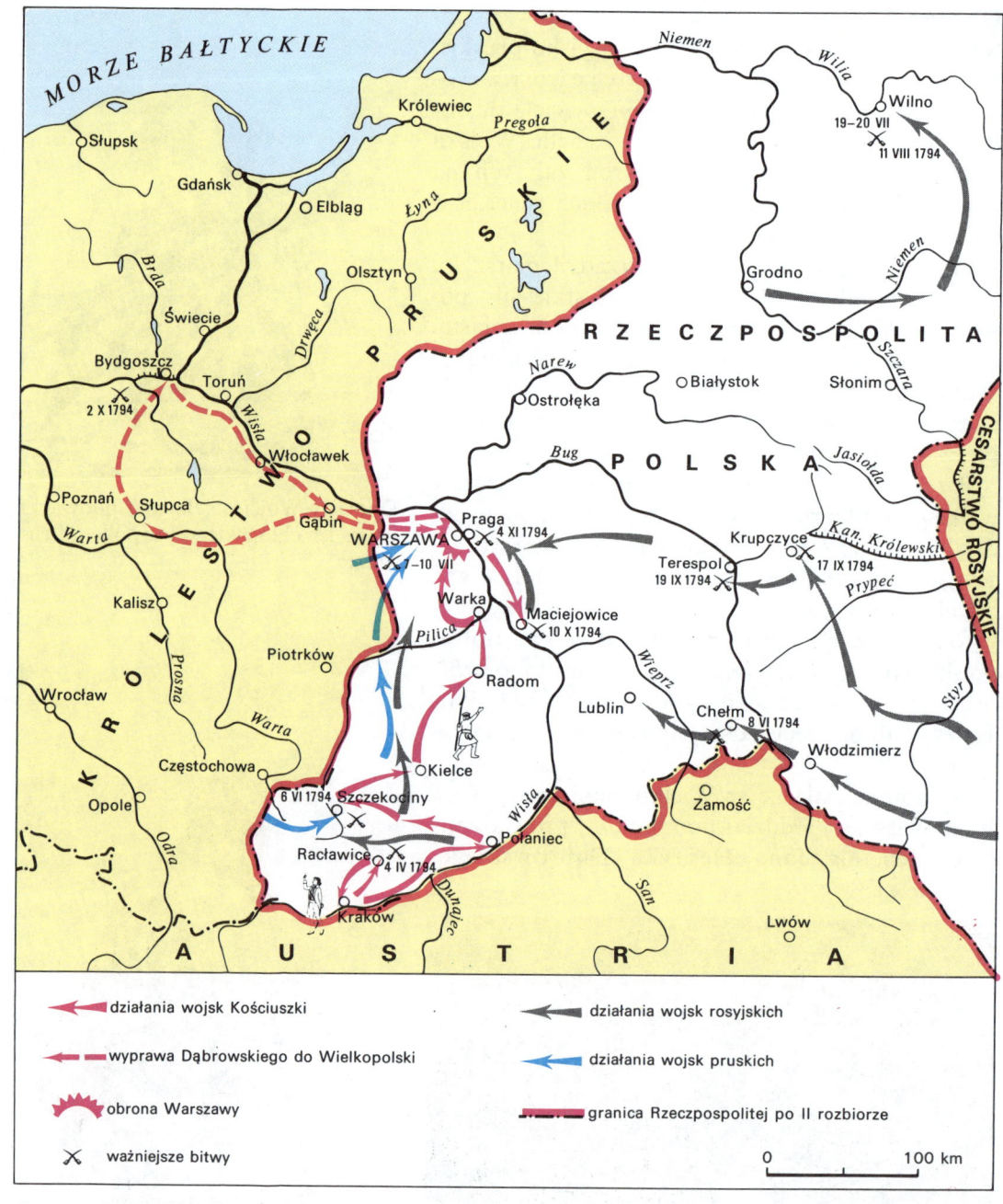

Powstanie Kościuszkowskie 1794 r.

Z początku powstańcy odnosili sukcesy. Udało im się nawet wyzwolić Bydgoszcz. W dalszych jednak walkach powstanie wielkopolskie zostało stłumione przez wojska pruskie.

Ćwiczenia

1. Jak doszło do wybuchu Powstania Kościuszkowskiego?
2. Co przysięgał Kościuszko narodowi polskiemu?
3. Kto się odznaczył w bitwie pod Racławicami?
4. Komu zawdzięczała wyzwolenie Warszawa?
5. Jaki los spotkał zdrajców ojczyzny?
6. Wskaż na mapie: Ostrołękę, Kraków, Racławice, Połaniec, Szczekociny, Warszawę, Wilno i Bydgoszcz.
7. Co zawierał Uniwersał połaniecki?
8. Opowiedz o obronie Warszawy w 1794 r.

Zapamiętaj datę **1794**

Piosenka z *Krakowiaków i górali* śpiewana prawdopodobnie przez kosynierów:

„Dalej chłopcy, dalej żywo,
Otwiera się dla nas żniwo.
Rzućwa pługi, rzućwa radło,
trza wojować, kiej tak padło.

Niech kobieta gospodarzy,
Niech pilnują roli starzy.
My parobcy, zagrodniki,
Rzućwa cepy, bierzwa piki".

4. Klęska powstania i upadek Rzeczypospolitej

Klęska pod Maciejowicami. Pomimo uwolnienia stolicy od oblężenia, sytuacja powstania była nadal trudna. Katarzyna II rzuciła przeciw powstańcom nowe wojska, które znów maszerowały na Warszawę. Aby nie dopuścić do połączenia się dwóch armii rosyjskich, Kościuszko zastąpił nieprzyjacielowi drogę pod **Maciejowicami**. Bitwa zakończyła się ciężką klęską wojsk polskich. Z 7 tys. Polaków prawie 6 tys. poległo lub odniosło rany, a Kościuszko ciężko ranny dostał się wraz ze sztabem do niewoli.

W końcu października wojska rosyjskie stanęły pod Warszawą. Jej obroną kierował działacz jakobiński, generał **Józef Zajączek**. I znów rozpoczął się bój na przedmieściach stolicy, zwłaszcza na Pradze. Po złamaniu bohaterskiego oporu wojska i ludności oddziały rosyjskie zajęły Pragę, urządzając krwawą rzeź wśród jej mieszkańców. Na szańcach Pragi zginął także młody i oddany sprawie wolności do końca generał Jakub Jasiński. Ponie-

Sztandar kosynierów z 1794 r. z symbolami pracy i walki chłopów

Tadeusz Kościuszko ranny w bitwie pod Maciejowicami. Kościuszko osaczony został przez Kozaków i dragona rosyjskiego. Z pomocą nadjeżdża polski oficer kawalerii narodowej.

Nieprzyjaciel cztery razy silniejszy od nas, mając przy tym wielką liczbę dział, nie zrażał się trudnością swego stanowiska, i postępował coraz dalej. Strzały jego dział podwajały się, grad kul wszelkiego kalibru padał na nas, wszędzie śmierć roznosząc.

Jakub Jasiński (1759–1794) – generał i rewolucjonista, poeta, autor wielu wierszy o treści rewolucyjnej. Brał udział w wojnie 1792 r. Wszczął powstanie na Litwie w dniach 22 i 23 kwietnia 1794 r. Zginął bohatersko w Powstaniu Kościuszkowskim, broniąc Pragi.

waż dalszy opór nie miał najmniejszych szans powodzenia, Warszawa skapitulowała. Oddziały polskie wyszły z miasta i złożyły broń w Kieleckiem. Powstanie ostatecznie upadło.

Naród polski nie mógł wystawić takiej siły zbrojnej, która mogłaby przeciwstawić się skutecznie połączonym armiom państw zaborczych.

Wojsko polskie było zbyt słabe liczebnie, niedostatecznie wyszkolone, za mało miało broni i amunicji.

Francja, na której pomoc liczono, zajęta wojną w obronie swych granic, nie była w stanie jej udzielić. Wybuch powstania w Polsce natomiast poprawił jej sytuację, ponieważ Prusy wycofały swe wojska z granicy francusko-pruskiej. Również Rosja z powodu powstania nie mogła myśleć o wystąpieniu przeciwko Francji. Wolała popychać do wojny Prusy i Austrię, żeby mieć wolne ręce w działalności na innych terytoriach.

Trzeci rozbiór Polski. Państwom zaborczym nic już teraz nie stało na przeszkodzie w zagrabieniu pozostałych ziem Rzeczypospolitej. W **1795 r.** został podpisany t r z e c i   t r a k t a t   r o z b i o r o w y. Rosja zajęła resztę ziem ukraińskich, białoruskich i Litwy, czyli tereny na wschód od Bugu i Niemna, uzyskując największe zdobycze terytorialne. Prusy – obszar na północ od dolnej Pilicy i dolnego Bugu wraz z Warszawą. Austria zaś – ziemie między Bugiem, Wisłą i Pilicą. W ten

202

sposób państwo polskie zostało skreślone z mapy Europy. Upadek Polski nastąpił w chwili, gdy kraj zaczął się odradzać i stopniowo wchodzić na drogę reform i postępu.

Rozpoczął się rabunek dorobku kulturalnego narodu. Liczne dzieła sztuki, biblioteki i archiwa wywieziono z kraju. Tysiące powstańców popędzono na Sybir lub wcielono do armii carskiej. Kościuszko został uwięziony w t w i e r d z y P i e t r o p a w ł o w s k i e j w Petersburgu. Patrioci uchodzili do Turcji, Włoch i Francji przed prześladowaniami ze strony zaborców.

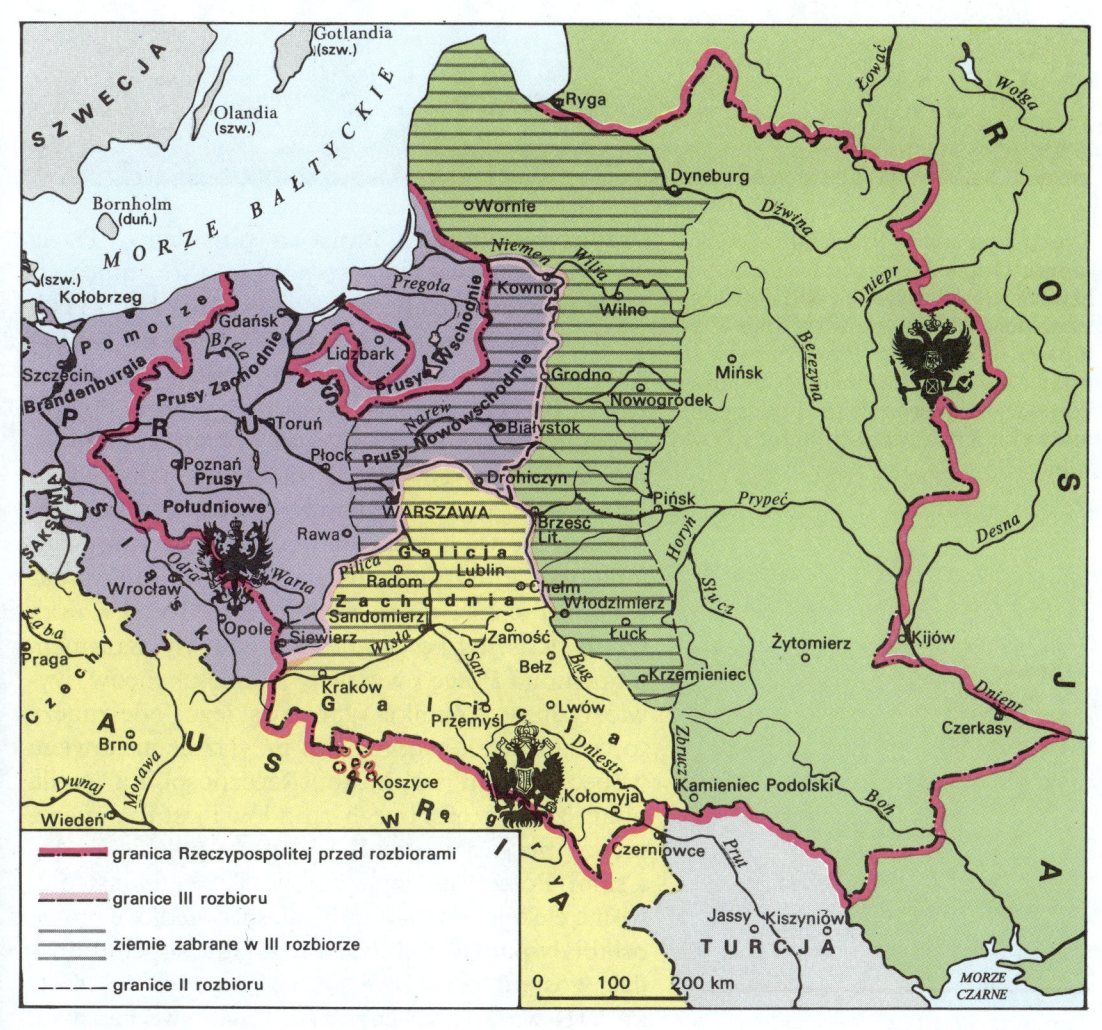

Granice państw zaborczych po trzecim rozbiorze (1795 r.)

Rzeź mieszkańców Pragi. Obraz Aleksandra Orłowskiego
Szturm wojsk rosyjskich pod dowództwem generała Suworowa w dniu 4 listopada 1794 r. na Pragę przyniósł ostateczny kres Insurekcji Kościuszkowskiej. Nie oszczędzano podczas tej niezwykle krwawej akcji ludności cywilnej.

Zapamiętaj datę **1795**

Przyczyny upadku państwa polskiego. Trzeci rozbiór unicestwił państwo polskie, a trzy mocarstwa zaborcze ogłosiły, że na zawsze ma być zlikwidowana nazwa „Królestwo Polskie". Szczególnie agresywnym zaborcą okazała się Rosja. Bo chociaż Prusy pierwsze wysunęły projekt podziału Polski przy pierwszym rozbiorze i do myśli rozbiorów przychyliła się zachłanna Austria, to jednak Rosja przy każdym z rozbiorów odgrywała rolę ich głównego wykonawcy i organizatora: tłumiła opór Polski, opanowywała terytorium, wydawała jego części w ręce wspólników. To jej wojska wzięły Kościuszkę do niewoli, zdobyły szturmem umocnioną Pragę i wyrżnęły jej mieszkańców, wywiozły łupy z Zamku Warszawskiego. Nie znaczy to, że pozostali zaborcy byli przyjaźnie nastawieni wobec narodu polskiego. Rzeczpospolita padła ofiarą zaborczości trzech sąsiadów i jest to najważniejsza przyczyna upadku państwa polskiego. Ale i sami Polacy nie byli bez winy. Wady ustroju: wolna elekcja, *liberum veto* i niesprawiedliwe prawa osłabiały państwo, a dzieła rozkładu dopełnił upadek gospodarki i zniszczenia wojenne w XVII i XVIII w. Gdy sąsiedzi wzmacniali swe państwa, u nas pogłębiały się trudności wewnętrzne. Nie pozwalali więc na naprawę Rzeczypospolitej, a gdy naprawa ta została zapoczątkowana – rozebrali Polskę.

Jednak naród polski nie pogodził się z utratą niepodległości. Najdzielniejsi jego synowie wciąż myśleli o tym, jak podjąć na nowo walkę z zaborcami.

Ćwiczenia

1. Jakie były przyczyny upadku Powstania Kościuszkowskiego?
2. Dlaczego Powstanie Kościuszkowskie wpłynęło korzystnie na przebieg sytuacji we Francji?
3. Jaką rolę w rozbiorach Polski odegrała Rosja?
4. Jakie były przyczyny upadku państwa polskiego?
5. Wskaż na mapie: a) Maciejowice, b) ziemie polskie utracone w trzecim rozbiorze.

Fragment opery Wojciecha Bogusławskiego *Krakowiacy i górale* wystawionej w 1794 r.:

„Niemądry, kto wśród drogi
Z przestrachu traci męstwo,
Im sroższe ciernia głogi,
Tym milsze jest zwycięstwo."

Królowie Polski

A. Dynastia Jagiellonów
Władysław Jagiełło (1386–1434)
Władysław Warneńczyk (1434–1444)
Kazimierz Jagiellończyk (1447–1492)
Jan Olbracht (1492–1501)
Aleksander (1501–1506)
Zygmunt I Stary (1506–1548)
Zygmunt II August (1548–1572)

B. Królowie elekcyjni
Henryk Walezy (1573–1574)
Stefan Batory (1576–1586)
Zygmunt III Waza (1587–1632)
Władysław IV (1632–1648)
Jan Kazimierz (1648–1668)
Michał Korybut Wiśniowiecki (1669–1673)
Jan III Sobieski (1674–1696)
August II Mocny (1697–1733)
Stanisław Leszczyński (1704–1709 i 1733–1736)
August III (1733–1763)
Stanisław August Poniatowski (1764–1795)

Daty do zapamiętania

1385; 15 VII 1410; 1466; 1492; 1525; 1569; 1573; 1655–60; 1683; 1772; 1776; 14 VII 1789; 3 V 1791; 1793; 1794; 1795.

RÓD JAGIELLONÓW

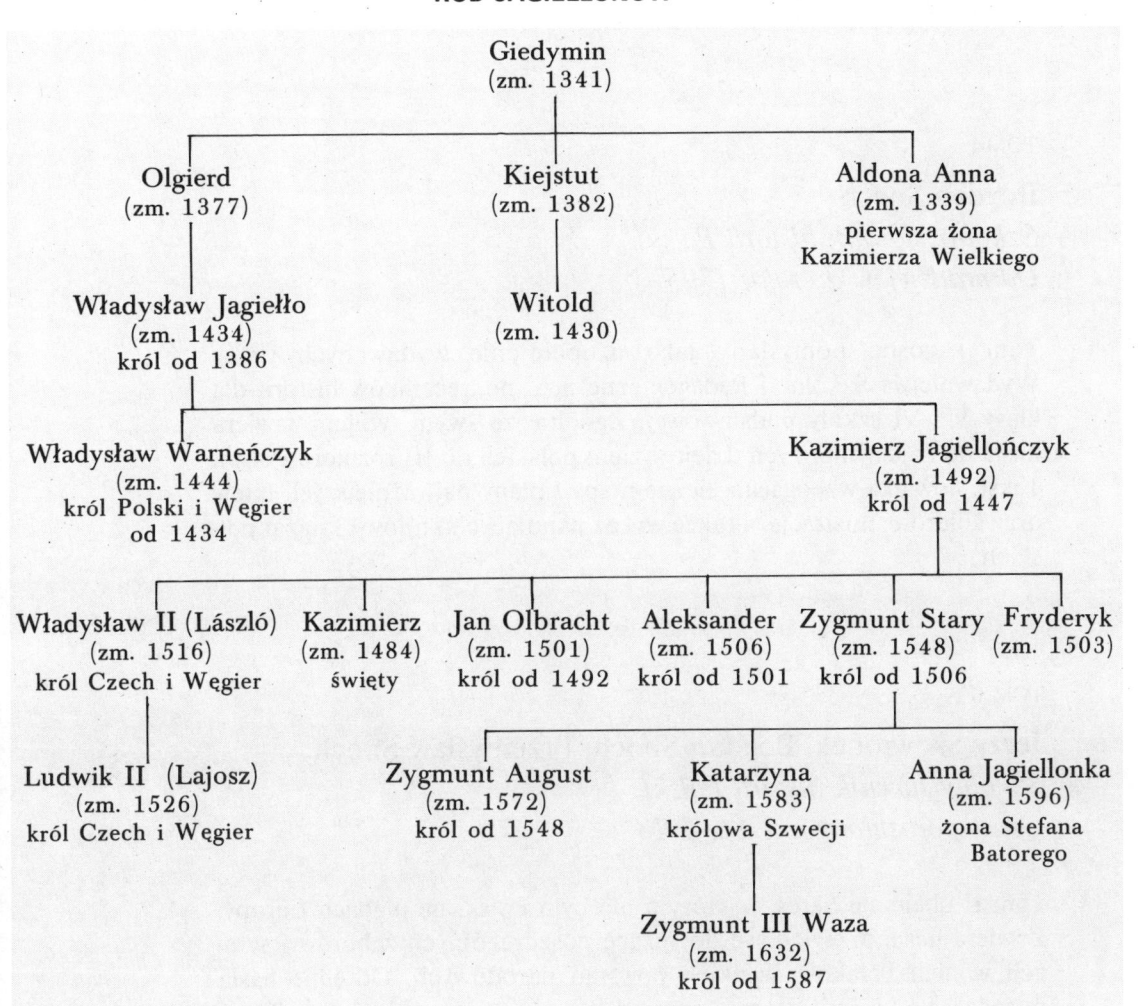

Giedymin
(zm. 1341)

- Olgierd (zm. 1377)
  - Władysław Jagiełło (zm. 1434) król od 1386
- Kiejstut (zm. 1382)
  - Witold (zm. 1430)
- Aldona Anna (zm. 1339) pierwsza żona Kazimierza Wielkiego

Dzieci Władysława Jagiełły:
- Władysław Warneńczyk (zm. 1444) król Polski i Węgier od 1434
- Kazimierz Jagiellończyk (zm. 1492) król od 1447

Dzieci Kazimierza Jagiellończyka:
- Władysław II (László) (zm. 1516) król Czech i Węgier
  - Ludwik II (Lajosz) (zm. 1526) król Czech i Węgier
- Kazimierz (zm. 1484) święty
- Jan Olbracht (zm. 1501) król od 1492
- Aleksander (zm. 1506) król od 1501
- Zygmunt Stary (zm. 1548) król od 1506
  - Zygmunt August (zm. 1572) król od 1548
  - Katarzyna (zm. 1583) królowa Szwecji
    - Zygmunt III Waza (zm. 1632) król od 1587
  - Anna Jagiellonka (zm. 1596) żona Stefana Batorego
- Fryderyk (zm. 1503)

Tablica genealogiczna rodu Jagiellonów

Szkolny słownik historii Polski niezbędną pomocą dla uczniów szkół podstawowych i gimnazjum

TOM I

Bogdan Snoch
Szkolny słownik historii Polski.
Od pradziejów do roku 1795

Tom I został pomyślany jako uzupełnienie wydawanych przez Wydawnictwa Szkolne i Pedagogiczne S.A. podręczników historii dla klasy V i VI szkoły podstawowej. Zgodnie ze swym tytułem zawiera hasła od najdawniejszych dziejów ziem polskich do III rozbioru Polski. Tekst Słownika wzbogacają liczne mapy i plany najważniejszych bitew oraz kolorowe ilustracje, a także wykaz panujących królów i książąt polskich.

TOM II

Jerzy Skowronek, Bogdan Snoch, Przemysław Snoch
Szkolny słownik historii Polski.
Czasy porozbiorowe 1795-1918

Tom II obejmuje okres, w którym nie było Polski na mapach Europy. Zawiera hasła przeglądowe dotyczące poszczególnych zaborów i sytuacji w nich Polaków, wielkich powstań narodowych. Odrębne hasła poświęcono ważniejszym przywódcom, wojnom i bitwom. Tekst uzupełniają mapy i ilustracje kolorowe.

Wydawnictwa Szkolne i Pedagogiczne S.A. prowadzą także sprzedaż wysyłkową.
Zamówienia (kartki pocztowe) prosimy przesyłać pod adres:
Dział Marketingu WSiP S.A.
ul. Pankiewicza 3
00-696 Warszawa